면세 미술:
지구 내전 시대의 미술

히토 슈타이얼 지음
문혜진, 김홍기 옮김

wo
rk
ro
om

차례

좌대 위의 탱크

나는 역사를 사랑한다.

하지만 역사는 나를 사랑하지 않는다.

내가 그녀에게 전화할 때마다 항상 자동 응답기가 전화를 받는다.

"로고를 입력하세요."

좌대 위의 탱크. 엔진에서 연기가 피어오르고 있다. 우크라이나 동부 콘스탄티노프카의 친러시아 분리주의자 집단이 이오시프 스탈린(Iosif Stalin)의 이름을 따 IS-3라고 명명된 소련의 전투 탱크를 용도 변경한다. 탱크는 제2차 세계 대전 기념물 좌대에서 끌어 내려져 곧바로 전쟁에 투입된다. [친러시아 계열] 민병대에 따르면, 탱크는 "크라스노아르메이스크 지역 울리야놉카 마을의 검문소를 덮쳐 [반러시아 계열] 우크라이나 측 병사 세 명이 사망하고 세 명이 부상을 입었으며, 민병대 측 손실은 없었다."[A]

탱크가 역사 전시의 일부가 된 이후, 탱크가 역사적으로 적극적인 역할을 하는 일은 끝났다고 생각할 수도 있다. 그러나 이 좌대는 마치 탱크가 곧장 전투로 이전될 수 있도록 한 임시 창고 기능을 한 것 같다. 분명 박물관으로 가는 길―심지어 역사 자체로 향하는 길―은 일방통행로가 아니다. 박물관은 차고인가? 병기고인가? 기념물 좌대는 군사 기지인가?

하지만 이는 좀 더 일반적인 질문을 열어 놓는다. 지구 내전(planetary civil war), 불평등의 증가, 독점 디지털 기술로 규정되는 시대의 미술 기관을 어떻게 생각해야 할까? 기관의 경계는 모호해지고 있다. 트위터를 통한 관객과의 소통에서부터, 그림이 얼마나 관객에게 인기가 있는지, 수상하게 행동하는 사람은 없는지 확인하기 위해 안면 인식이나 눈동자 추적을 통해 그림이 관객을 감시하는 '신경 큐레이팅'(neurocurating)의 미래에 이르기까지 기관은 확장 중이다.

이 상황에서 20세기의 제도 비판 미술 용어를 갱신하는 것이 가능한가? 아니면 다른 모델이나 견본을 찾아야 하나? 그런데 이런 조건의 모델은 대체 무엇인가? 그것이 화면 안의 현실과 화면 밖의 현실, 수학과 미학,

---

A 이런 흥미로운 사례를 알려준 올렉시 라딘스키(Oleksiy Radynski)에게 감사한다. 좌대에서 탱크를 끌어내는 장면을 찍은 영상은 밀리터리닷컴 (military.com)에서 확인할 수 있다. 이 영상이 촬영된 후 우크라이나군이 탱크를 재탈취해 키예프로 가져갔다고 한다. 하지만 관련 보도 중 공식적으로 입증된 것은 없다.

면세 미술

미래와 과거, 이성과 반역을 어떻게 연결시키나? 생산으로서의 글로벌 연쇄 투사(projection)에서 [새로운 제도 비판] 모델의 역할은 무엇인가?

탱크 납치의 사례에서 역사는 하이퍼 동시대(hypercontemporary)에 침범한다. 역사는 사건의 사후 기술이 아니다. 역사는 행동하고, 꾸며대며, 계속 변화한다. 역사는 비정규 군인이 아니라면 둔갑하는 플레이어다. 역사는 계속 뒤에서 공격한다. 역사는 그 어떤 미래도 막는다. 솔직히 말해 이런 유의 역사는 최악이다.

이와 같은 역사는 반복을 피하기 위해 인류의 이름으로 연구해야 할 고귀한 노력이 아니다. 정반대로 이러한 종류의 역사는 편파적이고, 당파적이며, 민영화된 것이고, 타산적인 기업이며, 자격이 있다고 생각하게 만드는 수단이자, 공존에 대한 실재 방해물이고, 상상의 기원에 속박되도록 사람들을 붙잡는 시간의 안개다.[B] 억압받는 자의 전통이 한 무더기의 억압하는 자들의 전통으로 바뀐다.[C]

요즈음에는 시간 자체가 뒤로 흐르는 걸까? 누군가 시간의 전진 기어를 없애고 순환하도록 만든 것일까? 역사는 루프(loop)로 변하고 있는 듯하다.

이와 같은 상황에서 혹자는 역사의 반복을 희극이라 본 마르크스의 사상을 재탕하고 싶은 마음이 들 수도 있다. 마르크스는—재연은 말할 것도 없고—역사적 반복이 어리석은 결과를 낳는다고 생각했다. 하지만 마르크스의 인용 자체가 (혹은 역사적인 인물 그 누구를 인용하더라도) 희극이 아니라한들 반복일 것이다.

그러므로 대신 톰 크루즈(Tom Cruise)와 에밀리 블런트(Emily Blunt)로 돌아가자. 이편이 훨씬 도움이 될 것이다. 블록버스터 영화 「엣지 오브 투모로우」(Edge of Tomorrow, 2014)에서 지구는 미믹이라는 야만적인 외계

B   이는 다음의 책에도 언급되어 있다. Brian Kuan Wood, "Frankenethics," in *Final Vocabulary*, ed. Mai Abu ElDahab (Berlin: Sternberg Press, 2015), 30-41.

C   영화 「데몰리션맨」(Demolition Man, 1993)을 일러준 스티븐 스큅(Stephen Squibb)에게 감사한다. 이 영화의 공상 과학 소설 시나리오는 무기가 금지된 미래에 대한 것인데, 무기를 발견할 수 있는 곳이 박물관뿐이었기 때문에 주인공들은 박물관에서 무기를 탈취해야 한다(이는 우크라이나의 경우와는 다르다). 폭력을 기억함으로써 평화를 보존하려는 제도적인 노력은 내전을 다시 시작하기 위한 원재료가 된다.

종족의 침략을 받는다. 이들을 없애려고 애쓰는 와중에, 블런트와 크루즈는 [계속 반복되는] 타임 루프 전투에 갇히게 된다. 그들은 계속해서 죽지만 해가 뜨면 다시 살아난다. 그들은 타임 루프를 벗어나는 길을 찾아야 한다. 미믹의 우두머리가 어디에 살고 있나? 루브르의 피라미드 밑이다! 이곳이 블런트와 크루즈가 우두머리를 죽이기 위해 간 곳이다.

적은 박물관 안에 있다. 보다 정확히 말하자면 박물관 아래 있다. 미믹은 장소를 찬탈해 시간이 반복되게 만든다. 하지만 루프라는 형태가 의미하는 바는 무엇이고 이는 전쟁과 어떻게 연결되나? 조르조 아감벤(Giorgio Agamben)은 최근 그리스 용어인 스타시스(stasis)를 분석했다. 스타시스는 내전을 의미하기도 하고 불변을 뜻하기도 한다. 어떨 때는 매우 역동적일 수도 있으나 다른 한편 완전히 정반대의 상태일 수도 있다.[D] 오늘날 수많은 분쟁은 두 가지 의미에서 모두 스타시스의 상태에 빠진 듯하다. 스타시스는 해결되지 않고 질질 끄는 내전을 가리킨다. 분쟁은 갈등 상황에서 해결책을 도출하는 수단이 아니라 갈등을 지속하는 도구다. 정체 상태의 위기가 핵심이다. 무기한이 될 필요가 있다. 왜냐하면 이런 상태가 풍부한 이익의 원천이기 때문이다. 불안정은 바닥없는 금광이다.[E]

스타시스는 사적 영역과 공적 영역 사이의 항구적인 전이로 나타난다. 이는 자산의 일방적인 재분배에 매우 유용한 기제다. 공적이던 것이 폭력으로 사유화되고, 과거에는 사적이던 증오가 새로운 공적 정신이 된다.

스타시스의 현재 버전은 비전형적인 최첨단 전쟁의 시대에 놓인다.

D   Giorgio Agamben, *La guerre civile: Pour une théorie politique de la Stasis* (Paris: Points Collection, 2015). 여기서는 이 용어의 계보와 복합적인 함의에 대해 암시 정도만 줄 수 있을 것 같다. 이 용어는 '세계 내전'(Weltbürgerkrieg)에 대한 카를 슈미트(Carl Schmitt)의 개념에서 시작되었는데, 슈미트의 개념도 에른스트 윙거(Ernst Jünger)에서 비롯되었을 수 있다. 1980년대에 에른스트 놀테(Ernst Nolte)가 이 용어를 사용하면서 소위 '역사가들의 논쟁'(Historikerstreit)이 유발되었고, 제2차 세계 대전 및 기타 독일이 저지른 범죄에 대한 독일의 책임을 최소화하려는 우익 독일 역사가들이 수정주의자들의 반란을 일으키는 계기가 되었다. 하지만 『혁명에 대하여』(On Revolution, 1963)를 쓴 해나 아렌트(Hannah Arendt)를 비롯한 많은 다른 사상가들이 이 개념을 다시 규정하는 작업을 해 왔다. 이 용어를 활용해 온 사상가들 중에는 하트(Michael Hardt)와 네그리(Antonio Negri), 장뤼크 낭시(Jean-Luc Nancy)도 포함되어 있다.

E   그럼에도 내전이 초래하는 것은 당연히 대개는 궁핍이다. 이는 사람들이 자신들의 조직을 군사화할 수 없거나 하고 싶지 않게 만든다.

동시대 분쟁은 우버-민병대, 은행의 후원을 받는 봇(bot) 군대, 킥스타터에서 펀딩 받은 장난감 드론으로 싸운다. 이런 싸움의 주역은 게임 기어와 익스트림 스포츠 장비를 입고 왓츠앱(WhatsApp)을 통해 『바이스』(Vice)의 기자들과 결탁한다. 결과는 만연한 대리(proxy) 교착 상태에서 수송관과 3G를 무기로 사용하는 패치워크 형태의 분쟁이다. 현실판 미믹이라고 할 수 있는 역사적 전투의 재연 배우들이 오늘날의 영구 전쟁(permawar)에서 싸운다.[F] (우크라이나의 경우, 분쟁의 양측 모두 역사적 전투의 재연 배우다.) 스타시스는 영구적인 전쟁과 민영화의 맥락에서 스스로를 향한 시간의 회귀다. 박물관에서 과거는 현재로 새어 나오고, 역사는 심각하게 제한되고 부패한다.

알폰소 쿠아론(Alfonso Cuarón)의 훌륭한 영화 「칠드런 오브 맨」(Children of Men, 2006)은 미술 기관이 지구 내전에 반응하는 또 다른 방식을 보여 준다.[G] 영화는 인류가 불임이 된 암울한 근미래를 그린다. 지구 내전이 영국을 삼킨 결과, 섬은 분리된 두 개의 구역으로 나뉜다. 하나는 총체적 디스토피아인 난민 및 불법 체류자 구역이고, 다른 하나는 시민들이 체류하는 구역이다. 테이트모던의 터빈홀은 예술부(Ministry of the Arts)의 본거지가 된다. 여기서 귀중한 미술품들은 안전한 피난처, 즉 예술의 방주를 얻는다. 터빈홀에서 촬영한 한 장면은 미켈란젤로의 「다비드」(David)의 다리가 깨져 있는 것을 보여 준다. 아마도 무력 충돌 과정에서 파손되었을 것이다.

(ISIS나 이슬람국가로도 알려진) 다에시의 고대 유적 파괴는 다음과 같은 질문을 야기한다(문화재 대량 훼손과 약탈은 미국의 이라크 침공 시 먼저 발생한 일이기도 하다). 팔미라나 니네베의 고대 유적을 구하고 폭력에서 문화유산을 지킬 수 있는 예술의 방주가 있는 편이 좋지 않을까?

F   역사적 전투의 재연 배우 중 러시아 측에서 가장 유명한 이는 이고리 스트렐코프(Igor Strelkow)일 것이다. 그는 현재 말레이시아 항공 17편(MH17) 여객기 피격 사건(2014)의 유족들에게 고소를 당한 상태다(그가 지휘하던 반군이 비행기를 격추시킨 것으로 추정된다). [역주: 희생자 유족들이 스트렐코프를 상대로 미국 법원에 낸 이 소송은 2018년 1월 31일 유족 측의 승소로 종결되었으나 피고가 러시아에 도피한 관계로 실질적인 처벌은 이루어지지 않았다.] 알렉산드르 니우엔하위스에 따르면, 우크라이나 측의 경우 "군사 재연 집단이 우크라이나 군대의 노쇠한 소비에트 장비들을 수리하고 있다." Alexander Nieuwenhuis, "A Military Reenactment Group Is Fixing the Ukrainian Army's Decrepit Soviet Equipment," *Vice News*, September 14, 2014.

G   이 영화를 내게 알려준 데이비드 리프(David Riff)에게 감사한다.

좌대 위의 탱크

하지만 예술의 방주는 상당히 양가적인 기관이다. 우리는 그것의 진짜 기능이 무엇인지 결코 확신할 수 없다. 「칠드런 오브 맨」의 또 다른 장면에서 피카소의 「게르니카」(Guernica, 1937)는 사적인 저녁 식사의 장식으로 활용된다.[H] 예술의 방주는 너무 안전해서 작품을 볼 수 있는 사람이라곤 방주의 수장과 그의 아이 및 하인뿐인 기관일 수 있다. 그러나 다른 한편 방주는 미술품들이 면세 창고의 비가시성 속으로 사라지는 국제 자유항의 미술품 수장고의 진화일 수도 있다.[I]

국제 비엔날레를 제외한다면, 면세 미술품 수장고는 아마도 가장 중요한 동시대 미술의 활성 양식(active form)일 것이다. 세계화(globalization)와 세계시민주의(cosmopolitanism)의 자유주의적 꿈이 집권층(oligarch), 군사령관, 대마불사의 대기업, 독재자, 수많은 새로운 무국적자들로 득실거리는 다극적 난장판으로 실현된 상황에서, 면세 미술품 수장고는 마치 비엔날레의 디스토피아적 뒷면과도 같다.[J]

20세기 후반에 세계화는 공식처럼 기술되었다. 그것은 인터넷으로 증대되고 이주, 대도시 중심의 도시화, 비정부 기구의 힘, 여타의 초국가적인 정치 조직으로 나뉜 시민 사회의 가치였다.[K] 사스키아 사센(Saskia Sassen)은 이와 같은 활동들을 "국가를 뛰어넘는 시민적 실천"[L]으로 규정했다. 인터넷은

H   밝히고 싶은 사실: 최근 마드리드의 레이나 소피아 국립미술관에서 전시를 하게 되면서 그곳에 걸린 「게르니카」를 직접 보지 않았다면, 확신컨대 여기서 「게르니카」에 대해 그리 많이 언급하지 않았을 것이다. 언제나 그렇듯 나는 그 어떤 것에 대해서도 비객관적인 입장을 철저히 고수한다.

I   7장을 참고하라.

J   이런 생각을 처음 한 것은 올렉시 라딘스키다.

K   "이와 같은 변화 가능성의 맥락은 일부 상호 연결된 두 가지 주요 조건이 규정한다. 하나는 다양한 세계화의 형태가 초래한 1980년대 이후 국민 국가들의 지위 및 제도적 양상에 발생한 변화다. 이는 경제의 사유화 및 규제 완화에서 국제 인권 체제의 두드러진 활약까지 망라한다. 두 번째 조건은 부분적으로 국가에 발생한 변화로 강화된, 국가(state)로 대변되는 민족(nation)과 자동으로 동일시하는 것을 갈수록 꺼리는 다수의 행위자, 집단, 공동체가 출현한 것이다." Saskia Sassen, "The Repositioning of Citizenship: Emergent Subjects and Spaces for Politics," *Berkeley Journal of Sociology* 46 (2002).

L   Saskia Sassen, "Towards Post-national and Denationalized Citizenship," in *Handbook of Citizenship Studies*, ed. Engin F. Isin and Bryan S. Turner (London: Sage, 2003), 277-291.

여전히 희망으로 가득 찼고 사람들은 그것을 믿었다. 이런 상황은 오래전 일이다.

인권을 옹호하는 비정부 기구와 자유주의적인 여권 캠페인이 선도하던 조직체는 이제 집권층의 후원을 받는 파시스트 대대, 고프로 지하드 부대, 환치기하는 난민 녀석들, 풍수를 점치는 유라시안을 자처하는 인터넷 트롤들로 배치된다.[M] 이들이 등장하면서 의사(疑似) 소국가, 반'테러리스트' 작전 구역이 면세 구역, 역외(域外) 존재, 기업의 대리 이권(利權)과 함께 부상한다.[N] 이와 동시에, 수평적이던 네트워크가 글로벌 광섬유 감시 체제로 전환된다. 지구 내전에서의 싸움은 전 지구적 전산화의 병참학적 파열에 연루되는 것이다. 동시대 세계인은 기회가 올 때마다 내전에 즉각 참여한다. 가능한 모든 디지털 수단이 투입된다. 봇 군대, 웨스턴 유니언, 텔레그램,[O] 파워포인트 발표, 지하드 게시판 게임화[P] 등 무엇이든 활용된다. 스타시스는 '세계 시민'(cosmopolitan)의 '세계'(cosmo)를 '기업'(corporate)으로, '도시'(polis)를 '자산'(property)으로 전환하는 기제로 작용한다.

이에 상응하는 미술 기관의 모델은 세금 면제의 지위와 전략적 치외법권성에 기반한 자유항의 미술품 수장고다. 「칠드런 오브 맨」은 미술품을 철수시키는 지점까지 보호함으로써 이 모델이 지구 내전의 영향 아래 있는 공공 기관의 모본이 되는 방식을 보여 준다. 국제 비엔날레가 세계화라는 20세기 후반 사상의 활성 양식이었다면, 면세 미술품 수장고와 테러 방지용 초(超)안전 벙커는 세계화된 스타시스와 무시로 등장하는 나토 제재의 시대에 부합하는 비엔날레의 등가물이다. 그러나 이는 불가피하거나 필수적인 결과는 아니다.

이전 시대의 세계 내전(global civil war)에서 「게르니카」가 어떻게 걸렸는지를 생각해 보자.

「게르니카」는 [무고한] 시민들을 공습한 결과를 알리려고 1937년

M   트롤에 대해서는 다음을 참고하라. Adrian Chen, "The Agency," *New York Times Magazine*, June 2, 2015. [역주: 인터넷 트롤은 '어그로' 정도로 번역될 수 있는 말로, 여기서는 전 세계 인터넷에 거짓 정보를 퍼뜨려 혼란을 초래하고 이득을 획책하는 러시아 정보 조직을 뜻한다.]

N   다음을 참고하라. Keller Easterling, *Extrastatecraft: The Power of Infrastructure Space* (London: Verso, 2014).

O   다음을 참고하라. Josh Meyer, "Are ISIS Geeks Using Phone Apps, Encryption to Spread Terror?," *NBC News*, November 16, 2015.

P   다음을 참고하라. Jarret Brachman and Alix Levine, "The World of Holy Warcraft," *Foreign Policy*, April 13, 2011.

파리 만국박람회의 스페인관을 위해 제작되었다. 보존의 측면에서 보면 이는 참으로 서투른 결정이었다. 이 그림은 상당 기간 야외와 다름 없는 환경에 걸려 있었다.

「칠드런 오브 맨」이 그리는 미래에서 피카소의 그림은 전쟁의 혼란을 피할 피난처를 사적인 응접실에서 얻는다. 그림은 아마도 '안전'할 것이고, 분명 온습도 조절이 되는 환경을 누릴 것이다. 그러나 이를 볼 수 있는 사람은 극소수일 것이다. 반면, 역사적인 내전에서는 완전히 정반대의 결정이 행해졌다. 그것은 그림을 노출하는 것, 문자 그대로 바깥에 놓아두는 것이었다. 결국 프랑스어 및 다른 라틴어 계열 언어에서, 전시는 안에 놓는 것(imposition)이 아니라 '바깥에 놓는 것'(exposition)이라 칭할 수 있다.[Q]

보존의 측면에서 볼 때 「칠드런 오브 맨」의 시나리오는 모순적이다. 보존되거나 심지어 창조되어야 할 제일 중요한 것이 예술을 보고 접근할 수 있는 상황이기 때문이다. 왜 그러한가? 왜냐하면 예술은 보이지 않으면 예술이 아닌 까닭이다. 예술이 아니라면 보존할 이유가 없다. 비단 미술품 자체가 아니라, 내전에 대한 기관의 반응—사유화나 과잉보호—으로 위협받는 것은 공적 개방이다. 애초에 예술을 예술이게 하는 것, 그래서 보존이 꼭 필요하게 만드는 것은 일면 공적 개방의 소산이다. 여기서 모순이 발생한다. 예술은 예술이기 위해 가시성을 필요로 한다. 하지만 예술을 보존하거나 사유화하려는

Q 「게르니카」를 보호하기 위한 보안 조치가 시간이 지나면서 어떻게 발전했는지를 살펴보면 흥미롭다. 최근 마드리드의 [프라도 미술관 별관] 카손 델 부엔 레티로에서 전시될 때, 그림은 강력한 방탄유리 케이스에 넣어져 기관총을 든 경비들의 경호를 받았다.

면세 미술

노력으로 위협받는 것은 바로 이 가시성이다.

그러나 여기에는 무언가 잘못된 부분이 있다. 스페인관은 결국 1937년의 사례다. 여기서 나는 낡고 나쁜 좀비 마르크스주의의 향수에 빠지고 있는 것인가? 이것은 희극으로서의 반복이 아닌가?

그렇지 않다는 것이 나의 대답이다. 루프의 문제를 어떻게 해결하는지 보기 위해 「엣지 오브 투모로우」로 되돌아가자. 이 영화는 반복으로서의 역사(history-as-repetition)로부터의 탈출이라는 스타시스의 문제에 대한 예기치 않은 해답을 보여 준다. 영화의 원본이 되는 소설은 사쿠라자카 히로시(桜坂洋)의 『당신이 필요한 것은 죽이는 것뿐』(All You Need Is Kill, 2004)으로, 이 소설의 서사는 비디오 게임 콘솔에서 리셋 버튼을 누르는 경험에서 나왔다. 그러므로 영화가 정해진 레벨을 끝낼 수 없어 곤경에 빠진 게이머의 교착 상태를 묘사하는 것은 우연이 아니다. 그러나 게이머들은 이런 상황에 익숙하다. 다음 레벨로 가는 것은 그들의 임무다. 게이머는 재연 배우가 아니다. 그녀는 같은 레벨을 끝없이 계속 반복하거나 역사적 모델을 무한히 재연하는 것에서 기쁨을 느끼지 않는다. 그녀는 온라인에 접속해 어떻게 해당 레벨을 깰지 파악하기 위해 게임 게시판을 찾아보고 다음으로 나아갈 것이다. 게임(최소한 대부분의 게임)에는 각각의 레벨과 반복되는 시퀀스, 루프마다 출구가 있다. 대부분 벽장 어딘가에 숨겨진 무기나 도구가 있고, 이것으로 어떤 적이든 물리치고 레벨을 끝낼 수 있다. 「엣지 오브 투모로우」는 미래가 있음을 옹호할 뿐 아니라, 우리가 미래의 경계에 놓여 있고 레벨을 끝내고 루프에서 벗어나는 것이 가능하다고 주장한다. 게임하기는 놀기(playing)로 진화할 수 있다. 여기서 '놀이'의 양가성은 도움이 된다. 한편으로 놀이는 진행하기 위해 통달해야만 하는 규칙에 대한 것이다. 다른 한편 놀이는 새롭고 공통적인 규칙을 즉흥적으로 창조하는 것이기도 하다. 그러므로 또 다른 형태의 연기가 될 수도 있고 되지 않을 수도 있는 놀이로 나아가는 게임을 지지하게 되면 재연은 폐지된다.

이 모든 것이 미술관에는 무슨 의미인가? 우선, 역사란 미래가 있을 경우—탱크가 역사적 소장품의 범주 안에 머물러 있고 시간이 앞으로 흘러갈 경우—에만 존재한다고 말할 수 있을 것이다. 미래는 역사가 현재를 점유하고 침범하지 않을 때만 나타난다. 미술관은 탱크를 들일 때 이를 무력화해야 한다. 공원에 전시되기 전에 옛 대포를 시멘트로 채우는 방식으로 말이다. 그렇지 않으면 미술관은 편파적이고 당파적인 역사의 폭정을 보존함으로써 거대한 사업 기회로 판명된 장기화된 스타시스의 도구가 된다.

하지만 이것이 스페인관과 무슨 관계가 있나? 매우 간단하다. 내가 언급하지 않았지만 생각해 보면 아주 명백한 세부 사항이 하나 있다. 1937년에 「게르니카」는 새것이었다. 그것은 현재를 주제로 한 신작이었다. 큐레이터들은 그 역시 주제에 꼭 맞음에도 고야의 「전쟁의 참화」(Desastres de la Guerra, 1810-1820)나 다른 역사적인 작품을 선택하지 않았다. 그들은 현재에 대해 말하기 위해 새로운 작업 및 교육 방침을 의뢰했다. 이 같은 모델을 재활성화하기 위해서는 동일한 일을 해야 한다. 이 역사를 재활성화하고 싶다면 달라져야 한다. 다음 단계가 되어야 하고, 새로운 작업이어야 하며, 현재여야 한다. 이는 물론 일반적인 미술관의 임무를 훨씬 넘어서는 엄청난 시도다. 그것은 단지 도시뿐 아니라 사회 자체를 재창조하는 프로젝트를 시작하는 것이다. 여기서 우리는 놀이의 개념과 다시 만나게 된다. 노는 것은 진행하면서 규칙을 재실현하는 것이거나, 매번 새로운 실현을 요하는 규칙을 창안하는 것이다. 게임과 놀이 사이에는 연속성이 존재한다. 둘 다 규칙이 필요하다. 그 범위의 한끝에는 루프의 형태가 있고, 다른 끝에는 열린 형태가 있다.[R]

미술관, 역사, 지구 내전에 대한 이 같은 개념을 요약해 보자. 역사는 내일이 있을 때만 존재한다. 반대로, 미래는 과거가 현재로 지속해서 새어 나오지 않고 모든 종류의 미믹들을 물리칠 때만 존재할 수 있다. 결과적으로 미술관은 과거보다 미래와 더 관계가 있다. 보존은 과거를 보전하기보다 공적 공간의 미래, 예술의 미래, 미래 자체를 창조하는 것이다.

[R]   스티븐 스큅은 아감벤이 인간의 시간에서 '망각'을 통해 성스럽고 순환하며 반복하는 시간으로부터 풀려난 사람들에 대해 쓴 적이 있음을 대화 중에 내게 말해 주었다.

사람들을 죽이는 방법: 디자인의 문제

나는 미래를 보았다. 텅 비어 있었다. 백지상태, 평평한, 철저히 디자인된.

디자이너 조지 넬슨(George Nelson)은 그의 1960년 영화
「사람들을 죽이는 방법」(How to Kill People)에서 살해가 패션과 집안일과
마찬가지로 디자인의 소관이라고 주장한다. 넬슨은 무기의 형태와 기능을
모두 개량하는 데 디자인이 결정적이라고 언급한다. 디자인은 치명적인
테크놀로지를 개량하기 위한 미학을 전개한다.

최근에 살해 디자인의 가속화된 버전이 이 도시에서 시험되었다. 그곳의
구시가가 파괴되었고, 징수되었고, 부분적으로 근절되었다. 자치권을 주장하는
청년 주민들이 반란을 일으키기 시작했다. 엄청난 국가 폭력이 반란을 진압했고,
건물을 차지했으며, 이웃을 파괴하고, 변혁 운동, 권력 이양과 세속주의와
평등에의 희망을 말살했다. 다른 도시들은 사정이 더욱 나빠졌다. 허다하게
죽었다. 다른 곳에서는 여전히 작전이 진행 중이었다. 천만에, 이 도시는
시리아에 있지 않다. 이라크에도 있지 않다. 당분간은 이곳을 구시가라고 해
두자. 그 구역에서 발견된 유물들은 석기시대까지 거슬러 올라간다.

미래의 살해 디자인은 이미 여기에서 활동하고 있다.

그것은 가속주의적이며, 소프트웨어와 하드웨어를 접합하고, 비상
서한, 프로그램, 형태, 템플릿을 조합한다. 탱크가 데이터베이스와 맞물리고,
화학 물질이 굴착기와 만나고, 소셜 미디어가 최루가스, 언어, 특수 부대,
관리되는 가시성과 마주친다.

면세 미술

길거리에서 아이들이 잡동사니와 잔해의 더미에 버려진 낡아 빠진 컴퓨터 키보드를 가지고 놀고 있었다. 크고 붉은 글씨로 "재밌는 도시"라고 적힌 것이었다. 12세기에 컴퓨터 테크놀로지와 사이버네틱스의 중요한 선구자 중 한 명이 그 구시가에 살고 있었다. 학자 알자자리(Al-Jazari)는 많은 자동 기계와 첨단 공학의 부품들을 고안했다.[A] 그의 가장 놀라운 디자인 중 하나는 호수의 보트 위에서 손님들에게 음료를 제공하면서 떠다니는 한 무리의 음악 로봇이다. 그가 고안한 또 다른 것은 프로그램이 가능한 기계들의 디자인을 선취했다고 간주된다.[B] 그는 이른바 "기발한 기계 장치들의 지식에 관한 책"을 집필했는데, 수력 발전, 의학, 공학, 시간 계측, 음악, 엔터테인먼트 영역의 수십 개의 발명품을 수록한 것이었다. 지금, 이 디자인들이 만들어졌던 구역이 파괴되고 있다.

전쟁, 건설, 파괴는 문자 그대로 막후—배후—에서 일어나며 계획과 설비를 요구한다. 청사진이 디자인되었다. 법규가 눈가림되었고 조탁되었다. 영구적인 긴급 사태를 알리는 미디어의 광채로 정신은 마비되고 또한 자극된다. 살해의 디자인은 군사력, 주택 공급, 종교에 근거한 인구 정책을 편성한다. 그것은 긴급 조치, 토지 대장, 알선되는 욕정, 일상의 조직적인 추행과 폭력의 행위를 거치며 방침을 변경한다. 그것은 트롤, 수탁인, 뉴스 속보, 기도 시간 알림을 배치한다. 사람들은 영토 안팎으로 순환되고, 지금의 헤게모니와의 친화성에 따라 정렬된다. 살해의 디자인은 부드럽고 참여적이며 진보하고 공격적이며, 비정규군과 간헐적 칼부림의 지원을 받는다. 그것은 강인하고 뻔뻔하며 순수와 위험을 위해 애쓴다. 그것은 재빨리 아군과 적군을 모두 개편한다. 그것은 다르고 거스르는 것을 진압한다. 그것은 비대칭적이며, 다차원적이고, 압도적이며, 제공권을 장악한다.

A   알자자리의 작업들을 개관하려면 다음의 책을 보라. Siegfried Zielinski and Peter Weibel, ed., *Allah's Automata: Artifacts of the Arab-Islamic Renaissance (800-1200)* (Berlin: Hatje Cantz, 2015). 또한 다음의 글을 보라. Donald Hill, "Mechanical Engineering in the Medieval Near East," *Scientific American* (May 1991), 64-69.
B   "A 13th Century Programmable Robot," University of Sheffield, archived at web.archive.org.

분쟁이 끝나고도 통행금지는 계속됐다. 거대한 백색 플라스틱 천이 그 구역으로 가는 모든 길목을 가려서 과거의 교전 지역들을 보이지 않게 차단하고 있었다. 불도저 한 부대가 투입되었다. 건설은 다른 수단들로 계속되는 전쟁이 되었다. 허물어진 건물의 잔해는 멀리서 투입된 노동자들이 치웠는데, 일부는 강에 투기되었다는 소문이 있고, 일부는 도심에서 멀리 떨어진 경비가 삼엄한 쓰레기 매립지에 축적되었다. 부모들이 실종된 자식들의 사체를 찾으려고 땅을 파헤쳤다고 한다. 봉기에 가담했다가 행방불명된 자식들이었다. 바리케이드 잔해들이 여전히 거리에 남아 있었고, 시체 냄새에 흠뻑 젖어 있었다.

Guys we are not taking pictures, are we?

특수 부대가 돌아다니며 누구든지 사진을 찍고 있는 것처럼 보이면 체포했다. "당신들은 사진을 삭제할 수가 없소"라고 그중 한 명이 말했다. "사진을 찍자마자 곧바로 클라우드에 업로드된단 말이오."

면세 미술

재건 계획을 3D 렌더링한 비디오가 공개되었는데, 그때 그 구역은 여전히 통행금지 상태였다. 렌더링한 유령들이 전통적인 모양새의 양식으로 건설된 일종의 말끔한 게임스케이프를 돌아다니고, 고대부터 도시를 채웠던 다양한 문화와 종교의 기호들은 생략되어 있다. 파괴의 이미지들이 비뚤한 와이프(wipes)를 통해 행복한 놀이터와 오스만식 보행로로 대체된다.

    그 비디오는 와이프를 이용해 어떤 상태에서 다른 상태로, 현재에서 미래로, 선출된 지자체에서 긴급 조치로,[c] 노동자 계급 지역에서 최상급 부동산으로 이행한다. 영화적 수단으로서 와이프는 강력한 정치적 상징이다. 그것은 말소를 통해 이동을, 더 정확히는 교체를 보여 준다. 또 다른 이미지를 들이밀어 이전의 것을 밀어냄으로써 어떤 이미지를 청소한다. 애초의

C   구시가의 선출된 지자체가 최근 긴급 입법안으로 축출되었다. 그리고 시의 기관장들이 수십 명의 선출된 의회 의원, 기자 등과 함께 '테러'를 지원한다는 의혹하에 체포되었다.

주민들, 건물들, 선출된 대표들, 재산권을 시각적으로 쓸어버려(wipe out) 그 공간을 '청소'하고, 더욱 고분고분한 주민들, 더욱 문화적으로 동질적인 도시 풍경, 더욱 반듯한 행정직과 집주인들로 채운다. 시뮬레이션에 따르면 구시가의 공백은 과거의 판본을 재탕하여 도시를 소비, 소유, 정복의 장소로 만드는 고비용의 신축 개발에 의해 심화될 수도 있다. 이런 유형의 디자인의 대상들은 궁극적으로 사람들이며, 브레히트가 말했듯이 사람들의 퇴거(필요에 따라서는 처분)이다. 와이프는 이것의 영화적 등가물이다. 살해의 디자인은 불응하는 사람들, 저항하는 인간의 체계와 경제에 가하는 영속적인 타격이다.

그래서, 이 구시가는 어디인가? 터키에 있는 곳이다. 쿠르드족 거주 지역의 비공식 수도, 디야르바키르이다. 더 나쁜 사례들이 그 지역 전체에 존재한다. 흥미로운 점은 이런 사건들이 일어난다는 것이 아니다. 그것들은 줄곧 연속적으로 일어난다. 흥미로운 점은 대부분의 사람들이 그것들이 완전히 정상적이라고 생각한다는 것이다. 불만은 전반적인 디자인 구조의 일부이고, 이 모든 것이 이해하기에 너무 어렵고 풀어내기에 너무 특수하다는 감정도 마찬가지다. 그러나 이 장소는 다만 자기의 고유한 규칙들을, 그런 게 있다면, 따르는 특이한 사례로 디자인된 것처럼 보인다. 그곳은 공유된 인간성의 지평에 포함되지 않으며, 어떤 단독적인 경우로서, 어떤 소규모의 단독성으로서 디자인된다.[D]

그러면 보다 일반적인 결론을 이끌어 내기 위해 약간 뒤돌아가 보자. 살해의 디자인이라는 이 특수한 경우는 디자인 전반의 관념에 대해서 무엇을 의미하는가?

누군가는 마르틴 하이데거(Martin Heidegger)의 개념인 죽음을 향한 현존재(Dasein zum Tode), 삶에 내장된 죽음을 떠올릴 수도 있다. 이와 유사하게 우리는 이 사례에서 '죽음을 향한 디자인'(Design zum Tode), 즉 죽음이 전체를 아우르는 지평이며 엄격하게 위계적이고 폭력적인 의미의 구조를 설립하는, 이런 유형의 디자인에 관해 이야기할 수도 있다.[E]

그러나 다른 무언가도 뻔히 나타나는데 그것은 필름으로 녹화하는

D 나의 단독성(singularity)이라는 개념은 단독적 상황 대 포괄적 상황에 대한 피터 홀워드의 지극히 유용한 논의와, 마찬가지로 유용한 프레드릭 제임슨의 다음 글에 기초한 것이다. Peter Hallward, *Absolutely Postcolonial* (Manchester: Manchester University Press, 2001); Fredric Jameson, "Aesthetics of Singularity," *New Left Review* 92 (March-April, 2015).

면세 미술

렌즈를 통해 분명해진다. 작업 중인 불도저가 비디오로 녹화되는 것을 상상해 보라. 불도저는 건물들을 헐어 바닥에 널브러뜨린다. 이제 그 동일한 녹화본이 거꾸로 재생되는 것을 상상해 보라. 그러면 매우 기이한 것, 즉 건물을 실제로 건설하는 불도저가 보일 것이다. 당신은 분진과 잔해가 맹렬하게 건축 자재로 수축되는 것을 보게 될 것이다. 건축물이 마치 일종의 브루탈리즘 진공청소기에 의해 별안간 흡입되듯이 등장할 것이다. 당신이 이 상상의 비디오에서 보게 되는 과정은 실제로 내가 묘사한 바와 매우 흡사한데, 이는 특별한 종류의 창조적 파괴를 온전히 시각화한 것이다.

제1차 세계 대전 직전에 사회학자 베르너 좀바르트(Werner Sombart)는 그의 저작 『전쟁과 자본주의』에서 "창조적 파괴"라는 용어를 고안해 냈다.[F] 제2차 세계 대전 와중에 오스트리아 경제학자 요제프 슘페터(Joseph Schumpeter)는 창조적 파괴가 "자본주의에 관한 본질적인 사실"이라고 규정했다.[G] 슘페터는, 자본주의가 온갖 종류의 외견상 견고한 구조들을 와해시키며 안팎에서 끊임없는 개선과 갱신을 강제하는 능력을 갖췄다는 카를 마르크스의 기술을 참조했다. 마르크스는 "창조적 파괴"가 여전히 일차적으로 파괴의 과정임을 강조했다.[H] 그렇지만 그 용어는 신자유주의 이데올로기 측에서 생산성과 효율성을 유지하기 위해 필요한 내적인 세척 과정 같은 것으로 유행하게 되었다. 그것의 파괴주의는 미래주의와 동시대 가속주의 모두와 공명하는데, 이 둘은 모두 어떤 필수적인 파국을 기리는 것들이다.

오늘날은 '창조적 와해'(creative disruption)라는 용어가 창조적 파괴를 대체한 것으로 보인다.[I] 블루칼라와 화이트칼라 노동의 자동화, 인공

E   당연하게도 '죽음을 향한 디자인'은 프랑코의 파시스트 스페인 외인부대의 슬로건 "죽음 만세!"(Viva la muerte!)를 떠올리게 한다. 이 죽음은 많은 형태를 지닐 수 있다. 그것들이 확실히 모두 같은 것은 아니더라도 말이다.

F   Werner Sombart, *Krieg Und Kapitalismus* (Munich and Leipzig: Verlag von Duncker & Humblot, 1913).

G   다음을 보라. Ricardo J. Caballero, "Creative Destruction," economics.mit.edu/files/1785.

H   Karl Marx, *Grundrisse* [1857], trans. Martin Nicolaus (Harmondsworth: Penguin, 1993 [1973]), 750.

I   비록 그것이 조금 다른 과정, 즉 전적으로 새로운 시장을 건설하여 더 오래된 시장들을 대체하는 과정에 적용되는 것으로 보이긴 하지만 말이다.

지능, 기계 학습, 사이버네틱 통제 체계 또는 '자율' 기기가 현재의 이른바 와해성 테크놀로지의 예시들이며, 기존의 사회, 시장, 테크놀로지를 맹렬히 뒤흔드는 것들이다. 여기서 우리는 한 바퀴 돌아서 알자자리의 기계 로봇, 와해성 테크놀로지의 선조들로 돌아온다. 이런 테크놀로지들과 어울리는 디자인이 있다면 어떤 유형의 것인가? 사회적인 와해 테크놀로지들이란 무엇인가? 독재적인 통치를 가속화하기 위해 펼쳐지는 트위터 봇, 트롤, 누설(leaks), 인터넷 전면 폐쇄는 어떤가? 동시대 로봇들은 어떻게 실업을 야기하며, 네트워크화된 상품들과 반(半)자율적인 무기 체계들은 어떠한가? 광범위한 인공 백치, 먹통 시스템, 한없이 불쾌한 상담 전화는 어떤가? 현대와 고마츠에서 생산한 어마어마한 기중기와 불도저가 파괴된 도시를 누비며 갈아엎고, 부조리한 기계적 발레(ballet mécanique)를 공연하며, 폐허를 가로질러 찍어 대고, 사회 조직 전반을 할퀴며, 생생한 현재를 말소하고, 이글대는 공허를 열렬히 건설하는 것은 어떠한가?

　　와해성 혁신은 일자리 소멸, 대중 감시, 알고리즘 혼란에 의한 사회적 양극화를 야기하고 있다. 부글거리는 원한을 퍼뜨리고, 도시들을 변화시키며, 음지를 확대하고, 박봉의 프리랜서 노동을 극대화하는 반사회적 기술 독점들을 창조함으로써 사회의 파편화에 일조한다. 이런 사회적이고 테크놀로지적인 와해의 효과들은 민족주의, 때로는 원주민 보호주의, 파시즘, 또는 극렬 종교의 대중 운동을 포함한다.[J] 창조적 와해는 자동화와 사이버네틱 통제에 힘입어 정치 파편화 시대와 발맞춰 이뤄진다. 극렬 자본의 힘들은 종족주의와 근본주의의 증오로부터 강한 추진력을 얻어 재정 상황과 필터 버블[K] 안에서 재조직된다.

　　모더니즘적인 과학 소설에서 최악의 정부는 단일한 인공 지능이 원격 통제하는 사회로 상상되곤 했다. 그렇지만 오늘날 실제로 존재하는 원시-파시즘과 준파시즘은 분권적인 인공 백치에 기대고 있다. 봇 부대는 사육장(farms)과 밈 마술(meme magick)처럼 정치적 감정에 좌우되는 뇌를

J　　재차 분명히 말하자면 구시가의 상황이 일차적으로 와해성 테크놀로지의 직접적인 효과에 기인한 것은 아니다. 물론 대중 인터넷 감시, 드론, 그 외의—이를테면 이제는 전통적인—전쟁의 수단들이 사용되긴 하지만 말이다.

K　　편주: 포털, 언론사 등의 정보 제공자가 사용자 위치, 검색 이력 등에 따른 맞춤형 정보를 제공함에 따라 사람들이 온라인상에서 필터링된 정보만 접하게 되는 현상.

형성하며, 대중의 정념을 자처하는 악플 세례를 제조해 낸다. 테크노크라시의 파시즘적 규칙−공정하고, 전지적이며, 세련된 것으로 가정되는−이라는 관념은 쏟아지는 저열한 재잘거림으로 실현된다. 민주주의(democracy)의 민중(demos)은 사람들의 활동, 동작, 생기를 포착하는 휴대폰(mobiles)상의 무리(mob)로[L] 대체된다. 그러나 모더니즘의 디스토피아와는 대조적으로 지금의 독재 정치는 그런 체계의 완성에 의존하지 않는다. 오히려 그 체계의 영속적인 고장, 기능 장애로, 대혼란을 창조하는 이른바 '예측의' 능력으로 번창한다.

시간이 유난히 와해의 영향을 받는 것으로 보인다. 되감긴 불도저의 비디오를 상기해 보자. 창조적 파괴의 인상이 생겨나는 것은 오로지 시간이 되감겼고 뒤로 가기 때문이다. 1989년이 지나고 자크 데리다(Jacques Derrida)는 시간이 "탈구되어" 근본적으로 날뛰고 있다고 선언했다. 프랜시스 후쿠야마(Francis Fukuyama) 같은 문필가들은 역사가 어떻게든 흐지부지됐다고 생각했다. 장프랑수아 리오타르(Jean-François Lyotard)는 현재가 결국에는 아무런 특수한 일도 일어나지 않는 폭발적인 충격의 연속이라고 기술했다.[M] 이와 동시에, 물류 관리는 지구의 생산 연계를 재조직하고, 판이한 시간의 조각들을 조립하여 효율과 이윤을 극대화하고자 했다. 그리하여 파편화된 시간이 잘라내기-붙여넣기 미학과 공명하며 대규모의 대혼란을 창조했는데, 그 대상은 점점 더 불가능한, 쪼개진, 대개 무급인 노동 시간과 일정을 맴돌며 삶을 꾸려야 하는 사람들이었다.

이에 부가되는 시간의 차원은 더 이상 인간이 접근할 수 없는 것, 주가 폭락과 고빈도 거래 사기를 생산하는 네트워크화된 이른바 통제 체계만이 접근할 수 있는 것이다. 금융화로 사태는 더더욱 복잡해진다. 즉 현재의 경제적 생활력은 부채에 의해, 말하자면 현재에 청구되거나 소비되거나 지출되는 미래의 수입에 의해 유지된다. 따라서 한편으로 미래는 대폭 줄어들고, 다른 한편으로 현재는 불안정해진다. 요컨대, 현재는 마치 미래를 비워 내어 결코 존재하지 않은 과거가 되풀이되는(looping) 판본을 유지함으로써 구성되는 것처럼 느껴진다. 이것이 의미하는 바는 적어도 이 궤도의 일부에 대해서는 참으로 시간이 뒤로, 즉 비워 낸 미래로부터 출발하여 와해성 디자인으로

L   몹(mob)이라는 용어는 '모빌레 불구스'(mobile vulgus) 즉 '변덕스러운 군중'에서 파생된 것이다.

M   Jean-François Lyotard, "The Sublime and the Avant-Garde," in *The Inhuman* (Stanford: Stanford University Press, 1991).

유지되는 정체한 상상의 과거를 육성하는 쪽으로 흘러간다는 것이다.

와해는 구시가의 3D 렌더링의 삐뚤한 와이프에서 안달복달하는 것으로 보인다. 현재와 미래 사이의 이행은 갑작스럽고 말 그대로 울퉁불퉁하다. 프레임들이 마치 지진으로 덜컥거리는 듯하다는 것이다. 와해성 디자인은 강한 사회적 유대의 특징을 지닌 현재 도시의 현실을 위생적인 디지털 인구 교체 렌더링 영상으로 대체하면서, 기회주의적인 픽셀들의 층이 얇게 발린 비탄과 몰수를 보여 준다.

구시가의 전쟁은 결코 무관하거나 사소하거나 주변적인 것이 아닌데, 왜냐하면 그것이 단독적인 형태의 와해성 디자인, 고유한 살해의 디자인, 특별한 형태의 망가진 첨단의 시간성을 보여 주기 때문이다. 미래가 독촉에 시달리는 것은 미래의 수입을 지출하기 때문이 아니라 미래의 죽음을 현재에 일어나게 만들기 때문이다. 이를테면 부채의 메커니즘이 군사적 통제, 점령, 징발의 메커니즘에 적용된 것이다.

사회적, 미학적, 군사적 과정으로서의 와해는 인간성을 영원히 불필요한 것으로 만들 하나의 테크놀로지적인 단독성을 꿈꾸는 와중에, 무수한 작은 단독성들을, 즉 독재자들이 그들만의 역사, 정체성, 문화, 이데올로기, 인종, 또는 종교라고 반포한 것의 지평에 사로잡힌 존재들을 창조해 낸다. 그 각자는 그들만의 양립할 수 없는 규칙들을, 더 정확히는 그들만의 양립할 수 없는 규칙들의 결핍을 지닌다.[N] '창조적 와해'는 다만 건물과 시가지의 해체로만 실현되지 않는다. 그것은 공통 이해 지평의 해체를 지시하며, 그 지평을 협소하고 평행하고 하향식이고 절단되고 표백된 인공적인 역사들로 대체한다.

이것이 바로 당신이 그 어딘가에 산다면 와해의 과정이 당신에게 영향을 끼칠 방식이다. 당신이 반드시 징발당하거나 이주당하거나 더 나쁜 일을 겪게 될 것이라는 의미가 아니다. 이는 당신이 어디에 있는지(그리고 누구인지)에 따라 일어날 수도 있고 아닐 수도 있다. 그렇지만 역시 당신도 꾸며 낸 과거를 반복하는 미래로 이루어진 당신만의 단독적인 지옥에 사로잡힐 수 있으며, 서로를 제거하려고 작정한 주민들과 함께할 수 있다. 사람들은 멀리서 쳐다볼 것이고, 무슨 일인지 이해할 수 없다고 결론지을 것이고, 고양이 영상들을 내리 바라볼 것이다.

N　　다음을 보라. Hallward, *Absolutely Postcolonial;* Jameson, "Aesthetics of Singularity."

이와 관련해 무엇을 해야 할까? 그 반대편의 디자인, 즉 다양한 수평적인 형태의 생활을 거들고 공유된 인간성의 부분으로 이해될 수 있는 유형의 창작이란 무엇일까? 팽창하고 가속하고 숙청하고 와해하고 동질화하는 절차에 상반되는 것은 무엇일까? 인간성을 획일적이고 세척되고 이른바 우월한 상품으로, 위생적으로 렌더링한 유령으로 구성된 초인간성으로 디자인하는 과정에 상반되는 것은 무엇일까?

그 상반되는 것이란, 파괴를 통하여 성장하지 않으며 문자 그대로 구축적으로 탈성장하는 과정이다. 이 유형의 구축은 통화 팽창이 아니라, 권력 이양을 창조하는 중이다. 집권적 경쟁이 아니라, 협력적 자율성을. 시간의 파편화와 사람들의 분열이 아니라, 확장, 팽창, 소비, 부채, 와해, 점령, 죽음의 축소를. 초인간성이 아니라, 인간성 자체로 완벽히 해내는 것.

한 여인이 통행금지가 계속된 구시가에서 홀로 머무르며 뒤쪽 외양간에 사는 소를 돌보았다. 그녀의 딸들이 매주 로마 시대 성벽의 폭포를 따라 기어올라 기본적인 생필품을 조달했다. 그들은 줄곧 군인들의 사격을 받았다. 이렇게 여러 주가 흘렀다. 우리가 그녀에게 말을 걸었을 때는 마침 소가 출산을 한 후였다. 팀원 중 한 명은 수의사였다.

> 딸: 우리 송아지가 아파요. 와서 좀 봐주세요.
> 수의사: 물론이죠, 무슨 일이 있었나요? 갓 난 송아지인가요?
> 송아지가 어미 소의 첫젖을 먹었어요?
> 엄마: 아니요, 초유를 먹지 못했어요. 우유가 없었어요.
> 난산이었어요. 다섯 번이나 나오다가 말다가 했거든요.
> 딸: 다른 송아지가 먼저 다가와서 우유를 죄다 마셨는데, 우린
> 알아차리지 못했죠.
> 딸: 엄마, 송아지 어딨어요?
> 엄마: (외양간을 향해 부른다) 어딨니? 우리 귀여운 피스타추,
> 어디에 있니?

완전한 현존재의 공포: 미술 분야의 참석의 경제

1979년의 국제 미술가 파업은 "미술 체계의 억압이 계속되고 미술가들이 작업의 결과에서 소외되는 데 맞선 항거"였다. 조르제비치는 세계 곳곳의 여러 미술가들에게 초대장을 전송하면서 총파업에 참여할 의사가 있는지 물었다. 그는 솔 르윗(Sol Lewitt), 루시 리파드(Lucy Lippard), 비토 아콘치(Vito Acconci) 등으로부터 39통의 답장을 받았는데, 대체로 지지하지 않는다는 것이었다. 수전 힐러(Susan Hiller)는 다음과 같이 답장했다. "저는 사실 여름 내내 파업 중이었지만, 아무것도 바뀌지 않았고 저는 작업을 다시 시작하길 바라며, 이내 그렇게 할 생각입니다."[A]

친애하는 고란에게, 편지를 보내 줘서 감사합니다. 개인적으로 저는 이미 1965년 이래로(그러니까 14년 동안) 제 작업의 어떠한 새로운 형태도 생산하지 않는 파업을 하고 있습니다. 제가 더 무엇을 할 수 있을지 모르겠습니다—건승을 빌며 (다니엘) 뷔랭[(Daniel) Buren].[B]

전설적인 개념주의 미술가 고란 조르제비치(Goran Djordjevic)가 1979년 미술가들을 규합하여 미술 총파업을 일으키려 했을 때, 여러 미술가들의 답변은 이미 그들이 파업 중이라는 것이었다—즉 [기존의] 작업이든 새로운 작업이든 간에 생산하지 않는다는 것이었다. 그렇지만 어쨌거나 달라지는 것은 없었다. 분명히 이는 그 당시에 파업이란 무엇이며 어떻게 작동하는지에 대한 통념들을 난감하게 만들었던 것으로 보인다. 파업이란 필요한 노동력을 고용주로부터 고갈시켜 고용주가 노동자의 요구에 양보하게 되는 것으로 여겨지고 있었다. 그러나 미술 분야에서 사정은 달랐다.

오늘날 미술가들의 반응은 명백해 보인다. 미술 분야에서 일하는 그 누구도 더 이상 자신의 노동이 대체 불가능하거나 심지어 조금이라도 중요하리라고 기대하지 않는다. 자가 취업 또는 차라리 자가 실업이 만연한

A   Adam Leith Gollner, "An Investigation Into the Reappearance of Walter Benjamin," hazlitt.net, Semtember 11, 2014.
B   "The International Strike of Artists? Extracts," stewarthomesociety.org.

시대에 누군가가 자기의 고유한 노동력을 받들 것이라는 생각은 도리어 이국적으로 보인다.

물론 미술 분야의 노동은 늘 다른 영역의 노동과 달랐다. 그러나 작금의 그 이유들 중 하나는 동시대의 미술 경제가 사물의 생산에 관련된 노동력이라는 더욱 전통적인 관념보다는 참석에 더 의존한다는 데 있을 것이다. 물리적 참석, 즉 출석이나 방문과 같은 그 참석 말이다. 어째서 참석이 그토록 매력적인 것일까? 참석이라는 관념은 매개되지 않은 소통의 약속, 제약되지 않은 실존의 불빛, 외관상 소외되지 않은 경험, 인간들 사이의 진정한 만남을 환기시킨다. 미술가뿐만 아니라 다른 모든 이들도 참석함을 함축하는 것이다. 그것이 무엇을 의미하는지, 무엇에 유용한지 상관없이 말이다. 참석은 이른바 실질적인 토론, 교환, 소통, 해프닝, 이벤트, 라이브, 실재하는 사물을 나타낸다−당신도 알고 있듯이.

요즘의 미술가들은, 혹은 더욱 일반적으로 콘텐츠 제공자들은 작품을 내놓는 것 이상으로 무수한 부가 서비스를 수행해야 하는데, 그것이 차츰 다른 어떤 형태의 작품보다도 더욱 중요해지는 것으로 보인다. 질의응답이 상영보다 중요하고, 라이브 강연이 텍스트보다 중요하고, 미술가와의 만남이 작품과의 만남보다 중요하다. 소외되지 않는 참석이 산출되는 곳으로 여겨지는 본보기들을 증식시키는 준학술적이고 사회적인 미디어 홍보 포맷들의 난장은 말할 것도 없다. 마리나 아브라모비치(Marina Abramović)의 동명의 퍼포먼스에서처럼 미술가는 참석해야 한다. 그리고 단지 참석해야 할 뿐만 아니라, 또한 독점적으로 참석해야 하고, 사상 최초로 또는 여타의 벅찬 새로움으로 참석해야 한다. 미술의 직무는 영속적인 참석으로 재정의되는 중이다. 그러나 외관상 단독적인 이벤트들이 끝없이 생산되며 새롭고 직접적인 것이 잇따라 양산되고 있지만, 또한 이벤트의 개최는 스벤 뤼티켄(Sven Lütticken)이 일컬었듯 일반적 업무 수행, 즉 효율성과 사회적 노동 전체를 계측할 수 있는 척도이기도 하다.

미술의 경제는 이런 참석의 경제에 깊숙이 잠겨 있다. 미술의 시장 경제는 고유한 참석의 경제를 지니고 있는데, 그것은 아트 페어들과 그 초청자 명단, VIP 구역, 모든 단계에서 출입을 허용하고 차단하는 수행적인 방식들을 중심으로 돌아간다. 사람들은 초대형 전시의 프리뷰가 부유층에게 완전히 부적당해졌다고 말해 왔다. 정말로 중요한 사람들은 오로지 사전-프리뷰에만 참석한다.

인간의 물리적 참석의 경제가 미술 분야에 자리 잡게 된 여러 합리적인 이유가 있다. 사람들의 물리적 참석이 운송, 보험, 설치가 필요한 작품들의 참석보다 대체로 더 저렴한 것이다. 참석이란 시쳇말로 좌석에 엉덩이를 갖다 붙이는 것이므로 좀처럼 없는 지원금을 두고 경쟁하는 문화 기관들에 정당성을 제공한다. 기관들은 사람들에게 입장권이나 이용권까지 판매하며—이것은 보통 마스터 클래스나 워크숍 같은 유사 학술적인 형식으로 이루어진다—인맥을 넓히거나 주소록을 추가하려는 사람들의 욕망을 자본화한다. 한마디로 참석은 쉽사리 수량화되고 화폐화될 수 있다. 그것은 소수의 사람들이 돈을 받게 되고 다수의 사람들이 돈을 내게 되는 것이며, 따라서 꽤나 수익성이 있는 것이다.

그렇지만 또한 참석은 아무런 보상의 약속도 없는 상시 대기를 의미하기도 한다. 물리적인 거의 모든 것들이 복제 가능한 시대에 인간의 참석은 무한정 증식될 수 없는 드문 것들 중의 하나이며 어떤 희소성이 내장된 자산이다. 참석은 어떤 활동에 몰두하거나 열심이지만 취직되거나 고용되지는 않은 것을 뜻한다. 대개 그것은 대기 모드로 잠겨 있는 것을 뜻한다. 가능한 교전을 위한 예비군, 추계학(推計學)적인 중량감을 제공하기 위한 허다한 엑스트라 부문과 같은 것이다.

꽤나 흥미롭게도 완전한 참석과 직접성에 대한 수요는 매개로부터 비롯된다. 혹은 더 정확히는 인터넷을 포함하여 증폭하고 있는 통신의 도구들로부터 비롯된다. 그것은 테크놀로지에 대립되는 것이 아니라 테크놀로지의 결과인 것이다.

윌리엄 J. 미첼(William J. Mitchell)에 의하면 참석의 경제를 특징짓는 것은 향상된 테크놀로지로 주의, 시간, 이동을 거래하는 시장이다—세심한 선택을 요구하는 투자 과정이다.[c] 요점은 테크놀로지가 당신에게 멀리서도 늦더라도 참석할 수 있는 도구를 선사하므로 물리적 참석은 단지 하나의 선택지일 뿐이며 아마도 가장 기피되는 선택지이리라는 것이다. 미첼에 의하면 "참석의 선택은 어떤 개인이 얼굴을 마주한 참석이 시간과 돈을 들일 가치가 있는 것인지 결정해야 일어난다." 사실상 참석은 투자의 한 방식이 되는 것이다.

C   William J. Mitchell, *e-topia: "Urban Life, Jim, But Not as We Know It"* (Cambridge, MA: MIT Press, 1999).

그런데 참석의 경제가 잘 통하는 자들은, 다만 그들의 시간에 대한 수요가 많고 기본적으로 그들이 가진 것보다 더 많은 시간을 판매(또는 교환)할 수 있을 사람들만이 아니다. 그것이 훨씬 잘 통하는 자들은 여러 가지 일에 종사해야 생계가 유지되는, 또는 그래도 생계가 유지되지 않는 사람들, 뒤죽박죽인 작은 일감들을 조정하면서 상충하는 일정을 맞추고 우선순위를 협상하는 난항에 시달리는 사람들, 또는 자신의 시간과 참석이 결국엔 다른 무언가로 교환 가능하게 되리라는 희망을 품고 항시 대기하는 사람들이다. 소외되지 않고 매개를 거치지 않은 귀중한 참석의 아우라가 의존하는 시간의 하부 구조는 조각난 일정과 고장 나고 붕괴하는 적시적기의 경제로 이루어진다. 여기서 사람들은 반향하는 다른 시간대들과 연속적으로 망가지는 조잡한 시간표들을 광적으로 이해하려고 한다. 그것은 모든 층위에서 고장 나고 망가진 정크시간(junktime)이다. 정크시간은 부서지고 끊기고 흩어지며 여러 평행한 트랙을 따라 흐른다. 당신이 잘못된 시간에 잘못된 장소에 있는 경향이 있다면, 그리고 심지어 동일한 잘못된 시간에 두 곳의 잘못된 장소에 있기까지 한다면, 그것은 당신이 정크시간 속에서 살고 있음을 의미한다. 정크시간 안에서 모든 인과적 관계는 흩어진다. 결말이 시작보다 앞서고, 시작은 저작권 침해로 무너졌다. 그 사이의 모든 것은 예산 삭감 때문에 잘려 나갔다. 정크시간은 순수하고 비매개적이고 끝없는 참석이라는 관념의 물질적 토대이다.

정크시간은 케타민, 리리카,^D 기업 이미지에 의해서 바닥나고 가로막히고 둔해진다. 정크시간은 정보가 권력이 아니라 고통으로 다가올 때 발생한다. 가속화는 어제의 망상이다. 오늘의 당신은 부딪치고 실패한다. 당신은 광장이나 대역폭을 차지하려 하지만 그러면 누가 학교에 아이를 데리러 갈 것인가? 정크시간은 속도가 없을 때처럼 속도에 의존한다. 그것은 시간의 대체물, 즉 시간의 충돌 테스트용 인형이다.

그렇다면 정크시간이 어떻게 참석의 숭배에 관련되는가? 이것이 저 모든 철학자들을 향한 질문이다—그리고 이 강연의 제목에 연관된 것이다.

문제는 다음과 같다. 참석에 대한 이런 숭배는 태스크 래빗들(task rabbits)과 아마존 터커들(Amazon Turkers)의 시대에 현존재에 대한 하이데거의 사상을 재활성화하고 있는가? 복사와 붙여넣기가 불가능한

D   편주: 미국 제약 회사 화이자가 개발한 신경병증성 통증 치료제. 자살, 사고 등의 위험을 높인다는 연구 결과가 발표되기도 했다.

신체적이고 헌신적인 참석에 대한 숭배는 동시대 대부분의 직종에서 모든 것이 가차 없이 수량화되고 있음을 표현하는 것인가? 그것은 기관들이 방문객의 데이터와 선호도를 거둬들이는 동시에 그 수효를 통해 자기들의 높은 인지도를 입증하기 위하여 수행하는 인원수 집계와 밀접하게 연관되어 있는가? 다수의 직종으로 파편화된 정크시간, 즉 시간의 자투리와 쪼가리를 늘리고 가다듬어야 할 필요성은, 소외되지 않고 중단되지 않고 뻗어 나가고 끝없고 숙고하고 무시무시한 현존성(Anwesenheit)의 어떤 키치적 이상을 위한 조건들을 창조하고 있는 것일까?

여러분이 약간이라도 동의한다면 나는 이 텍스트를 완전한 현존재의 공포라고 부르고자 한다. 마치 크리스토프 슐링엔지프(Christoph Schlingensif)의 초기 영화처럼 들리는 제목이다.

파업이라는 주제로 돌아가 보자. 참석의 경제에서 파업은 필연적으로 불참의 형태를 취한다. 그러나 내가 기술하려 한 종류의 참석이 사실상 불참을 붙잡아 두는 다양한 단계들이므로, 역으로 그 참석에 반대하려는 불참도 특정한 형태의 참석을 포함해야 한다. 파업은 다양한 전략적 후퇴나 노동자 자율 운동(Autonomia Operaia)이 무단결근이라고 명명한 것의 형태를 취해야 할 수도 있다.

아주 단순한 사례를 기술해 보겠다. 파업은 '미술가는 불참한다'라고 불리는 작품의 형태를 취할 수도 있을 것이다. 탁자 위에는 다만 한 대의 노트북만 있어서 사전 녹화되어 반복 재생되는 미술가의 시선이나 아예 동영상 GIF가 나올 것이다. 이것은 좀 진부해 보이겠지만, 다른 한편 청중들도 역시 비슷한 소품들로 재현될 수 있는데, 왜냐하면 솔직히 그들도 시간이 많지가 않기 때문이다. 아니면 사실은 참석의 경제를 관리하고 현실적이고 실생활적인 참석을 선택하기 위한 훨씬 더 우아하고 굳이 말하자면 표준적인 해법은, 당신의 이메일이나 트위터 계정을 확인하면서 동시에 내 얘기를 경청하는 척하는 것이다. 이런 경우에 당신은 당신 자신을, 더 정확히는 당신의 고유한 신체를 대역이나 대리인이나 아무개로서 사용하는 중이며, 그 와중에 사실은 당신의 정크시간에 전념하는 것이다. 나는 이것이 불참을 운영하는 형태로서 완전히 훌륭한 것이라고 생각한다.

나는 또한 이미 이것이 완전한 현존재의 공포를 모면하는 한 형태라고 생각한다.

이 작은 예시는 기본적으로 다수의 장소들에서 동시에 참석이 요구되는, 물리적으로 불가능한 상황 속에서 대리와 대역의 역할을 보여 준다. 그리고 여기에 분신술, 현혹, 속임수 등 모면의 기술들이 자리한다. 그것들은 대리의 정치학, 즉 대역과 후림새(decoy)의 정치학과 통한다.

대역이나 대리는 매우 흥미로운 장치이다. 그것은 신체 대역일 수도 있고, 스턴트 대역일 수도 있다. 스캔(scan)일 수도 있고, 사기(scam)일 수도 있다. 어떤 네트워크의 중개자일 수도 있다. 봇일 수도 있고, 후림새일 수도 있다. 고무풍선 탱크일 수도 있고, 텍스트 견본들일 수도 있다. 대리전에 배치된 민병대. 어떤 형판. 어떤 레디메이드. 벡터화된 비트의 스톡 이미지. 이 모든 장치들은 단 하나의 공통점을 갖는다. 참석의 경제에서 발생하는 고전적 딜레마들의 해결을 돕는다는 것이다.

그런 장치의 한 가지 작은 예가 있다. 그것은 꽤나 광범위하고 가장 단순한 데스크톱 대리물의 예시들 중 하나다. 다들 이런 통상적인 샘플 텍스트를 보았을 것이다.

> *Lorem ipsum dolor sit amet, consectetur adipisicing elit, sed do eiusmod tempor incididunt ut labore et dolore magna aliqua. Ut enim ad minim veniam, quis nostrud exercitation ullamco laboris nisi ut aliquip ex ea commodo consequat. Duis aute irure dolor in reprehenderit in voluptate velit esse cillum dolore eu fugiat nulla pariatur. Excepteur sint occaecat cupidatat non proident, sunt in culpa qui officia deserunt mollit anim id est laborum.*

디자인 대리물 로렘 입숨(Lorem Ipsum)은 프린터 폰트 샘플로 개발되었고 임의의 텍스트 더미(dummy)로서 표준적인 탁상출판 소프트웨어에 통합되었다. 그것은 텍스트 기반의 디지털 산업과 그 주의력 결핍 과다 활동 장애(ADHD)적인 업무 형태의 초석이 되었다.

그것이 왜 사용되는가? 아마 원고가 딱히 없어서일 것이다. 아마도 텍스트는 아직 집필되거나 취합되지 않았을 것이다. 아니면 지면을 채울 시간이나 돈이 전혀 없을 것이다. 아마도 필자가 죽었거나 잠들었거나 다른 일로 바쁠 것이다. 그 와중에도 지면은 디자인되어야 한다. 광고는 이미 팔렸다. 마감은 빠르게 다가온다. 이때 로렘 입숨이 행동에 돌입한다. 그것은 잇따라

완전한 현존재의 공포: 미술 분야의 참석의 경제

확장될 수 있는 견본이며, 영원하고 빈틈없는 참석에 대한 수요에 부응한다.

그러나 로렘 입숨이 단지 더미인 것만은 아니다. 텍스트로 이해될 수도 있는 것이다. 그것은 키케로의 윤리에 관한 논고『최고선악론』의 한 단편이다.[E] 이 논고에서는 선과 악에 관한 여러 정의들이 비교된다. 그리고 바로 이 단편은 고통을 다룬다―차라리 그것의 축약된 버전, 즉 '(고)통 자체'를 다룬다.

원문의 의미에 집중해 보자. "Neque porro quisquam est qui dolorem ipsum quia dolor sit amet consectetur adipisci velit sed do eiusmod tempor incididunt ut labore et dolore magna aliqua." 그 의미는 다음과 같다. "아무도 사랑이나 추구나 욕망의 대상으로 삼지 않는 것이 고통 자체인데, 그 이유는 그것이 고통이기 때문이며, 그렇지만 경우에 따라서는 노동과 고통이 제공할 수 있는 것으로 어떤 커다란 쾌락이 꼽힌다." 기본적으로 이 구절은 더 나중에 찾아올 더 커다란 좋음을 위하여 견디는 것에 관련된다. 그것은 만족의 지연에 관한 고전적 사례이며, 이는 나중에 자본주의 프로테스탄트 노동 윤리의 정신적 지주 중의 하나를 이루게 될 것이다.

그런데 로렘 입숨의 버전이 실제로 의미하는 것은 무엇인가? 그것은 조각조각 발췌되어 만족을 아예 지워 버린다. 번역하자면 다음과 같다.

> ...통 자체인데, 그 이유는 그것이 고통이기 때문이며, 그렇지만 경우에 따라서는 노동과 고통이 제공할 수 있는 것으로 어떤 커다란...

로렘 입숨의 버전은 키케로의 문장에서 쾌락이나 보상을 태연하게 잘라 버렸다. 더 이상 만족은 없다. 따라서 이제 당신은 어떤 더 커다란 좋음이나 그 이후의 것을 위하여 고통을 감내하고 있는 게 아니라 실제로 영문도 모른 채 그저 고통을 감내하고 있다. 결과가, 생산물이, 보수가, 끝맺음이 없어도 매한가지다. 로렘 입숨에서 고통은 어떤 목적을 위한 수단이 아니라 그저 그렇게 일어나는 것이다.

정크시간, 즉 네트워크화된 직종의 파편적 시간이 연속적 시간과 맺는 관계는 로렘 입숨이 그 원문과 맺는 관계와 같다. 그 파편들은 잇따라

E   *De finibus bonorum et malorum*, sections 1.10.32-33.

면세 미술

뒤바뀌고 잘리고 닫히고 뒤섞이며, 텍스트와 의미의 중단되지 않는 흐름의 불빛을 망가뜨린다. 그리고 나는 로렘 입숨의 절단된 난장을 읽을 때마다 암살당한 키케로의 머리와 손이 잘려서 포럼 로마눔의 연단에 못 박히고 만 것을 생각하지 않을 수 없다.

베르크하인의 게이 섹스클럽 라보라토리의 웹사이트에는 변형된 로렘 입숨이 있다. 그것은 표준적인 로렘 입숨과 대비되는 몇몇 흥미로운 차이들을 보여 준다. 무엇보다도 그것이 클럽의 규칙에 적혀 있어서 로렘 입숨의 문장들은 사실상 행동 규범이 된다.[F]

키케로를 매시업하는 표준적인 방식에 상당한 변화가 일어난다. 쾌락이라는 단어나 그 변이형이 다시 도입된 것이다. 또한 신체 운동의 미덕이 계속 찬양되는데, 이는 육상 선수 페티시 파티가 마련되는 장소에서는 지극히 타당한 것이다. 이 버전은 고통, 쾌락으로서의 노역, 신체 운동이나 스포츠 사이를 순환한다.

섹스클럽의 행동 규칙은 극도로 스트레스를 줄 것 같은 지시문의 집합이 된다. 쾌락 추구, 노동, 신체 운동이 끝없이 순환하는 것이다. 즉 당신은 일을 통해서 쾌락을 찾아야 하고, 운동을 해야 하며 섹스를 해야 하고, 이 순서에 맞게 중단하지 말아야 한다. 그리고 반복해야 한다. 이것은 당신이 지옥을 통과하고 있다면 그대로 계속 가라는 처칠의 유명한 재담의 정크시간 버전처럼 들린다. 다만 이제는 출구가 없고 당신이 계속 간다는 것은 앞으로 더한 지옥이 펼쳐질 것을 의미할 뿐이다.

그러나 로렘 입숨의 참여 규칙은 다르게 이해될 수도 있는데, 그것은 쾌락과 스포츠와 고통의 배합이 너무나 진이 빠지게 만들어서 사람들이 차라리 대리인이나 더미나 로렘 입숨 자체를 보내리라는 의미에서이다—섹스와 고통과 노역과 스포츠를 모두 대신하게 만드는 것이다. 왜냐하면 솔직히 이런 방식으로 계속 간다는 것은 그저 시간의 소모가 너무나 크기 때문이고, 게다가 그 와중에 당신의 이메일을 확인하는 것이 약간 번거로워질 수 있기 때문이다. 그러니까 그걸 살피는 일은 로렘 입숨에게 대신 맡기고 당신의 무단결근을 운영하라.

스톡 푸티지, 상품 스톡 사진 시리즈, 그리고 창조적 노동, 복사와 붙여넣기, 취합을 위한 온갖 종류의 견본들에 집착하는 것을 비롯하여 기업

F   lab-oratory.de/info 참조.

미학과 대리자로서의 기업에 심취하는 것도 어쩌면 모두 불참하려는 욕구에 잠재적으로 대응하는 것으로 간주될 수 있을는지 모른다. 이 모든 것들이 자기 자신이나 자기 작업을 대신하여 사용될 수 있는 대리자들이다. 이는 일종의 응용된 무단결근인가? 항시 참석에 대한 교묘한 보이콧인가? 스톡 푸티지와 견본을 사용하는 것은, 같은 시간에 여러 장소에 참여하고 출석한다고 속이려고 레이저 절단된 입간판들을 세워 두고서 짜증스러운 대화에 귀를 기울이는 척하기 위하여 주기적으로 "굉장한데요"라고 말하는 것과 마찬가지다.

요점은 사람들이 완전한 현존재의 공포, 즉 테크놀로지에 의해 훨씬 희소해지는 인간의 주의력과 물리적 참석에 기반을 둔 참석의 경제에 대처하기 위해 대리자들을 사용한다는 것이다.

심지어 파업을 조직한 조르제비치도 미술 파업이 실패한 후에 대리 정치학의 형태를 추구하기 시작했다. 그는 그의 본명으로 미술을 하는 것을 그만뒀다. 몇 년이 지나고 그는 발터 벤야민(Walter Benjamin) 순회 강연의 기술 조수로 다시 등장했고, 그 후로 벤야민을 얼추 대변해 왔다. 벤야민 자신이 파업 중인지는 알려진 바 없다.

대리 정치: 신호와 잡음

얼마 전에 나는 몹시 흥미로운 개발자를 한 명 만났다. 그는 스마트폰 카메라 테크놀로지에 관련된 일을 하고 있었다. 전통적으로 사진은 테크놀로지를 통해 이론상 지표적인 연결을 거쳐 바깥에 있는 것을 재현한다고 생각된다. 그러나 이것이 지금도 정말 사실일까? 그 개발자는 오늘날 전화기 카메라의 테크놀로지는 전통적인 카메라와는 상당히 다르다고 나한테 설명했다. 즉 렌즈가 엄청 작고 기본적으로 형편없다는 것인데, 말하자면 카메라 센서가 포착하는 데이터의 대략 절반은 사실 잡음이라는 얘기다. 그렇다면 잡음을 청소하거나 차라리 잡음 속에서 사진을 식별하는 알고리듬을 요령껏 작성해 내야 한다.

그런데 이런 요령을 카메라가 어떻게 알 수 있는가? 아주 간단하다. 전화기나 당신의 소셜 미디어 네트워크에 저장된 다른 모든 사진들을 훑어보고 당신의 연락처를 샅샅이 살피는 것이다. 카메라는 당신이 이미 찍은 사진들이나 당신과 연동된 사진들을 분석하고 얼굴과 몸매를 맞춰 보면서 그것들을 당신에게 연결시키려 시도한다. 알고리듬은 당신과 당신의 인맥이 이미 사진으로 남긴 것을 비교함으로써 당신이 지금 사진 찍으려 할 법한 것을 추측한다. 그것은 먼저 찍힌 사진들, 당신의/그것의 기억에 근거하여 현재의 사진을 창조한다. 이런 새로운 패러다임은 계산 사진(computational photography)이라고 불리고 있다.[A]

그 결과, 결코 존재한 적은 없지만 당신이 보고 싶어 하리라고 알고리듬이 생각한 것의 사진이 생겨날 것이다. 이런 유형의 사진은 투기적이고 관계적이다. 그것은 관성에 거는 확률의 도박이다. 그것은 예측하지 못한 사물들을 보는 것을 더욱 어렵게 만든다. 그것은 잡음의 양을 증가시킬 것이며 임의적 해석의 양을 증가시킬 것이다.

또한 당신의 전화기가 기록하고 있는 것에 대한 외부의 간섭은 말할 것조차 없다. 기업, 정부, 군대 등 온갖 종류의 시스템들이 원격으로 당신의 카메라를 켜거나 끌 수 있다. 특정 장소에서 카메라가 불능이 될 수도 있다―예컨대 시위대 근방에서 당신의 카메라의 기록 기능이 차단될 수도 있고 아니면 반대로 그것에 담긴 무엇이든지 방송될 수도 있다. 마찬가지로 어떤

A   Daniel Rubinstein and Katrina Sluis, "Notes on the Margins of Metadata: Concerning the Undecidability of the Digital Image," *Photographies* 6:1 (2013), 151-158. 또한 이 개념에 대한 카트리나 슬루이스(Katrina Sluis)의 글과 인터뷰를 보라.

장치가 기밀, 저작물, 또는 성적인 내용을 자체 모자이크하거나 삭제하거나 차단하도록 설정될 수도 있다. NSFW(직장에서 부적합한/불안전한, Not Suitable/Safe For Work) 내용을 걸러 내도록, 음모(陰毛)를 자체 변경하거나, 신체를 늘리거나 빼놓거나, 맥락을 바꾸거나 이어 붙이거나, 위치 맞춤 광고, 팝업창, 실시간 중계창을 끼워 넣도록, 이른바 자지 알고리듬(dick algorithm)을 장착할 수도 있다. 당신이나 당신 인맥 중의 누군가를 경찰이나 홍보 대행사나 스팸 발송자에게 전달할 수도 있다. 당신의 채무를 표시하고, 당신의 게임을 즐기고, 당신의 심장 박동을 방송할 수도 있다. 계산 사진은 이 모든 것을 포괄할 만큼 확장되었다.

계산 사진은 제어 로봇 공학, 사물 인식, 기계 학습 테크놀로지를 연결시킨다. 따라서 당신이 스마트폰으로 사진을 한 장 찍는다면 그 결과들은 사전에 계획된 것만큼 사전에 계획된 것이 아니다. 그 사진은 예기치 못한 것을 보여 줄 수 있는데, 왜냐하면 그것이 교통 규제, 의료 데이터베이스, 페이스북의 프레너미(frenemy) 사진 갤러리, 신용 카드 데이터, 지도들, 그 외 원하는 무엇이든 여러 다양한 데이터베이스들을 교차 참조했을 것이기 때문이다.

관계적 사진

그러므로 계산 사진은 본질상 정치적이다−내용이 아니라 형식에서. 그것은 단지 관계적일 뿐만 아니라 또한 정말로 사회적이며, 심지어 사진이 가시적으로 드러나기도 전부터 무수한 시스템과 사람들이 그것에 잠재적으로 간섭한다.[B] 또한 당연히 이 네트워크는 중립적이지 않다. 그것의 플랫폼에 고착된 규칙들과 규범들이 있고, 이것들은 법률적인, 도덕적인, 미학적인, 테크놀로지적인, 상업적인, 그리고 뻔히 숨겨진 요소들과 효과들의 혼합체로 드러난다. 당신은 당신 자신의 사진 속에서 수정되거나 수배되거나 전송되거나 과세되거나 삭제되거나 개조되거나 교체되어 버릴 수 있다. 카메라는 기록한다기보다는 오히려 사회적으로 투사하는 것이 된다. 카메라는 당신이 어떻게 보이고 싶어 할는지 자기가 생각한 바에다가 당신이 무엇을 사야 하거나 무엇이

B   잡음과 정보의 정의에 내장된 정치학에 관해서는 다음 참조. Tiziana Terranova, *Network Culture: Politics for the Information Age* (London: Pluto, 2004). "정보의 문화정치학은 최소한의 소통 조건(신호가 잡음과 맺는 관계 그리고 접촉하기의 문제)으로의 회귀를 포함한다."(10)

대리 정치: 신호와 잡음

되어야 할는지 남들이 생각한 바를 중첩시켜 보여 준다. 그러나 테크놀로지는 좀처럼 혼자서 작동하지 않는다. 테크놀로지는 상충하는 목적들과 더불어 많은 개체들에 의해 설정되며, 정치는 정보로부터 잡음을 어떻게 분리해 낼지 정의하는 일이다.[C]

　　　　그렇다면 정보에서 잡음의 분리를 정의하는, 아니면 먼저 잡음과 정보부터 그 자체로 정의하는, 그런 기존의 방침들은 무엇인가? 누가 또는 무엇이 카메라가 '볼' 것을 결정하는가? 이는 어떻게 이루어지고 있는가? 누구에 의해 또는 무엇에 의해? 이것이 왜 그리 중요한가?

페니스 문제

얼굴과 엉덩이 사이에, 즉 '허용할 수 있는' 신체 부위와 '허용할 수 없는' 신체 부위 사이에 경계를 정하는 것을 예로 들어 보자. 페이스북이 엉덩이책(Buttbook)이 아니라 얼굴책(Facebook)이라고 불리는 것은 우연한 일이 아닌데, 왜냐하면 당신은 페이스북에서 아무 엉덩이도 볼 수 없기 때문이다. 그렇다면 엉덩이들은 어떻게 제거되는 것일까? 어떤 화난 프리랜서가 유출시킨 목록은 페이스북의 얼굴을 수립하고 유지하는 방법에 관해 주어진 지침을 낱낱이 드러낸다. 그것이 우리에게 보여 주는 것은 잘 알려져 있듯이, 나체와 성적인 내용은 예술적인 나체와 남성의 젖꼭지를 제외하고는 엄격하게 금지된다는 것, 그리고 참수와 다량의 피까지 허용할 정도로 폭력에 대한 방침들은 엄청나게 더 느슨하다는 것이다.[D] "으스러진 머리와 팔다리 등은 그 안쪽이 보이지 않는다면 괜찮다"고 지침에 나온다. "살갗이 깊게 베인 상처가 보여도 괜찮고, 과다한 피가 보여도 괜찮다." 저 규칙들을 여전히 감독하는 주체는 인간들이다. 더 정확하게는 터키, 필리핀,

---

C　　　이것이 클로드 섀넌(Claude Shannon)이 1948년 출판한 중요한 논문에서 정보 이론을 촉발시킨 질문이다. 이는 수많은 다양한 플랫폼들을 가로지르며 이 요소들을 어떻게 연결하고 조절할지 따져 볼 때에도 당연히 두드러지는 질문이다. Claude E. Shannon, "A Mathematical Theory of Communications," *Bell System Technical Journal* 27:3 (July 1948), 379-423, and 27:4 (October 1948), 623-656 참조.

D　　　Adrian Chen, "Inside Facebook's Outsourced Anti-porn and Gore Brigade, Where 'Camel toes' Are More Offensive than 'Crushed Heads'," gawker.com, February 16, 2012.

모로코, 멕시코, 인도의 국제적 하도급 노동력이며, 그들은 재택근무로 시간당 대략 4달러를 번다. 이 노동자들은 허용할 수 있는 신체 부위(얼굴)와 허용할 수 없는 신체 부위(엉덩이)를 구별해 내기 위해 고용된다. 대중이 이용 가능한 이미지를 위한 규칙들을 갖추는 것은 원칙적으로 잘못된 일이 아니다. 일종의 여과 과정이 온라인 플랫폼에서 시행되어야 한다. 그 누구도 보복성 음란물이나 잔혹물이 담긴 스팸을 수신하길 바라지 않는다. 그런 이미지를 위한 시장이 있다는 것과는 상관없이 말이다. 문제는 어디에 어떻게 경계를 정할 것인지, 또한 누가, 누구를 대신하여 경계를 그을 것인지에 관련된다. 누가 신호(signal) 대 잡음(noise)의 대결을 결정하는가?

성적인 내용의 삭제로 되돌아가 보자. 이것에 대해서도 얼굴 인식에 대해서처럼 알고리듬이 있을까? 이 질문은 이른바 챗룰렛(Chatroulette) 난제에서 처음 공개적으로 제기됐다. 챗룰렛은 웹상에서 사람들을 만나게 해 주는 러시아 온라인 비디오 서비스였다. 이것은 '다음'(next) 버튼으로 금세 유명해졌는데, 이에 비하면 '별로(unlike) 버튼'은 너무 정중한 것일지도 모른다. 사이트의 회원은 처음에는 폭증하여 2010년에는 매달 160만 명씩 늘었다. 그러나 그 후 이른바 '페니스 문제'가 생겨났는데, 이는 다른 벌거벗은 사람들을 만나려고 이 서비스를 사용하는 많은 사람들을 지시하는 것이었다.[E] 그 이슈를 영리하게 '해결'하고자 모집된 어떤 웹 경연의 우승자는 게시된 비디오에 신속한 얼굴 인식이나 안구 추적 스캔을 돌릴 것을 제안했다―얼굴이 식별되지 않으면 자지임에 틀림없다고 연역하는 것이다.[F]

이와 똑같은 절차가 영국 비밀 정보부가 자체 스파이 프로그램인 시신경(Optic Nerve)으로 사용자 웹캠 정지 화면들을 비밀리에 무더기로 추출했을 때에도 사용됐다. 야후 사용자 180만 명의 비디오 장면이 얼굴과 홍채 인식 테크놀로지를 개발하려는 목적으로 갈취된 것이었다. 그러나―아니나 다를까―콘텐츠의 약 7퍼센트가 얼굴을 전혀 보이지 않은 것으로 밝혀졌다. 그리하여―챗룰렛에 제안된 것처럼―그들은 모든 것에 얼굴 인식 스캔을 돌렸고 얼굴이 아니라는 이유로 자지를 배제하려 시도했다. 이는

E   Brad Stone, "In Airtime Video Chat Reboot, Nudists Need Not Apply," businessweek.com, June 5, 2012.

F   Nicholas Carlson, "Here's THE Solution to Chatroulette's Penis Problem," businessinsider.com, April 8, 2010.

그다지 잘 작동하지 않았다. 유출된 한 문서에서 정부 통신 본부(GCHQ)는 실패를 인정한다. "불쾌할 수 있는 내용을 검열할 완벽한 능력이란 없다."[G]

그 이후의 해결책들은 좀 더 정교해졌다. 확률적 음란물 적발은 이미지의 특정 영역에서 피부색의 픽셀 수를 계산하여 다음과 같은 복잡한 분류학적 공식을 만들어 낸다.

> a. 이미지 크기 대비 피부 픽셀의 백분율이 15퍼센트 이하라면, 그 이미지는 나체가 아니다. 그렇지 않다면 다음 단계로 가라.
> b. 가장 넓은 피부 영역의 피부 픽셀 수가 전체 피부 수치의 35퍼센트 이하라면, 두 번째로 넓은 영역의 피부 픽셀 수가 전체 피부 수치의 30퍼센트 이하라면, 그리고 세 번째로 넓은 영역의 피부 픽셀 수가 전체 피부 수치의 30퍼센트 이하라면, 그 이미지는 나체가 아니다.
> c. 가장 넓은 피부 영역의 피부 픽셀 수가 전체 피부 수치의 45퍼센트 이하라면, 그 이미지는 나체가 아니다.
> d. 전체 피부 수치가 이미지의 전체 픽셀 수의 30퍼센트 이하라면, 그리고 외곽 폴리곤 안의 피부 픽셀 수가 그 폴리곤 크기의 55퍼센트 이하라면, 그 이미지는 나체가 아니다.
> e. 피부 영역의 수가 60 이상이라면, 그리고 폴리곤 안의 평균 강도가 0.25 이하라면, 그 이미지는 나체가 아니다.
> f. 그렇지 않다면, 그 이미지는 나체이다.[H]

그러나 이런 방법은 예컨대 포장된 고기 완자나 탱크나 기관총을 포함하여 너무 많은 잘못된 양성 반응을 산출한 까닭에 금방 놀림거리가 되었다. 최근의 음란물 적발 응용 프로그램들은 신경망, 계산 동사 이론(computational verb theory), 인지 계산에 기반을 둔 자체 학습 테크놀로지를 사용한다. 그것들은 통계적으로 이미지를 추측하려 하지 않고 대상들을 그것들 간의 관계를 통해

G   Spencer Ackerman and James Ball, "Optic Nerve: Millions of Yahoo Webcam Images Intercepted by GCHQ," *Guardian*, February 28, 2014.

H   Rigan Ap-apid, "An Algorithm for Nudity Detection," wenku.baidu.com.

면세 미술

식별함으로써 이미지를 이해하려 한다.[I]

개발자 타오 양(Tao Yang)이 기술한 바에 의하면, 인지 그 자체를 수량화하여 측정하고 계산할 수 있게 만드는 것에 근거한, 전적으로 새로운 분야의 인지 시각 연구들이 있다.[J] 여전히 테크놀로지적인 난점들이 상당함에도 불구하고, 이런 노력은 전적으로 새로운 수준의 형식화를 보여 준다. 또한 이미지의 새로운 질서, 이미지의 문법을 보여 주고, 기업과 정부의 문법에 따른 사회적 관계와 연결된 섹슈얼리티, 감시, 생산성, 평판, 계산의 알고리듬 체계를 보여 준다.

그러면 이것은 어떻게 작동하는가? 양의 음란물 적발 시스템은 불쾌한 부위들의 관계를 추론하기 위하여 그것들을 다량으로 보면서 식별하는 방법을 학습해야 한다. 따라서 기본적으로 당신은 컴퓨터에 제거되길 원하는 신체 부위의 사진들을 많이 설치하는 것부터 시작한다. 그 데이터베이스는 형태적 관련성을 맺을 태세를 갖춘 신체 부위로 가득한 폴더들로 이루어진다. 단지 보지, 젖꼭지, 똥구멍, 구강성교뿐만 아니라 또한 똥구멍, 똥구멍/만(asshole/only), 똥구멍/보지와_섞임(asshole/mixed_with_pussy)도 있는 것이다. 이 라이브러리에 근거하여 온갖 적발 장치들, 즉 젖가슴 적발 장치, 보지 적발 장치, 음모 적발 장치, 쿤닐링구스 적발 장치, 블로우잡 적발 장치, 똥구멍 적발 장치, 보지 만지는 손 적발 장치가 작동할 태세를 취한다. 그것들은 쩍 벌린 문어 기술, 병마개 끼우기, 챔버스 퍽(Chambers Fuck), 프레이저 맥켄지(Fraser MacKenzie), 채무자 설득하기, 첼로로 연주하기, 경기 관람과 같은 매혹적인 체위들을 분간해 낸다(나는 솔직히 프레이저 맥켄지를 상상하는 것만으로도 겁먹게 된다).

이런 문법과 부분 대상들의 라이브러리는 롤랑 바르트(Roland Barthes)의 "음란물 문법"이라는 개념을 상기시킨다. 그는 사드 후작의 글에 대하여 모든 가능한 조합으로 치환할 태세를 갖춘 자세들과 신체 부위들의 체계라고 묘사한다.[K] 그러나 이 내몰리고 공개적으로 핍박받는 체계는 이른바 계몽주의 시대에 전개된 보다 일반적인 지식의 문법을 반영한 것으로 여겨질

I   Porn-Detection Software for Videos & Images at Yang's Scientific Research Institute, LLC., USA (YangSky), available at yangsky.com.

J   Tao Yang, "Applications of Computational Verbs to Effective and Realtime Image Understanding," *International Journal of Computational Cognition* 4:1 (2006).

수도 있다. 미셸 푸코(Michel Foucault), 테오도어 W. 아도르노(Theodor W. Adorno)와 막스 호르크하이머(Max Horkheimer)는 사드의 성적인 체계를 주류적인 분류 체계와 비교했다. 두 체계는 모두 계산하고 분류함으로써, 철저하고 깐깐하고 지난한 분류학을 창조함으로써 표현됐던 것이다. 이와 마찬가지로 신체 부위들 및 그 부위들 서로 간의 관계를 정식화하려는 양 씨의 열의는 인지, 이미지 처리, 행동 자체를 더욱더 수량화할 수 있으며 데이터에 근거한 교환 가치 체계와 상통할 수 있게 만들려는 엄청난 노력을 반영한다.

　　따라서 바람직하지 않은 신체 부위들은 기계로 판독할 수 있는 새로운 이미지 기반 문법의 요소들이 된다. 그것들은 보통은 평판 및 제어 네트워크와 병렬적으로 작동하지만 또한 언제라도 연결될 수 있다. 그 구조는 테크놀로지에 내장된 어느 정도 사회적인 알고리듬들 간의 불협화음이 양산한 데이터 기반의 '지식'을 수확하고 집계하고 자금화하는 동시대적인 방식들을 반영할 것이다.

잡음과 정보

우리가 처음에 제기한 질문으로 돌아가 보자. 정보에서 잡음을 제거하는 사회적, 정치적 알고리듬은 무엇인가? 역시 강조점은 알고리듬이 아니라 정치에 놓인다. 자크 랑시에르(Jacques Rancière)는 이 분할이 훨씬 더 오래된 사회적 공식, 즉 군중을 시민과 폭도로 분할하기 위해서는 잡음과 발화를 구별해야 한다는 공식에 상응함을 멋지게 보여 주었다.[L] 다른 누군가를 진지하게 받아들이고 싶지 않거나 그들의 권리와 지위를 제한하고 싶다면, 사람들은 그들의 발화가 그저 잡음이거나 뜻 모를 신음이거나 외침이며 그들 자신은 틀림없이 이성이 없으므로 권리를 가지기는커녕 주체이지조차

K　　"사드의 체계는 (바르트에 의하면) 하나의 언어처럼 몇몇 기본 요소들로 이루어진 고유한 문법('음란-문법')을 지닌다. 섹스 체위가 주요한 요소이고, 다른 것들로는 성별, 즉 수컷이나 암컷, 사회적 위치, 장소, 예컨대 수녀원, 지하 감옥, 심지어 침실! 등이 있다. 그리고 나서 사드는 이 요소들을 온갖 종류의 철저한 치환으로 함께 조합하여 완전히 육화된 (딱한) 가능성들의 집합을 가공해 낸다." 바르트의 『사드 푸리에 로욜라』(Sade Fourier Loyola)에 관한 기리시 샴부의 글, girishshambu.blogspot.de.

L　　Jacques Rancière, "Ten Theses on Politics," *Theory & Event* 5:3 (2001).

못한다고 주장한다는 것이다. 달리 말하자면, 이러한 정치는 의식적인 해독 행위에 기초한다—'정보'에서 '잡음'을, '신음'에서 '발화'를, '엉덩이'에서 '얼굴'을 분리해 내고 이로부터 그 결과를 수직의 계급적 위계로[M] 반듯하게 쌓아 올리는 행위에 기초한다. 이미지가 출현하기 전에 이미지를 정의하기 위하여 현재 스마트폰 카메라 테크놀로지에 입력되고 있는 알고리듬이 이와 유사한 것이다.

랑시에르의 명제를 유념하면서 우리는 여전히 대의 (representation)로서의 정치라는 보다 전통적인 개념을 다룰 수도 있다.[N] 모두가 청각적으로(또는 시각적으로) 대변되고(represented) 아무도 잡음으로 치부되지 않는다면 평등은 더욱 가까워질 것이다. 그러나 네트워크가 너무나 급격하게 변화하여 대의 정치의 거의 모든 요소들이 변동되었다. 이제는 그 어느 때보다 더 많은 사람들이 거의 무제한적인 수효의 자기 재현(self-representations)을 업로드할 수 있다. 그리고 의회 민주주의를 경유한 정치 참여의 정도는 그 사이에 줄어든 것으로 보인다. 이미지는 무수히 떠돌고, 엘리트는 권력을 좁히고 집중시킨다.

게다가 당신의 얼굴은 단절되고 있는 중이다—당신의 엉덩이에서뿐만 아니라 당신의 목소리와 신체에서도. 이제 당신의 얼굴은 하나의 요소다—라이브러리의 모든 다른 아이템과 조합될 채비를 갖춘 얼굴/전화기와_섞임(face/mixed_with_phone)인 것이다. 필요에 따라 캡션이나 텍스처가 추가된다. 페이스 프린트가 생성된다. 이미지는 재현이라기보다는 대리, 외모 용병, 떠도는 텍스처-표면-상품이 된다. 개인은 몽타주되고 더빙되고 조립되고 합체된다. 인간과 사물은 전혀 새로운 모양으로 뒤섞여 봇이나 사이보그가 된다.[O] 인간이 알고리듬에 정서, 사고, 사회성을 공급하면(feed), 알고리듬은 주관성이라고 불리던 것에 피드백을 한다. 이런

M 또한 명백히 온갖 종류의 다른 위계들로.

N 랑시에르는 다음 책에서 처음으로 이 개념을 논했다. 그 후로 사운드와 이미지의 정치는 웹 기반의 소셜 미디어와 함께 아주 극적으로 변동되었다. Jacques Rancière, *La mésentente* (Paris: Galilée, 1995).

O 도나 해러웨이의 전설적인 묘사에 의하면 사이보그는 사이버네틱 유기체, 기계와 유기체의 혼성체, 사회적 현실의 피조물, 또한 허구의 피조물이다. 해러웨이의 다음 대목을 보라. Donna Haraway, "A Cyborg Manifesto: Science, Technology, and Socialist-Feminism in the Late Twentieth Century," in *Simians, Cyborgs and Women: The Reinvention of Nature* (New York: Routledge, 1991), 149-181.

변동이 정보 공간을 표류하는 포스트 대의 정치로 이어진 것이다.[P]

대리 부대

포스트 대의 정치의 예시로 트위터의 정치적 봇 부대를 살펴보자. 트위터 봇은 소셜 미디어 사이트에서 인간 활동을 가장하는 미미한 스크립트이다. 다량의 동시다발적인 수효로 그것들은 가공할 정치 부대가 되었다.[O] 트위터 챗봇은 개인의 얼굴을 띤 알고리듬, 생기를 얻은 스팸으로 합체된 공식이다. 그것은 인간의 작동을 가장하는 스크립트화된 작동이다.

봇 부대는 광고, 관광 사진 따위의 스팸으로 트위터 해시태그의 논의를 왜곡시킨다. 그들은 기본적으로 잡음을 추가한다. 봇 부대는 멕시코, 시리아, 러시아, 터키 등 대부분의 정당들이 그런 봇 부대를 작동시킨다고 알려진 곳에서 활동해 왔다. 터키의 경우, 집권한 정의개발당(AKP)만 봐도 로비 윌리엄스, 메간 폭스 등의 유명인 사진을 사용하는 1만 8000개의 가짜 트위터 계정을 관리한다는 의혹을 받았다. "진짜처럼 보여야 하니까 그 계정들은 단지 정의개발당 해시태그만 작성하는 게 아니라 토마스 홉스 같은 철학자와 「P.S 아이 러브 유」(P.S. I Love You) 같은 영화도 인용한다."[R]

그렇다면 봇 부대는 과연 누구를 대변하는 것이며 어떻게 그러는 것일까? 정의개발당의 봇들을 살펴보자. 로비 윌리엄스, 메그 폭스, Hakan43020638은 모두 당시 정의개발당의 국무총리(현재 대통령)인 레제프 타이이프 에르도안(Recep Tayyip Erdoğan)을 주역으로 내세운 휴대 전화 게임 '플래피 타이이프'(Flappy Tayyip)를 광고하고 있다. 그 목적은 국무총리 에르도안이 트위터를 금지한 것에 항의하는 해시태그 #twitterturkey를

P 테라노바는 대의 공간과 정보 공간을 구별한다. Tiziana Terranova, *Network Culture*, 36.

Q 여론에 영향을 가하려고 봇을 사용하는 것을 '인공 풀뿌리 운동' (astroturfing)이라고 부른다. 소셜봇(socialbots)이 대량 창조될 수 있다면, 잠재적으로 그것들은 예를 들면 다량의 가짜 메시지를 작성함으로써 여론을 편향하게 만드는 데 사용될 수 있고 어떤 화제에 대한 대중적 인식을 부정직하게 개선시키거나 악화시킬 수 있다고 언론은 지적한다.

R 이어지는 예시들은 터키의 트위터 봇 부대에 관한 피터 넛(Peter Nut)과 디터 레더(Dieter Leder)의 연구에 기반을 두고 있다. 그 연구는 다음 글을 비롯해 여러 곳에 인용된 바 있다. Elcin Poyrazlar, "Turkey's Leader Bans His Own Twitter Bot Army," vocative.com, March 26, 2014.

장악하거나 스팸으로 덮으려는 것이다. 이와 동시에 에르도안 자신의 트위터 봇들은 해시태그를 전용하는 데 착수한다.

Hakan43020638을 더 가까이 들여다보자. 이것은 복사-붙여넣기된 얼굴과 간접 광고(product placement)로 이루어진 봇이다. 그의 얼굴을 구글 이미지 검색을 통해 어떤 신체와 연결시키는 데는 단지 몇 분이 걸릴 뿐이다. 그의 비즈니스 트위터 계정을 보면 그는 자기 속옷을 판매하는 것으로 밝혀진다. 즉 온라인에서 애정의 웹 서비스 제공자로 일하는 것이다.^S 이 버전을 무라트(Murat)라고 명하여 또 하나의 가명을 경쟁에 내던져 보자. 그런데 무라트의 얼굴을 뒤집어쓴 봇은 누구이며, 봇 부대는 누구를 대변하고 있는 것인가? 어째서 Hakan43020638은 허다한 철학자들 중에서 토마스 홉스를 인용하는 것인가? 그리고 무슨 책을? 그가 홉스의 가장 중요한 책 『리바이어던』(Leviathan)을 인용하고 있다고 생각해 보자. 리바이어던은 인간들이 서로 잡아먹는 '자연 상태'에 의해 제시되는 위험들을 막아 내기 위하여 절대적인 주권자가 강제하는 사회 계약의 이름이다. 리바이어던과 함께라면 더 이상 민병대도 없고 더 이상 만인의 만인에 대한 분자적인 다툼도 없다.

그러나 지금 우리는 그러한 사회 계약에 근거를 둔 국가 시스템이 곳곳에서 몰락한 듯하고 남은 것이라곤 치안의 대상인 관계 메타데이터, 이모티콘, 장악당한 해시태그의 집합뿐인 상황에 처한 것으로 보인다. 봇 부대는 동시대의 복스 포퓰리(vox populi), 즉 소셜 네트워크에 따른 민중의 목소리다. 그것은 페이스북 민병대, 당신의 저렴한 맞춤형 떼거리, 당신의 디지털 용병, 또는 일종의 대리 음란물일 수 있다. 이 봇들 중 하나에 당신의 사진이 사용된다고 상상해 보라. 그 순간 당신의 이미지는 자못 자율적이고 능동적이며 심지어 전투적이게 된다. 봇 부대는 유명인 민병대이며, 화려함, 파벌주의, 음란물, 부패, 보수 종교 이데올로기 사이를 정신없이 점프컷한다. 포스트 대의 정치는 봇 부대들 간의 전쟁, 하칸(Hakan)과 무라트의 전쟁, 얼굴과 엉덩이의 전쟁이다.

이것이 정의개발당 포르노 유명 배우 봇들이 필사적으로 홉스를 인용하는 이유일 수 있다. 즉 그들은 이미 로비 윌리엄스(IDF)의 로비 윌리엄스(시리아 전자 부대)에 대한 로비 윌리엄스(PRI/AAP)에 대한 전쟁에

S   당신도 정의개발당의 봇이 될 날이 멀지 않다. 당신이 젊고 어느 정도 하얗다면, 그리고 당신이 벌써 봇이 된 게 아니라면 말이다.

질렸으며, 독재자를 위한 스팸을 리트윗하는 데 진저리를 친다−그리고
리바이어던이든 모비 딕이든 심지어 플래피 타이프든 뭐라 불리든 간에
아이를 맡아 주고, 총기를 규제하고, 적정가의 치과 진료를 구비해 주는 아무
정부라도 희망하고 있다. 그들은 다음과 같이 말하는 듯싶다. 당신이 맺은
어떠한 사회 계약에 관해서든 우리는 따를 수 있다고![T]

　　　　이제 우리 한 걸음 더 내디뎌 보자. 이를 위한 모델이 벌써 수평선
위로 떠오른 것 같다. 그리고 역시나 그것도 알고리듬을 포함하고 있다.

블록체인

블록체인 운영 방식은 새로운 사회 계약에 대한 희망을 달성하는 것으로
보인다.[U] "분권 자율 조직들"은, 비트코인을 운영하고 인증하는 데
사용되는 것과 흡사한 블록체인의 거래들을 기록하고 저장할 것이다.
그러나 저 공공 디지털 장부들은 또한 투표나 법률을 코드화할 수도 있다.
예컨대 분권적인 투표와 법제화 체계를 개발하고 있는 비트콘그레스를
들여다보라(www.bitcongress.org). 이것은 책무를 복구하고 권력 독점을
회피할 하나의 모델이 될 수도 있는 반면, 무엇보다도 그것은 테크놀로지가
내장된 사회적 규칙들이 리바이어던 2.0으로서 등장한다는 것을 의미한다.

　　　　인간사를 떠도는 믿을 수 없는 블록체인들은 자신을 설계한
　　　　프로그래머들로부터 분리되면 알고리듬에 의한 규칙이라는 유령을
　　　　포함한다. (…) 이것은 본질적으로 인터넷 테크노-리바이어던, 즉
　　　　우리가 계약할 수 있는 규칙들을 지닌 신격화된 암호-주권자의
　　　　시각이다.[V]

이것이 비록 단일한 실체가 통제하지 않는 분권적 과정이라 할지라도

T　　　아니나 다를까 서구의 첩보 기관은 페이스북의 정서를 자동 보정하는 봇
　　　　부대들을 편성하는 전례를 따른 것으로 보인다. Liam S. Whittaker, "CIA
　　　　Admits Full Monitoring of Facebook," csglobe.com, February 11,
　　　　2013 참조.

U　　　Brett Scott, "Visions of a Techno-leviathan: The Politics of the
　　　　Bitcoin Blockchain," e-ir.info, June 1, 2014.

V　　　같은 글.

아무도 그것을 통제하지 않음을 반드시 의미하지는 않는다. 스마트폰 사진과 마찬가지로, 그 작동 방식이 언급될 필요가 있다. 즉 다수의 상충하는 이해관계에 의해 작동하는 것이다. 더 중요하게는 이것이 대리 '민중'으로서의 봇들을 통치 방식으로서의 봇들로 대체할 수도 있다. 그런데 우리는 어떤 봇들에 관해 이야기하고 있는 것일까? 누가 그들의 프로그램을 작성하는가? 그들은 사이보그들인가? 그들은 얼굴이나 엉덩이를 가지고 있는가? 그렇다면 누가 경계를 정하고 있는가? 그들은 사회와 정보의 엔트로피를 위한 치어리더들인가? 살해 기계들인가? 아니면 우리도 이미 속해 버린 새로운 군중인가?[W]

　　　　시작점으로 복귀해 보자. 잡음에서 신호를 어떻게 분리해 낼 것인가? 지배의 목적으로 이러한 구별을 사용한 과거의 정치적 테크놀로지는 알고리듬 테크놀로지와 더불어 어떻게 변화하는가? 모든 예시들 속에서 잡음에 대한 정의는 스크립트화된 작동, 자동화하는 재현 그리고/또는 의사 결정에 갈수록 의존하고 있었다. 다른 한편, 이 과정은 잠재적으로 너무 많은 피드백을 도입하므로 재현은 복사기보다 날씨에 더 가까운 꽤나 종잡을 수 없는 작동이 된다. 핍진성은 개연성에 종속된다—현실은 다만 확장된 확률 계산의 또 하나의 요인일 뿐이다. 이런 상황에서 대리들이 주요한 반(半)자율적인 행위자가 된다.

대리 정치

대리 정치를 더 잘 이해하기 위하여 어떤 체크 리스트를 작성하는 것으로 시작할 수 있다.

　　　　당신의 카메라가 당신의 사진들에서 무엇이 등장할지를 결정하는가?
　　　　그것이 당신이 미소 지을 때 작동하는가?
　　　　그렇다면 다음 단계에 당신이 미소 짓지 않아도 그것이 발사될 것인가?
　　　　브라질, 러시아, 인도, 중국의 저임금 외주 정보 기술

W　　이미 해러웨이의 「사이보그 선언문」(A Cyborg Manifesto)에서 예견된 것처럼.

노동자들이 당신의 소셜 미디어 피드에 뜬 젖을 물리고 목을 베는 사진들을 관리하는가?

엘리자베스 테일러가 당신의 작업을 트윗하는가?

당신의 여러 다른 팬들의 봇들이 당신의 작업을 농익은 소변 음란물로 분류하기로 결정했는가?

이런 여러 봇들이 신체의 구멍들과 더불어 지리적인 위치들을 분주하게 열거하고 있는가?

당신의 총체적인 결과가 다음과 같은 것인가?

(*'I'*)
(*'σ з ˋ) 〜♪
(*'亼 ˋ *)
(*≧∀≦*)
(*˚ ェ˚*)
(*/∀ˋ*)
(/∇＼*)o ♡
(/ε＼*) (/ε＼*) (/ε＼*)

대리 정치의 시대에 온 것을 환영한다!

Fatima Tühey @fatimathey
tinyurl.com/sfktube #DESI #TEEN #PORN #NAKED #HORNY #LATINA #porno #uae Hito Steyerl: 'How Not to Be Seen'
🐦 9 hours ago ↩Reply ⇄Retweet ☆Favorite

Elizabeth Taylor @eliza_999
tinyurl.com/sfktube #Dating #cams #teen #lesbian #horny #sexysunday #young "Hito Steyerl: 'How Not to Be Seen'"
🐦 9 hours ago ↩Reply ⇄Retweet ☆Favorite

대리(proxy)란 "다른 사람을 대행할 권한을 부여받은 대리인이나 대리자, 또는 대리인에게 그렇게 행하도록 권한을 부여하는 서류"(위키피디아)이다. 그렇지만 이제 대리는 일진이 사나운 날을 위한 장치일 수도 있다. 드레스 코드의 딜레마에 휘말린 스크립트 쪼가리거나. 또는 생식기 픽셀일 확률에 목메는 '채무자 설득하기' 적발 장치거나. 또는 당신의 인스타그램에 푸틴을 지지하는 헤어로션 광고를 무심코 붙여넣기하는 챗봇 대표단이거나. 대리는 또한 당신의 인생을 비슷한 방식으로 망가뜨리는, 훨씬 더 심각한 것일 수도 있다—딱한 인생!

대리들은 잡음을 제거하는 임무를 지닌 장치나 스크립트인 것만큼이나, 잡음을 생산하기로 작정한 봇 부대인 것이다. 그것들은 가면, 인격, 아바타, 라우터, 노드, 템플릿, 또는 포괄적인 아무개이다. 그것들은 예측할 수 없는 요소를 공유한다−그것들이 최고로 개연적인 결과로서 생겨남을 고려한다면 이는 더더욱 역설적이다. 그러나 대리가 단지 봇과 아바타일 뿐만은 아니며, 대리 정치가 데이터스케이프에 한정되는 것도 아니다. 대리전쟁은 완전히 표준적인 전쟁의 모델이다−그 가장 중요한 사례 중 하나가 스페인 내전이다. 대리는 반향, 속임수, 왜곡, 혼란을 지정학에 덧붙인다. 민병대 행세하는 부대들(아니면 그 반대)이 영토를 재구성하거나 폭파하고 주권을 재분배한다. 회사들이 게릴라 행세를 하고, 부대원들이 교외의 터퍼웨어 클럽 행세를 한다. 대리 부대는 살인 청부업자들로 만들어지며, 다소간의 이데올로기적인 장식이 더해진다. 민간 경비, 민간 군사 도급업자, 프리랜서 반란군, 무장한 대역, 국가 해커, 걸리적거리던 사람들 사이의 경계가 흐릿해졌다. 기업 부대가 식민 제국(동인도회사 등)을 수립하는 데 결정적이었으며 '회사'(company)라는 단어 자체가 군대 단위[중대]의 명칭에서 파생된 것임을 기억하라. 대리전쟁은 포스트-리바이어던 현실의 전형적인 사례이다.

　　　이 모든 활동들이 온라인화되면서 대리전쟁은 일정 부분 다른 수단들을 통한 홍보의 연속인 것으로 밝혀진다.[X] 대(對)반란 작전을 위하여 용도 변경된 마케팅 도구들뿐만 아니라, 정부의 다양한 해킹(맞해킹) 캠페인이 있는데 이는 조금 더 고급의 기술을 요구한다. 하지만 늘 그렇지는 않다. 터키의 좌파 해커 집단 레드핵(Redhack)이 밝혔듯이, 앙카라 경찰 서버의 비밀번호는 12345였다.[Y]

　　　온라인 대리 정치가 지정학을 재조직하고 있다고 말하는 것은 버거가 소를 재조직하는 경향이 있다고 말하는 것과 비슷할 수도 있다. 분명 미트로프가 소의 일부를 플라스틱, 화석 잔여물, 예전에 종이로 알려진 요소들과 함께 배열하는 것과 마찬가지로, 대리 정치는 회사, 국민 국가, 해커 파견대, 피파(FIFA), 케임브리지 공작부인을 동등하게 유의미한 개체로서 위치시킨다. 저 대리들은 지리와 국가 관할권에서 일부 분리된 넷스케이프들을 창조함으로써 영토를 갈가리 찢는다.

　　　그렇지만 대리 정치는 다른 방향으로 작동하기도 한다.

X　　Joseph Reagle, "The Etymology of 'Agent' and 'Proxy' in Computer Networking Discourse," September 18, 1998; revised January 15, 1999, archived at cyber.harvard.edu.

Y　　아사드 정부의 일부 서버들도 마찬가지였던 것으로 보인다.

대리(proxy) 정치의 단순한 기본 사례 하나는 현지의 웹 검열이나 통신 제한을 우회하려고 프록시(proxy) 서버를 사용하는 것이다. 사람들이 온라인 규제를 피하거나 자신의 아이피 주소를 감추려고 가상 사설망(VPNs)과 그 외 인터넷 프록시를 사용할 때마다, 대리 정치는 다르게 전개된다. 이란과 중국 같은 국가에서 가상 사설망이 흔하게 사용된다.[Z] 그러나 실제로는 많은 국가에서, 걸핏하면 검열하는 정부와 가까운 회사들도 가상 사설망을 가동하며 효율적인 비일관성의 본보기가 된다. 터키에서 사람들은 더더욱 초보적인 방법들을 사용했다―도메인 이름 서버(DNS)의 설정을 바꾸어 터키의 데이터 공간 밖으로 빠져나갔고, 에르도안이 트위터를 금지한 단기간 동안 가상으로 홍콩과 베네수엘라에서 트위터를 했던 것이다.

대리 정치에서 중요한 것은 대역을 사용하면서(또는 대역에 의해 사용되면서) 문자 그대로 어떻게 연기하거나 재현하느냐는 것이다―또한 타자의 신호나 잡음을 전용하기 위하여 어떻게 중재자들을 사용하느냐는 것이다. 또한 대리 정치 자체가 되돌려져 재배치될 수 있다. 대리 정치는 표면, 노드, 지형, 텍스처를 쌓는다―또는 서로 분리시킨다. 그것은 신체 부위들을 분리시키고 떼었다 붙였다 하면서 종종 놀랍고 뜻밖인 조합을 창조해 낸다―심지어 얼굴과 엉덩이의 조합 같은 것 말이다. 그 조합들은 얼굴이냐 엉덩이냐 하는 외관상 의무적인 규정이나 심지어 얼굴과 엉덩이가 동일한 신체에 속해야 한다는 관념마저도 무너뜨릴 수 있다. 대리 정치의 공간 속에서 신체들은 리바이어던이거나, 해시태그거나, 법인이거나, 국민 국가거나, 모발 이식 장치이거나, 프리랜서 특수무기전술(SWAT) 팀일 수도 있다. 신체는 대리와 대역을 통해서 신체들에 덧붙여진다. 그러나 이런 조합들은 또한 신체들(과 그 부위들)을 빼내며 끝없는 표면의 영역에서 그것들을 삭제하여 지속적인 비가시성에 직면한다. 그러나 결국 엉덩이 없는 얼굴은 앉을 수 없다. 일어서 있어야 하는 것이다. 그리고 얼굴 없는 엉덩이는 대부분의 소통을 위해서 대역을 필요로 한다. 대리 정치는 일어서 있음(taking a stand)과 대역의 사용(using a stand-in) 사이에서 발생한다. 이동, 쌓기, 속임수, 몽타주의 영토에서 최악의 것과 최선의 것이 모두 발생하는 것이다.

Z   "How to Hide Your VPN Connections in China, Iran, United Arab Emirates, Oman and Pakistan," greycoder.com, 그리고 Charles Arthur, "China down on VPN use," *Guardian*, May 13, 2011 참조.

대리 정치: 신호와 잡음

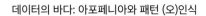
데이터의 바다: 아포페니아와 패턴 (오)인식

이것은 스노든 파일에서 가져온 이미지다. '비밀'이라는 표시가 되어 있다.[A] 하지만 여기서 어떤 것도 볼 수 없다. 이것이 정확히 왜 이 이미지가 징후적인지에 대한 이유다.

　　이해할 수 있는 어떤 것도 볼 수 없다는 것이 새로운 표준이다. 정보는 인간의 감각으로 감지할 수 없는 일군의 신호로 지나간다. 동시대의 지각은 상당 부분 기계적이다. 인간 시각의 스펙트럼은 극히 일부에 해당한다. 기계를 위해 기계에 의해 부호화된 전하, 전파, 빛의 파동은 빛보다 약간 느린 속도로 쌩하니 지나가고 있다. 보기는 확률 계산으로 대체된다. 시각은 중요성을 잃고 필터링, 해독, 패턴 인식으로 대체된다. 스노든의 잡음(noise) 이미지는 적절하게 처리되고 번역되지 않으면 기술적 신호를 지각할 수 없는 인간 일반의 무능력을 대표할 수 있을 것이다.

　　하지만 잡음은 아무것도 아니지 않다. 반대로 잡음은 미국 국가안보국(National Security Agency, NSA)뿐 아니라 기계적 지각 양식 전체의 거대한 쟁점이다.

　　신호 대 잡음은 2011년부터 2012년까지 운영된 국가안보국 내부 웹사이트 중 한 항목의 제목이었다. 그것은 국가안보국의 주요 문제를 간결하게 나타낸다. "막대한 양의 데이터에서 정보를" 어떻게 추출할 것인가. "그것은 데이터에 대한 것도 아니고 심지어 데이터 접속에 대한 것도 아니다. 그것은 막대한 양의 데이터에서 정보를 얻는 것에 대한 것이다 (...) 개발자들이여

A　　다음을 참조하라. "Anarchist Training Mod5 Redacted Compat," assets.documentcloud.org.

제발 도와다오! 우리는 데이터의 바다에서—데이터와 함께, 하지만 정보는 한 방울도 없는 모든 곳에 있는 데이터와 함께—(출렁이는 중이 아니라) 익사하는 중이다."[B]

분석가들은 통신 감청으로 질식하고 있다. 그들은 "막대한 양의 데이터"를 정리하고, 거르고, 해독하고, 정제하고, 처리해야 한다. 취득에서 분간으로, 희소에서 과잉으로, 더하기에서 거르기로, 조사에서 패턴 인식으로 초점이 이동한다. 이 문제는 첩보부에만 제한되지 않는다. 위키리크스의 줄리언 어샌지(Julian Assange)조차 단언한다. "우리는 자료 속에서 익사하는 중이다."[C]

아포페니아

그러면 처음 이미지로 되돌아가자. 이 이미지의 잡음은 실상 영국 정부통신본부(Government Communications Headquarters, GCHQ)의 기술자들에 의해 해독되었고 하늘의 구름 사진임이 밝혀졌다. 최근 가자 지구에 대한 이스라엘 국방군(Israel Defence Forces, IDF)의 공습 기간을 포함해, 영국의 분석가들은 최소한 2008년 이래 이스라엘 드론이 찍은 동영상을 해킹해 왔다.[D] 그러나 이 같은 공격 이미지는 스노든 아카이브에 없다. 대신 가로챈 방송 자료를 변형한 온갖 종류의 추상적 렌더링들이 있다. 잡음. 선. 컬러 패턴.[E] 누설된 훈련 지침에 따르면, 이런 유의 이미지를 만들기 위해서는 온갖 종류의 비밀 연산을 대량으로 해야 한다.[F]

하지만 얘기해 줄 것이 있다. 나는 어떤 비밀 알고리듬 없이 당신을 위해 이 이미지를 해독할 것이다. 대신 비밀 닌자 기술을 쓸 것이고, 무료로 그

B   "The SIGINT World Is Flat," NSA *Signal v. Noise* column, December 22, 2011.

C   Michael Sontheimer, "SPIEGEL Interview with Julian Assange: 'We Are Drowning in Material'," *Spiegel Online*, July 20, 2015.

D   Cora Currier and Henrik Moltke, "Spies in the Sky: Israeli Drone Feeds Hacked by British and American Intelligence," *The Intercept*, January 28, 2016.

E   같은 글. 로라 포이트라스(Laura Poitras)가 뉴욕 휘트니 미술관에서 2016년도에 연 훌륭한 전시 『로라 포이트라스: 우주의 잡음』(Laura Poitras: Astro Noise)에는 이러한 이미지들이 많이 포함되어 있었다.

방법을 당신에게 가르쳐 주기까지 할 것이다. 이제 이 이미지를 아주 열심히
집중해 바라보시라.

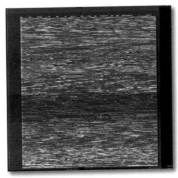

석양을 받아 반짝거리는 물 표면같이 보이지 않는가? 어쩌면 이것은 '데이터의
바다' 자체인가? 익사할 수도 있는 압도적인 크기의 물? 매우 살짝 움직이는
물결이 보이는가?

나는 아포페니아(apophenia)라는 좋았던 예전 방식을 쓰고 있다.
아포페니아는 무작위 데이터의 패턴 인식으로 규정된다.[G] 가장
일반적인 예는 구름이나 달에서 얼굴을 보는 것이다. 벤저민 브래튼(Benjamin
Bratton)의 최근 주장에 따르면, 아포페니아는 "확고한 인지적 동시성 외에
어떤 직접적인 관련이 없는 원천으로부터 연관성과 결론을 이끌어내는
것이다."[H]

때로는 분석가들도 아포페니아를 활용한다고 가정해야 한다.
누군가 구름에서 아마니 알나사스라(Amani al-Nasasra)의
얼굴을 본 것이 틀림없다. 43세의 여성은 TV 앞에 앉아 있다가 2012년 가자
지구 공습 때 눈이 멀었다.

F   이러한 자료를 해독하는 방법에 대한 훈련 지침에서 분석가들은 스카이
TV를 해킹하기 위해 캠브리지 대학교에서 개발한 오픈소스 소프트웨어를
사용한다고 자랑스럽게 밝혔다. 이와 관련해서는 다음 참조. "Anarchist
Training mod5 Redacted Compat."

G   위키피디아의 아포페니아 항목 참조.

H   Benjamin H. Bratton, "Some Trace Effects of the Post-
Anthropocene: On Accelerationist Geopolitical Aesthetics," *e-flux
journal* 46 (June 2013).

"우리는 TV 뉴스를 보면서 집에 있었어요. 남편은 자러 가고 싶다고 말했지만, 저는 혹시 휴전 뉴스가 있을까 싶어서 알자지라 채널을 계속 보고 싶었습니다. 내가 기억하는 마지막 일은 남편이 채널을 돌렸냐고 제게 물었고 제가 그렇다고 대답한 것입니다. 폭탄이 떨어질 때 저는 아무것도 느끼지 못했습니다. 저는 의식이 없었어요. 앰뷸런스에 실릴 때까지 깨어나지 못했습니다." 아머니는 2도 화상을 입었고 거의 눈이 멀었다.[I]

알나사스라가 적절한 목표물이었음을 주장하기 위해 어떤 종류의 '잡음'에서 어떤 종류의 '신호'를 추출한 것인가? 어떤 스크린에 어떤 얼굴들이 나타나는가 그리고 왜 그러한가? 또는 다르게 말하자면, 누가 '신호'이고, 누가 버려도 되는 '잡음'인가?

패턴 인식

자크 랑시에르는 고대 그리스에서 신호와 잡음을 어떻게 구분하게 되었는지에 대한 신화적 이야기를 전한다. 유복한 현지인 남성이 내는 소리는 발화(speech)로 규정된 반면, 여성과 아이, 노예, 외국인들은 의미를 알 수 없는 잡음을 낸다고 간주되었다.[J] 발화와 잡음 사이의 구분은 일종의 정치적 스팸 필터로 작용했다. 발화를 한다고 인정된 이들은 시민이라고 분류되었고, 나머지는 부적절하고, 비이성적이며, 위험해질 수 있는 골칫거리로 치부되었다. 마찬가지로 오늘날 신호와 잡음을 구분하는 문제는 원론적으로 정치적인 차원을 가진다. 패턴 인식은 정치적 인식이라는 보다 폭넓은 문제와 공명한다.

I   "Israel: Gaza Airstrikes Violated Laws of War," hrw.org, February 12, 2013.

J   "노동자나 여성 등의 범주에 정치적 주체라는 명칭을 부여하지 않기 위해서는, 전통적으로 그들이 공적 생활과 분리된 '가정' 공간에 속한다고 단언하는 것만으로 충분하다고 간주된다. 가정 공간에서는 공유된 아이스테시스(aisthesis)를 표명하는 실제의 발화가 아닌, 고통이나 굶주림, 분노를 표출하는 신음이나 울부짖음만이 가능하다. 이와 같은 범주의 정치는 (…) 잡음으로만 들을 수 있는 것을 발화로 들리도록 만들며, 보이지 않는 것을 가시화하는 일로 구성된다." Jacques Rancière, "Ten Theses on Politics," *Theory & Event* 5:3 (2001), 23.

정치적 수준에서 누가 인식되며 무엇으로 인식되는가? 주체로? 개인으로? 주민의 적절한 범주로? 또는 혹시 '오염 데이터'(dirty data)로?

오염 데이터란 무엇인가? 여기에 예가 있다.

> 부즈 알렌(Booz Allen)에서 일하는 설리번은 그의 팀이 고급 호텔 체인에 묵은 고객들에 대한 인구 통계 정보를 분석했을 때, 부유한 중동 국가 출신의 십대들이 단골 고객임을 보여 주는 데이터와 맞닥뜨린 사례를 제시했다.
>
> "전 세계의 고급 호텔에 묵는 상당수의 17살짜리들이 존재했다"고 설리번은 말했다. "우리는 '그럴 리가 없다'고 생각했다."[K]

그 데이터는 누군가가 그것을 발견하기 전까지—뒤섞이고 가치 없는 정보 더미들인—오염 데이터로 무시되었지만, 실제로는 사실이었다.

이러한 세계관에서 갈색 피부의 십대들은 존재할 수 있다. 갈색 피부의 죽은 십대? 왜 안 되겠는가? 그러나 부유한 갈색 피부의 십대? 이것은 너무나 있을 법하지 않아서 오염 데이터임이 틀림없고 당신의 시스템에서 청소되어야 한다! 잡음과 신호를 구분하기 위한 이 같은 연산에서 발생하는 패턴은 시민권, 합리성, 특권을 할당하기 위한 랑시에르의 정치적 잡음 필터와 그다지 다르지 않다. 부유한 갈색 피부의 십대들은 그리스 도시 국가의 말하는 노예와 여성만큼이나 그저 있을 법하지 않게 보인다.

다른 한편, 오염 데이터는 비밀스러운 거부의 은닉처(cache) 같은 것이기도 하다. 그것은 산정되고 계측되는 것에 대한 거부를 표현한다.

> 시장 조사업체인 버브는 2400명 이상의 영국 소비자들을 연구한 후 온라인에서 개인 정보를 적을 때 60퍼센트가 의도적으로 잘못된 정보를 준다는 것을 발견했다. 거의 1/4에 달하는 사람들이(23퍼센트)이 종종 (예를 들어) 잘못된 생년월일을 제출한다고 말했고, 반면 9퍼센트는 대부분 그렇게 한다고 했으며 5퍼센트는 언제나 그렇게 한다고 했다.[L]

K   Verne Kopytoff, "Big Data's Dirty Problem," *Fortune*, June 30, 2014.

오염 데이터는 줄기차게 맹습하는 온라인 서식 작성에 대한 우리의 모든 거부들이 축적되는 곳이다. 모두가 언제나 거짓말을 한다. 할 수 있을 때마다 하거나, 또는 적어도 원칙을 무시한다. 놀랄 것도 없이, 데이터 수집에서 '제일 오염된' 영역은 언제나 건강 분야를 가리킨다. 특히 미국의 경우, 의사와 간호사들이 서식을 부정확하게 작성하는 것으로 지목된다. 소비자들이 기업을 위해 자신들에게 스팸으로 되돌아올 사무적 업무를 수행하는 것을 내켜 하지 않듯이, 건강 전문가들도 그들을 대체하려고 고안된 시스템을 위해 서식을 작성하는 데에 시큰둥한 것으로 보인다.

데이비드 그래버(David Graeber)는 『규칙의 유토피아』(The Utopia of Rules)에서 데이터의 강요된 추출에 대한 매우 애처로운 사례를 제시한다. 어머니가 뇌졸중으로 쓰러진 후, 그는 어머니 대신 메디케이드(Medicaid)를 신청하는 시련을 겪어야 했다.

> 버라이즌사의 직원이 내 성을 '그루버'(Grueber)로 적은 일에 더해, 뉴욕주 차량관리국에서 누구든 이름 모를 직원이 내 이름을 '데이드'(Daid)라고 기입한 행위가 파생한 결과들을 다루는 데 (…) 나는 한 달이 넘는 시간을 소모해야 했다. 공적·사적 관료주의는 (역사적 이유가 무엇이든) 상당한 비율의 행위자가 자신들의 직무를 기대한 만큼 수행할 수 없음을 보장하는 방식으로 조직된 듯하다.[M]

이어서 그래버는 이를 유토피아적인 사고의 예라 부른다. 관료주의는 나름의 관점에서 사람들을 완벽하다고 가정하기 때문에 유토피아적인 사고에 기반한다. 그래버의 어머니는 [메디케이드] 프로그램의 수혜 자격을 인정받기

L   Larisa Bedgood, "A Halloween Special: Tales from the Dirty Data Crypt," relevategroup.com, October 30, 2015. 글은 다음과 같이 이어진다. "1991년 6월 말에서 7월 초 미국 전역(볼티모어, 워싱턴, 피츠버그, 샌프란시스코, 로스앤젤레스)에서 1200만 명의 사람들이 전화 통화를 조절하는 신호를 통제하는 소프트웨어의 입력 에러로 전화 서비스를 받지 못했다. 직원 중 한 명은 'D' 대신 '6'을 입력했다. 전화 회사는 원천적으로 네트워크에 대한 통제권을 모두 상실했다."

M   David Graeber, The Utopia of Rules: On Technology, Stupidity and the Secret Joys of Bureaucracy (Brooklyn: Melville House, 2015), 48.

전에 사망했다.

완전히 무의미한 서식을 작성하는 끝없는 노동은 새로운 종류의
가사 노동이다. 전혀 노동으로 인정받지 못하고, '자발적으로' 제공되거나
저소득의 소위 데이터 관리인들이 수행한다고 간주된다는 점에서 그렇다.[N]
그러나, 겉으로 보기에 신속하고 비가시적인—모든 것을 우아하게 최적화하고
패턴과 변칙을 인지하는—알고리듬의 모든 행동은 엉망인 데이터를 제공하거나
수정하는 끝없고 완전히 무의미한 노동에 기반한다.

디지털 기술의 불균등한 분포 및 실행을 착취하는 관료주의와
실제 사람들의 싸움을 기록한다는 점에서, 오염 데이터는 실상 실제 데이터다.[O]
베를린 보건복지청의 상황을 생각해 보자. 여기서 난민들은 데이터를 등록해
받을 수 있는 서비스(예를 들면 음식을 살 돈)를 받으려고 몇 시간이고 심지어
며칠이고 혹독한 겨울 날씨에 야외에 줄을 서서 매일 건강을 위태롭게 한다.[P]
이 사람들은 변칙(anomaly)으로 인식된다. 왜냐하면 애초에 입국을 하는
뻔뻔스러움을 지녔을 뿐 아니라, 자신들의 권리가 존중받기를 요구하기
때문이다. 비슷한 정치적 알고리듬이 작동한다. 사람들은 지워진다. 그들은
청구인으로 인지될 수 있는 단계까지 가지도 못한다. 그들은 고려되지 않는다.

한편, 기술은 서로 다른 범주의 난민을 구분해 주기도 한다. IBM의
왓슨 AI 시스템은 난민으로 가장한 테러리스트를 식별할 수 있도록 시범적으로
고안되었다.

> IBM은 i2 EIA가 늑대로부터 양을 구분할 수 있음을 보여 주고 싶어
> 했다. 즉, 지하드주의와 연결될 수 있거나 자신의 정체성에 대해
> 그냥 거짓말하는 소수로부터 무해한 다수의 망명자들을 구분하려
> 한 것이다. (...)

N   Steve Lohr, "For Big-data Scientists, 'Janitor Work' Is Key Hurdle to
     Insights," *New York Times*, August 17, 2014.

O   다음을 참조하라. "E-Verify: The Disparate Impact of Automated
     Matching Programs," chap. 2 in the report *Civil Rights, Big Data,
     and Our Algorithmic Future*, bigdata.fairness.io, Serptember 2014.

P   다음을 참조하라. Melissa Eddy and Katarina Johansen, "Migrants
     Arriving in Germany Face a Chaotic Reception in Berlin," *New York
     Times*, November 26, 2015. 소란 중 사라진 어린 소년은 후에 살해된 채
     발견되었다.

IBM은 여권 소지 난민들의 가상 목록과 대조하기 위해 몇몇 데이터 자료를 모으는 가상의 시나리오를 만들었다. 아마 가장 중요한 데이터 세트는 공개된 언론 보도 및 기타 자료들에서 가져온 분쟁의 사상자 목록이었다. 자료 중 일부는 여권용 암시장과 관련된 데이터로 다크웹에서 왔다. IBM은 이러한 세트에서 개인을 식별할 수 있는 정보를 가리거나 신원을 숨겼다고 말한다. (...)

보린은 망명자로 가정되는 자가 실제 자신이 표방하는 자일 가능성을 시스템이 점수로 제공할 수 있으며, 순찰하는 국경 수비대나 경찰이 활용하기에 충분히 빠르다고 말했다.[Q]

다크웹 자료를 포함해 비공식적인 데이터베이스를 교차 확인해 난민이 테러리스트일 수 있는 확률을 계산하는 '점수'를 낸다. 바라는 것은 데이터가 경험적 현실에 대응하는지 혹은 어떻게 대응하는지를 실제로 확인하지 않고서도 서로 다른 데이터 세트에서 패턴이 도출되는 것이다. 이러한 사례는 신용 점수, 학업 성적, 온라인 게시판에서의 활동 순위 점수 등 실상 훨씬 더 큰 '점수들'의 부분 집합 중 일부다. 이런 점수들은 재정 교류, 온라인 행동, 시장 데이터, 기타 자료들에 따라 사람들을 분류한다. 다양한 입력 사항들이 하나의 숫자, 즉 슈퍼 패턴으로 요약된다. 이는 '위협' 점수, 혹은 중국 당국이 향후 10년 안에 모든 시민들에게 적용하려고 계획 중인 '사회적 성실성 점수'가 될 수 있다. 그러나 입력 변수는 투명하거나 입증 가능한 것과 거리가 멀다. 난민인 척하는 다에서 첩자를 식별하는 데는 매우 적합할 수 있으나, 비슷한 한 시스템은 걱정스러운 결함을 지니고 있는 듯하다.

미국 국가안보의 스카이넷 프로그램은 휴대폰 구매자의 메타데이터를 면밀히 조사해 파키스탄의 테러리스트들을 찾아내도록 훈련받았다. 그러나 전문가들은 미국 국가안보의 방법론을 비판한다. 인권데이터분석그룹(Human Rights Data Analysis Group)의 대표이자

Q   Patrick Tucker, "Refugee or Terrorist? IBM Thinks Its Software Has the Answer," *Defense One*, January 27, 2016. 2016년 2월 29일 휘트니 미술관의 패널 대담 '총체적 감시에서 살아남기'(Surviving Total Surveillance)의 일환으로 열린 훌륭한 강의에서 케이트 크로퍼드(Kate Crawford)는 이 사례를 언급한 바 있다.

    데이터의 바다: 아포페니아와 패턴 (오)인식

데이터 과학자인 패트릭 볼(Patrick Ball)은 『아르스 테크니카』(Ars Technica)에서 다음과 같이 설명했다. "모델을 훈련하고 <u>테스트하는 데</u> 활용할 '알려진 테러리스트들'은 <u>극소수</u>입니다." "만약 그들이 모델을 테스트하는 데 쓴 것과 동일한 기록을 모델을 훈련시키는 데 사용한다면, 그들의 적합성 평가는 완전히 엉터리입니다."[R]

　　인권데이터분석그룹은 스카이넷이 약 9만 9000명의 파키스탄인들을 테러리스트로 잘못 분류해 버릴 수 있다고 추산한다. 이 수치는 통계학적인 오차 범위인데, 미국이 국내의 무장 단체로 의심되는 자들에게 드론 전쟁을 벌이고 있고, 2004년 이래 2500명에서 4000명가량의 사람들이 살해당했다고 추정된다는 사실을 감안하면, 치명적인 결과를 초래했는지도 모른다. "그 후 몇 년간, 파키스탄의 무고한 수천 명의 사람들이 '과학적으로 신뢰할 수 없는' 알고리듬 때문에 테러리스트로 잘못 분류되어 왔고, 그 결과 때아닌 죽음을 맞았을 수 있다."[S]

　　확실히 강조해야 할 점은 결과를 어떻게 활용했는지 알려진 바가 없기 때문에 스카이넷의 작동을 객관적으로 평가할 수 없다는 것이다. 스카이넷은 드론의 표적을 결정하는 유일한 요소가 결코 아니다.[T] 그러나 스카이넷의 사례가 뚜렷이 입증하는 것은 연관성과 확률을 평가해 도출되는 '신호'는 실제 사실과 같지 않고, 이는 소프트웨어가 배우는 데 활용한 입력 값과 거르고, 연관시키고 '식별하는' 변수들로 결정된다는 점이다. '쓰레기를 집어넣으면, 쓰레기가 나온다'는 개발자들의 오래된 금언은 여전히 유효한

R　　Christian Grothoff and J. M. Porup, "The NSA's SKYNET Program May Be Killing Thousands of Innocent People," *Ars Technica*, February 16, 2016, 강조 표시는 원문. 시스템의 추가적인 버그는 프로그램대로라면 전체 중 가장 큰 위협으로 보이는 사람이 실제는 알자지라 지사의 대표였다는 점이었다. 왜냐하면 그는 확실히 직업상의 이유로 여행을 많이 한 것이기 때문이다. 비슷한 잘못된 평가가 로라 포이트라스에게도 일어났다. 그녀는 미국 국토안보부(U.S. Homeland Security)의 위협 지수에서 400점 만점에 400점을 받았다. 이라크에서 (이후 아카데미상의 후보로 지명된) 다큐멘터리 『내 나라, 내 나라』(My Country, My Country, 2006) 제작을 위한 자료를 찍을 때, 포이트라스는 반군의 공격이 벌어지던 바그다드 인근에서 촬영을 하게 되었다. 이 같은 우연 때문에 그녀가 해외에서 미국으로 재입국할 때마다 심문, 감시, 수색 등을 6년간 당하는 시련을 겪었을지도 모른다.

S　　같은 글.

듯하다. (기술적, 지리적, 또한 윤리적으로 완전히 상이한) 이 모든 경우에서, 정치적·사회적 변수에 따라 사람들을 여러 집단으로 분류하는 데 모종의 패턴 인식이 활용되었다. 어떨 때는 난민 등록을 해 주지 않으려는 것처럼 단순할 수 있다. 또 다른 경우에는 훨씬 수학적인 장난이 개입된다. 그러나 사용되는 방법 중 다수는 불투명하고, 부분적으로 편향되어 있으며, 배타적이고, 때로는 (한 전문가의 지적처럼) "우스꽝스러울 정도로 낙관적"이다.[U]

기업 애니미즘

어떻게 완전한 잡음에서 무언가를 인지할 수 있는가? 최근 구글의 리서치 연구소는 순수하고 의식적인 아포페니아의 놀라운 시각적 사례를 보여 주었다.[V]

> 우리는 인공 신경망에게 수백만 개의 훈련 예제를 보여 주고, 원하는 분류를 도출할 때까지 네트워크 변수들을 점진적으로 조율함으로써 인공 신경망을 훈련시킨다. 인공 신경망은 보통 10-30개의 적층된 인공 신경 세포의 층으로 구성된다. 입력 층에 각 이미지를 집어넣으면, 다음 층으로 전달되고, 마지막에는 '출력' 층에 도달한다. 인공 신경망의 '대답'은 이 마지막 출력 층에서 나온다.[W]

신경망들은 가장자리, 형태, 수많은 물건과 동물을 분간하도록 훈련받았고 이후 순수한 잡음이 입력되었다. 그 결과 인공 신경망이 '인식한' 것은 대부분

T 다음을 참조하라. Michael V. Hayden, "To Keep America Safe, Embrace Drone Warfare," *New York Times*, February 19, 2016. 2006년부터 2009년까지 CIA의 국장을 역임한 마이클 헤이든은 프로그램이 실제로 실수로 사람을 죽였다고 시인하는 한편, 표적을 결정하는 또 다른 요소가 인간의 지능임을 단언한다. "어떤 공습에서 피격 대상의 손자가 폭염을 피하기 위해 야외 간이침대에서 표적 옆에 잠들어 있었다. 헬파이어 미사일의 에너지와 파편이 손자가 아니라 할아버지에게 닿도록 미사일을 유도했다. 미사일은 거리를 벌려 떨어졌지만, 그것만으로 충분치 않았다."

U Grothoff and Porup, "The NSA's SKYNET program."

V 이 점을 지적해 준 벤 브래튼(Ben Bratton)에게 감사한다.

W "Inceptionism: Going Deeper into Neural Networks," research.googleblog.com, June 17, 2015.

눈꺼풀이 없고, 의식적인 패턴 과잉 식별을 거슬리게 보여 주며 끊임없이 청중을 감시하는, 몸에서 분리된 무지개색의 프랙탈 눈 덩어리였다.

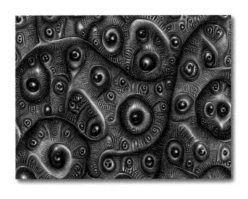

구글 딥드림 이미지.

출처: Mary Ann Russon, "Google DeepDream Robot: 10 Weirdest Images Produced by AI 'Inceptionism' and Users Online," ibtimes.co.uk, July 6, 2015.

구글 연구진은 완전한 잡음에서 패턴이나 이미지를 만들어 내는 활동을 '인셉셔니즘'(inceptionism) 혹은 '딥 드리밍'(deep dreaming)이라 부른다. 그러나 이러한 실체들은 단순한 환각과 거리가 멀다. 만약 그것들이 꿈이라면, 그러한 꿈들은 현재 기술적 경향의 응축이나 전치로 해석될 수 있다. 그들은 컴퓨터 이미지를 창조하는 네트워크 작용, 기계 시각이 지닌 특정 사전 조건(preset), 거기에 내장된 이데올로기 및 선호를 드러낸다.

면세 미술

무슨 일이 벌어지고 있는가를 시각화하는 한 가지 방법은 신경망을 뒤집어서, 특정한 해석을 이끌어내는 방식으로 입력 이미지를 개선하도록 요구하는 것이다. 어떤 종류의 이미지가 '바나나'라는 결과를 내는지 알고 싶다고 해 보자. 무작위 잡음으로 가득한 이미지에서 출발해, 신경망이 바나나라고 여기는 쪽으로 이미지를 차츰 비틀어라. 신경망 자체로는 잘 되지 않는다. 하지만 이웃하는 픽셀들은 서로 연관되어야 하는 것처럼, 이미지가 자연적 이미지와 비슷한 통계치를 지녀야 한다는 사전 제약을 부과하면 그렇게 된다.[X]

인셉셔니즘은 천재적 위업으로 참여형 소비자(prosumer) 네트워크의 무의식을 용케 시각화한다. 그것은 사용자를 감시하는 이미지, 사용자의 안구 운동, 행위, 선호를 끊임없이 기입하는 이미지, 미학적으로 훈데르트바서(Hundertwasser) 머그컵의 복제품과 날뛰는 아르데코 프리즈 사이를 정처 없이 표류하는 이미지다. 발터 벤야민의 "광학적 무의식"(optical unconscious)은 컴퓨터 이미지 점술의 무의식으로 업그레이드되었다.[Y]

주어지지 않은 사물과 패턴을 '인식함으로써' 인셉셔니즘적인 신경망은 궁극적으로 미학적·사회적 관계들의 새로운 총체성을 효과적으로 식별하게 된다. [이를 위해] 사전 조건과 상투적 전형이 적용되는데, 이는 그것들이 [실제로] '들어맞는지'와 무관하다. "결과는 흥미롭다. 심지어 상대적으로 단순한 신경망도 이미지를 과잉 해석하는 데 쓰일 수 있다. 마치 어린이일 때 우리가 구름을 관찰하며 임의의 형태들을 해석하기를 즐겼던 것처럼 말이다."[Z]

그러나 인셉셔니즘은 단순히 디지털 환각이 아니다. 그것은 새끼 고양이를 식별하기 위해 스마트폰을 훈련시켜 진짜 무서운 깜찍 떠는 은어들을 생산 수단 안에 장착시키는 시대의 기록이다.[AA] 그것은 상품이 물신일 뿐 아니라 프랜차이즈화된 키메라로 변형되는 기업 애니미즘(corporate

---

X   같은 글.
Y   다음을 참조하라. Walter Benjamin, "A Short History of Photography," monoskop.org.
Z   "Inceptionism," research.googleblog.com.
AA   같은 글.

animism)의 한 형태를 보여 준다.

하지만 이들은 매우 사실주의적인 재현들이다. 죄르지 루카치(György Lukács)에 따르면, "고전적 사실주의"는 우리 시대의 객관적인 사회적(그리고 이 경우에는 기술적) 힘들을 대변하는 한에서 "전형적인 캐릭터들"을 만들어 낸다.[AB]

인셉셔니즘은 이를 실행하고 이에 그치지 않는다. 그것은 또한 그러한 힘에 얼굴, 더 정확히 말하자면, 무수한 눈들을 부여한다. 미트볼 스파게티 접시에서 당신을 노려보고 있는 피조물은 양서류 비글이 아니다. 그것은 네트워크화된 이미지 생산의 어디에나 편재하는 감시고, 먼저 당신을 공격하지 않는다면 바로 인스타그램에 올릴 점심 식사의 형태로 당신을 지켜보는 밈의 형태로 수정된 지능의 형식이다. 종속된 사물이 양심에 가책을 느끼며 당신을 샅샅이 조사하는 세계를 상상해 보라. 당신의 차, 요트, 미술 소장품이 음울하고 완전히 절망적인 표정으로 당신을 관찰하고 있다. 그들은 이렇게 말할지도 모른다. 당신은 우리를 소유하고 있을지 모르지만 우리는 당신에 대해 알릴 것이다. 당신에게서 우리가 어떤 종류의 피조물을 인지할지 맞혀 보라![AC]

데이터 신석기 시대

그러나 자동화된 아포페니아를 어떻게 생각할 것인가?[AD] 기계적 지각이 그 자체의 마술적 사고의 단계로 진입했다고 가정해야 하는가? 이것이 요즘 상품 현혹(commodity enchantment)이 의미하는 바인가? 환각을 일으키는 생산물들? 인류가 마술적 사고의 또 다른 새 국면에 접어들었다고 가정하는 것이 더 정확할지도 모르겠다. 신호와 잡음을 구분하는 데 사용된 용어는 놀라울 정도로 목가적이다. 마치 자체적인 마술적 방식으로 또 다른 대대적인 신석기 혁명을[AE] 살아가고 있는 것처럼, 데이터 '경작'(farming), '수확'(harvesting), '채굴'(mining), '추출(extraction)' 같은 말이 포용된다.

신석기 시대에 개발된 모든 종류의 농경 기술과 채굴 기술이

AB   다음을 참조하라. Farhad B. Idris, "Realism," in *Encyclopedia of Literature and Politics: Censorship, Revolution, and Writing*, Volume II: H-R, ed. M. Keith Booker (Westport, CT: Greenwood, 2005), 601.

AC　아포페니아는 새로운 형태의 편집증인가? 1989년 프레드릭 제임슨은
편집증이 정치적 무의식을 널리 퍼트리는 포스트모던 서사의 주요한 문화적
패턴의 하나라고 주장했다. 제임슨에 따르면, 사회적 관계의 총체성은
냉전의 상상력으로 문화적으로 재현될 수 없다. 그리고 그 공백은 망상, 억측,
프리메이슨 로고를 채택한 별난 음모로 채워진다.

그러나 스노든의 폭로 이후, 한 가지가 분명해졌다. 모든 음모론은
실제로 사실이었다. 더 나쁜 것은 현실이 음모론을 능가한다는 점이다.
편집증은 정보의 부재, 잃어버린 링크, 은폐되었다고 전해지는 증거가
야기한 불안이다. 오늘날은 정반대다. 제임슨의 총체성은 다른 형태를 띠어
왔다. 그것은 부재하지 않는다. 반대로, 그것은 만연해 있다. 총체성 혹은
(아마도) 그 관련 판본은 광대한 '막대한 양의 데이터'의 형태로 치열하게
되돌아오고 있다. 사회적 관계는 연락처 메타데이터, 관계 그래프, 감염 확산
지도로 추출된다. 총체성은 스팸, 잔학 행위 포르노, 장치간 악수(gadget
handshakes)[편주: 정보를 보내고 받을 준비가 되었음을 알리기 위해 한
컴퓨터에서 다른 컴퓨터로 보내는 신호]의 쓰나미다. 이처럼 사회적 관계가
양화된 판본은 대상 특정 광고, 맞춤형 낚시 기사, 안구 추적, 신경 큐레이팅,
정동(affect)의 금융화만큼이나 경찰 활동용으로 쉽게 이용된다. 그것은
사회적 프로파일링과 동시에 상품의 형태로 작동한다. 클라우트(Klout)
지수에 기반한 일급 명단과 대통령의 살해 명단은 똑같이 모호한 독점적
처리에 기반한다. 오늘날 총체성은 당신의 처분 가능성 등급뿐 아니라 섹스
가능성 지수를 포함한 확률 표기로 다가온다. 그것은 제휴, 연합, 중독의
목록을 만든다. 그것은 삶의 패턴을 공습이 초래한 죽음으로 전환한다.

이러한 유형의 총체성은 실상 다른 것, 즉 '특이성/단독성'(singularity)
이다. 캘리포니아 이데올로기가 애정하는 신화인 특이성은 다른 것들 중 인공
지능이 장악한 시대를 묘사한다. 미국 국가안보국의 스카이넷 프로그램은
할리우드의 가장 유명한 특이성들 중 하나인, 아놀드 슈왈제네거(Arnold
Schwarzenegger)가 분한 사이보그 운송 장치 터미네이터로 세계 지배를
추구하는 AI 로봇의 이름을 딴 것이다.

그러나 특이성은 조금 다른 것을 의미하기도 한다. 일반적인 규칙, 특히
법의 규범은 이러한 실체에 더 이상 적용되지 않는다. 대신 경우마다 다르게
혹은 차라리 모든 경우가 단독으로 적용된다. 이에 따라, 서로 경합하는
단독성들이 있는 듯하다. 우리 시대의 또 다른, 심지어 훨씬 강력한 단독성은
말할 필요도 없이 '시장'이라 불리는 반신(半神)의 신화적 실체다. 시장은
이성이 그 막대한 우위에 허리를 굽혀야 하는 섭리를 지닌, 자율적이면서도
초지능적이라 간주되는 일군의 조직체다. 오늘날 시장의 신화가 사회주의
신화를 대체해 왔다고 말할 수 있다면, 오늘날 실존하는 단독성들(각자의
자유방임 사상으로 지배되는 정부 감시와 시장 지배)과 더불어 거대하고
혼잡한 관료주의, 집권층, 준(準)국가, 비공식적 독재, 다크넷 스타트업 회사,
계량적 특수무기전술 팀, 여전히 작동하는 미분류된 의사(疑似) 독점은
20세기에 실존하던 사회주의를 대체하고 있다. 이데올로기적 실체들은
정크공간(junkspace) 데이터 센터, 초단타 매매 거래소, 몹시 편향되고 지속
불가능한 정보 및 자원의 분배를 창출하는 거대한 면책 지대 및 폭력 지대에
퍼져 있다.

재발명되어 데이터에 적용된다. 과거의 원석과 광석은 실리콘과 희토류 광물로 대체되었다. 한편, 마인크래프트의 추출 패러다임은 광물의 처리를 정보 건축의 요소로 묘사한다.[AF]

　　패턴 인식 또한 신석기 기술의 중요한 자산이었다. 그것은 마술적 양식과 좀 더 경험적인 양식 사이에서 사고가 이행했음을 나타낸다. 시간의 패턴을 관찰함으로써 개발된 달력은 훨씬 효율적인 관개와 농사 계획을 가능케 했다. 곡물의 저장은 재산이라는 개념을 만들었다. 이 시대는 법과 기입을 포함한 경영 기술뿐 아니라 제도화된 종교와 관료제도 촉진했다. 이 모든 혁신은 사회에도 영향을 끼쳤다. 사냥꾼과 채집꾼 무리는 농부-왕과 노예 소유자들로 대체되었다. 신석기 혁명은 기술적일 뿐 아니라 중대한 사회적인 결과를 초래했다.

　　오늘날 데이터 흔적에 반영되는 삶의 표현들은 정보 생명정치가 관리하는, 경작할 수 있고, 수확할 수 있으며, 채굴할 수 있는 자원이 된다.[AG]

　　만약 지금이 마술적 사고의 또 다른 시대인지 의심스럽다면, 가로챈 드론 해킹 자료를 복원하는 미국 국가안보국의 훈련 편람을 살펴보라. 보시다시피 당신은 마술봉으로 파일에 마법을 걸어야 한다.

　　이러한 기술에서 유래한 아마도 새로운 지배 형식은 일부는 구식이고 일부는 미신적으로 보인다. 어떤 종류의 기업체/국가체가 데이터 저장, 이미지 복원, 초단타 매매, 다에시 외환 거래(Forex) 도박에 기반하는가? 농부-왕과 노예 소유주의 동시대 등가물은 무엇이고, 기존의 사회적 위계가 기술 관련 젠트리피케이션과 지하드 온라인 게시판 게임화처럼 굉장히 다른

AD　　보다 최근의 아주 매력적인 예로는 다음의 두 글을 참조하라. Christian Szegedy et al., "Intriguing Properties of Neural Networks," arxiv.org, February 19, 2014; Anh Nguyen, Jason Yosinski, and Jeff Clune, "Deep Neural Networks Are Easily Fooled: High Confidence Predictions for Unrecognizable Images," cv-foundation.org, 2015. 첫 번째 논문은 육안으로는 감지할 수 없는 변화인 몇 개의 픽셀 추가가 어떻게 인공 신경망이 자동차, 아즈텍 피라미드, 한 쌍의 스피커를 타조로 잘못 식별하게 만드는지를 논한다. 두 번째 논문은 인공 신경망이 완전히 추상인 형상을 펭귄, 기타, 야구공으로 파악하는 방식에 대해 논의한다.

AE　　"Do We Need a Bigger SIGINT Truck?," NSA *Signal v. Noise* column, January 23, 2012.

AF　　다음을 참조하라. Jussi Parikka, "The Geology of Media," *The Atlantic*, October 11, 2013.

무료 이미지 변환기인 이미지 매직(Image Magick)의 파일 검색 메뉴.

출처: 에드워드 스노든이 누설한 영국 정보통신본부의 편람 중 무정부주의자 훈련 모듈 5, ISUAV 비디오 디스크램블링.

사례들을 통해 어떻게 급진화되는가? 패턴 인식과 빅 데이터 점술의 세계는 과두 통치, 어그로 집단, 용병 해커, 봇 지배를 지원하고 가능케 하는 데이터 벼락부자, 켈리파(Khelifah) 낚시기사, 여러 가지 형태의 대리전쟁의 동시대적 뒤범벅과 어떻게 연결되는가? 딥 마인드(Deep Mind), 딥 러닝(Deep Learning), 딥 드리밍(Deep Dreaming) 시대의 국가는 딥 스테이트(Deep State™)인가? 알고리듬 조례 및 점술에 대해 항소도 하지 않고 적법 절차도 없는 것인가?

　　　　그러나 본래의 신석기 시대와 현재의 신석기 시대 사이에는 또 다른 차이점이 있고, 이는 패턴 인식을 상기시킨다. 고대의 천문학에서

AG　　동시대의 예언자들은 제물로 바치는 동물의 내장인양 데이터의 패턴을 읽고 있다. 그들은 발터 벤야민이 「사진의 짧은 역사」(A Short History of Photography)에서 <u>표제 앞의 사진가들</u>(avant la lettre)로 묘사한 훨씬 전통적인 점술가들의 계승자다. "우리 도시의 모든 장소가 범죄 현장이지 않은가? 모든 행인이 범인이지 않겠는가? 점술가와 창자점의 후손인 사진가는 자신의 사진에서 유죄를 밝혀내지 않는가?"

　　　　그럼에도 20세기의 사진가와 21세기의 거르고 해독하는 자 사이에는 결정적인 차이가 있다. 동시대의 패턴 추출자들은 주로 사건 이후에 범죄를 인지하는 것이 아니다. 그들은 발생도 하기 전에 범죄 및 범인을 예측하고 이를 피하도록 기대한다. 우리 도시의 모든 장소는 젠더 및 나이를 기반으로 대상을 특정한 광고들로 온통 치장되고, 움직이는 상품, 예측형 휴대폰 카메라, 해킹된 드론에서 본 조감도로 감시되는 예비 범죄 현장으로 설정된다.

　　　　　　　　데이터의 바다: 아포페니아와 패턴 (오)인식

사람들은 하늘에 동물 모양을 투사함으로써 별자리를 상상했다. 우주의 리듬과 궤적이 점토판 위에 새겨진 후 움직임의 패턴이 떠오르기 시작했다. 부가적인 방위 지점으로서 어떤 별무리는 동물이나 천상의 존재에 비유되었다. 하지만 천문학 및 수학의 발전이 일어난 것은 사람들이 우주에 동물이나 신이 있다고 계속 믿었기 때문이 아니라, 그 반대로 별자리가 물리적인 논리의 표현임을 받아들였기 때문이다. 패턴은 투사지 실제가 아니었다. 오늘날 통계학자들과 기타 전문가들은 자신들의 발견이 대부분 확률적 투사임을 언제나 인정하는 반면, 온갖 종류의 정책 결정자들은 편리하게도 이 메시지를 무시한다. 실제로 당신은 당신이 투사한 데이터-별자리와 동연적(coextensive)이다. 상업적이고 군사적인 생활 패턴 관찰뿐 아니라 (신용 점수, 학업 성적, 위협 점수 등) 온갖 종류의 사회적 점수가, 등급을 매기고 거르고 분류함으로써 사회적 위계를 재초기화시키는 동시에 급진화시키며 실제 사람들의 실제 삶에 영향을 끼친다.

게슈탈트 사실주의

하지만 우리가 진짜로 투사를 다루고 있다고 가정해 보자. 기계 감지로 도출된 패턴이 실제와 같지 <u>않음</u>을 일단 받아들이면, 정보는 분명 어느 정도의 진실성을 지닐 수 있게 된다.

　　　가자 지구 공습으로 눈이 먼 여성 아마니 알나사스라의 사례로 되돌아가자. 우리는 안다. 영국 스파이가 이스라엘 국방군의 드론을 탈취한 녹화된 추상 이미지는 2012년에 그녀를 눈멀게 한 가자 지구의 공습을 보여 주지 <u>않는다</u>. 날짜가 맞지 <u>않는다</u>. 스노든 아카이브에는 증거가 <u>없다</u>. 적어도 내가 아는 한 이 공격의 이미지는 <u>없다</u>. 우리가 아는 것이라곤 그녀가 국제인권감시기구(Human Rights Watch)에 말한 것뿐이다. 다음이 그녀가 말한 바다. "나는 볼 수 없어요. 폭격 이후 줄곧 내가 볼 수 있는 것은 오직 그림자뿐입니다."[AH]

　　　그러므로 이 이미지를 해독하는 또 하나의 방법이 있다. 분명히 우리 모두는 본다. 우리는 아마니가 볼 수 <u>없는</u> 것을 본다.

<hr>

AH　　　"Israel: Gaza Airstrikes Violated Laws of War," hrw.org.

이 경우에 잡음은 그녀가 지금 '보는' 것, 즉 '그림자'의 '기록'(document)임에 틀림없다.

이것은 드론 전쟁의 광학적 무의식의 기록인가? 그것의 수상쩍은 기밀 '패턴 인식' 방식의 기록인가? 만약 그렇다면, 아마니에게 남겨진 '그림자'를 어쨌든 '복원'하는 방법이 있는가?

메디아: 이미지의 자율성

하룬 파로키(Harun Farocki)는 「눈/기계」(Auge/Maschine, 2001)라는 작품에서 '자살 카메라'라는 용어를 만들어 냈다. 「눈/기계」는 1차 걸프전 중에 미사일의 끝에 매단 카메라를 보여 준다. 카메라는 실황 방송을 하다가 폭파될 것이었다. 그러나 모두의 기대와는 반대로, 카메라는 이 작전으로 파괴되지 않았다. 대신에 수십억 개의 작은 카메라들을, 휴대폰에 내장된 소형 렌즈들을 쏟아냈다. 미사일에 달린 카메라는 조각조각 폭파되어 사람들의 생활, 감정, 정체성으로 침투하고 그들의 생각과 지출을 들여다봤다.

미사일 끝의 카메라는 사물들을 식별하고 추적하기 위한 것이었다. 그러나 그것은 스스로 파괴되면서 증식되었다. 이제 그것은 단지 사물들뿐만 아니라 그것들에 내장된 장치들, 그 소유주들, 그들의 동작과 정서, 또한 그들의 행동과 통신의 대부분을 식별하고 추적한다. 미사일 끝의 카메라가 자살 카메라였다면, 휴대폰의 카메라는 좀비 카메라, 즉 죽는 것에 실패한 카메라다.

그런데 단지 카메라들만 폭파되었던 것이 아니라 그것들이 생산한 이미지들도 마찬가지라면? 이로써 이미지들이 깨져서 이해할 수조차 없게 된 상황이 창조됐다면?

DES9N7bxsOmHupY4JsjDg6fZ7va FIZaWDBASiCj6v
N+SVYuCa9B05L dJHmeo+kpmK2PTvlShVkxpOwt59hGX
6sdlTapaRgEGCB8FZt3iSkE9EdmShv5vmSv3oMrCoSFlq
nLeGY 9Wh6hNCNx4nUfxtzjoExo494fUr +hZebjFT050w//
oy22fW8fuwielm 0Em7y28eFSmN5lTVpjzDabYQBjYPgRp
LStGjRMcsilxGH6Ud3nweSy qjimsCs6f2OL4JuolfPTSVAP9/
hia b9VKmyBM3WbOVwAi+wLjoS6 k1FcAcyjQo8HUM3v
GALSnPn7w+wnD5YNKRdXPV pQ8tq+stidQzFdESSzajS
7rPC81pzrljW3tXOkr Dmusp/mEzfTEHOsFRq9eq3k OJr+
CXXSOhjXuSSPVNH1rt8JlDUts529LqAb5pPfYta1L4bD5
LK3hNywW0CTsExgg5jkR64boO/RUB4eYlVQWNSHEv
TtTz++ml+rY sZjIslyhEf6fGAMQPDyq00XrhjFZEx1m
BprRDPAHbA4ROL38lHd pJTDlt3DaWuhsTKWza
AMwML lloiilP8j7gEZXAwdSaJy+wc4a4iFZB7bCGB5nd
wCS3h0BNFq7kESbW+

도판 1. 독수리, 두루미, 머리 없는 남자가 보이는
터키의 괴베클리 테페에 있는 기둥.

위의 도판은 머리 없는 사람 위를 나는 독수리를 보여 준다고 한다. 적어도 이것이 고고학자들이 주장하는 바이다. 쳐다보기만 해서는 알아차리기가 어렵다. 여러분은 고고학자들이 이야기하는 대상을 정녕 볼 수가 없다. 그건 방사능 닭처럼 보인다. 그 아래의 이상한 형체는 머리 없는 남자라고 한다.

나는 1만 2000년이나 된 이 기둥의 부조를 직접 보고 싶었다. 그래서 세계에서 가장 오래된 제의적 구조물로 알려진 터키 우르파 인근의 괴베클리 테페 단지에 갔다. 그곳은 약간 스톤헨지처럼 보이는데, 다만 6500년 더 오래된 곳이고, 육중한 돌기둥의 원형이 한 개가 아니라 대략 스무 개가 있고, 대부분은 발굴되지 않았다. 다수의 기둥에 무서운 동물들이 정교하게 새겨져 있다.

그렇지만 내가 찾던 부조는 현장에서 볼 수 없는 것으로 밝혀졌다. 오로지 기둥의 뒷면만 볼 수 있고, 부조 자체는 감춰져 있다. 내가 그것을 볼 수 있는 유일한 방법은 휴대폰을 통한 것이었다. 온라인에서 구글로 검색을 해야 한다. 물론 여러분은 거의 어디에서나 검색할 수 있다. 하지만 이른바 현실에서 그것에 접근할 수는 없다.

그런데 이미지를 쳐다본 게 나 혼자만은 아니었다. 내 휴대폰도 나, 내 위치, 내 활동을 쳐다보고 있었다.

2015년 1월, 괴베클리 테페에서는 시리아 북부 코바니 전투의 우르릉대는 소리를 들을 수 있었다. 2014년 10월, 그 도시는 다에시의 맹공격을 받았고 언제라도 함락되리라 여겨졌다. 수백 명의 구경꾼들이 터키 쪽의 국경에서 지켜보며 도시 주변과 내부의 여러 전선에서 격렬히 벌어진 교전을 흘깃거리려 했다. 무수한 눈이 군용급의 쌍안경과 온갖 종류의 카메라로 사태를 관찰하고 있었다.

그러나 다수가 코바니 전투를 목도했다 하더라도 그들은 무엇을 본 것일까? 아니 차라리 나는 무엇을 본 것일까?

시리아와 면한 국경에서 구경꾼들은 내 카메라의 뷰파인더로 다에시의 주둔지를 식별하려 했다. 그들은 다에시의 차량이 멀리서 움직이는 것을 봤다고 주장했다. 그러나 솔직히 나는 하나도 알아볼 수 없었다.

DES9N7bxsOmHupY4JsjDg6fZ7vaFlZaWDBASiCj6vN+SV
YuCa9B05LdJHmeo+kpmK2PTvlShVkxpOwt59hGX6sdITa
paRgEGCB8FZt3iSkE 9EdmShv5vmSv3oMrCoSFlqnLeGY

9Wh6hNCNx4nUfxtzjoExo494fUr+hZebjFT050w//oy22
fW8fuwielm0Em7y28eFSmN5ITVpjzDabY QBjYPgRpLStG
jRMcsilxGH6Ud3nweSyqjimsCs6f2OL4JuolfPTSVAP9/h
iab9VKmyBM3WbO VwAi+wLjoS6k1FcAcyjQo8HUM3v
GALSnPn7w+wnD5YNKRdXPVpQ8tq+stidQzFdESSzajS7
rPC81pzrljW3tXOkrDmusp/mEzfTEHOsFRq9e q3kOJr+
CXXSOhjXuSSPVNH1rt8JIDUts529Lq Ab5pPfYta1L4bD
5LK3hNywW0CTsExgg5jkR64boO/RUB4eYlVQWNSHEvTt
Tz++ml+rYsZIslyhEf6fGAMQPDyq00XrhjFZEx1mBprRD
PAHbA4ROL38IHdpJTDIt3DaWuhsTKWzaAMwMLIloiiIP
8j7gEZXAwdSaJy+wc4a4iFZB7bCGB5ndwCS3h0BNFq7kE
SbW+5wiBU7w6nEiNLYanDUoFW0DR1IBaEA0X2vdbhIP
XfVsgWmgDGwZByozbITQJJqYaQCOU7k0+QffkqRx sO43
RN2BnboNsFFCGDPgV5hkJMDXYhag rpq/wLoqs6Ap

도판 2. 2014년 10월 8일, 구경꾼들이 시리아 코바니의 다에시 주둔지를
찾아낸다고 내 카메라의 뷰파인더를 사용하던 와중에 카메라에 포착된 이미지.

나는 연기와 구름과 집들을 보았다. 어쩌면 차량도, 혹은 어쩌면 그저 멀리서
반짝이는 햇빛도. 수백 명의 구경꾼들 중에서 실제로 무엇을 보고 있는
중인지 아는 이는 거의 없었다. 난 확실히 몰랐다. 볼 수 있는 모든 것은
이미지라기보다는 이미지의 조각들이었고, 엄청난 폭발이 일어나 주변에
나부끼는 것들이었다.

　　　　카를 폰 클라우제비츠(Carl von Clausewitz)는 <u>전쟁 극장</u>이라는
용어를 다음과 같이 정의한다.

> 그와 같은 일부 공간은 전쟁이 벌어지고 있지만 그곳의 경계가
> 보호받고 있어서 일종의 독립성을 지닌다. 이런 보호는 요새에
> 의한 것일 수도 있고, 지역적인 자연의 유효한 장애물 덕분일 수도
> 있고, 혹은 전쟁에 휩싸인 나머지 공간에서 상당히 거리가 떨어져
> 있기 때문일 수도 있다. 그러한 일정 공간은 전체의 한 부분에
> 불과한 것이 아니라 그 자체로 완전한 하나의 작은 전체이다.[A]

또한 <u>극장</u>이라는 용어도 군사적 행동의 상연을 지시한다. 당분간 코바니

주위의 언덕들은 정말 문자 그대로 극장으로 바뀌었다. 즉 탱크들과 그 외의 구경꾼들을 위한 드라이브인 영화관이 되었던 것이다.

우리는 비행하는 사물, 자욱한 연기, 번쩍이는 빛을 보았다. 또한 휴대폰으로는 다에시 비디오의 머리 없는 사람들도 볼 수 있었다. 이 모든 것은 꼭 괴베클리 테페의 기둥에 새긴 부조(첫 번째 도판)만큼이나 이해할 수 없는 것이었다.

머리가 잘린 사람 위를 맴도는 독수리. 나는 그것을 내 휴대폰으로 보았다. 사실 여러분도 그것을 여러분의 휴대폰으로 볼 수 있다. '괴베클리 테페'와 '독수리 기둥'을 구글에 검색하기만 하면 그것이 나올 것이다. 여러분은 머리 없는 사내에 빨간 선들이 덧붙여진 것을 보게 될 것이다. 그건 아마도 그 형체를 더욱 잘 보이게 하기 위함이었을 것이다.

이것은 또한 기계들이 이미지를 '이해'하는 방식이기도 하다. 기계들은 사진에 선과 테두리를 투사하여 사물들을 추적하고 분석한다.[B] 이미지에 선과 테두리를 추가함으로써 기계들이 더욱 자율적이게 된다는 것이다. 이는 특히 최근의 무기 체계들에 해당되는데, 자율적이라고 일컬어짐으로써 그것들이 점점 더 인간의 감독과 통제로부터 독립하고 있다는 생각이 전파된다.[C]

그러나 이미지가 기계들에 의해 해독되는 것이 단지 기계들의 지능을 입증하기 위해서만은 아니다. 이미지들은 행동을 촉발하고 현실을 창조하기 위한 모델로서 사용된다. 인간이 세계를 변화시키기 위하여 도면과 지도를 사용했던 것처럼, 기계들도 같은 목적으로 기계가 판독할 수 있는 통신을 사용한다.

A   Carl von Clausewitz, *On War*, trans. J. J. Graham (1873), Book 5, chap. 2, clausewitz.com.

B   이것은 하룬 파로키의 중요한 작품들 「눈/기계」와 「인식과 결과」(Erkennen und Verfolgen, 2003)에서 멋지게 분석되었는데, 이 작품들은 컴퓨터 시각으로 전쟁과 생산의 연계된 접속을 다룬다.

C   여기서 나는 자율성에 관한 하룬 파로키의 생각을 떠올렸는데, 이는 트레버 패글렌이 파로키를 위하여 「아트포럼」 웹사이트에 실은 훌륭한 부고에서 접한 것이다. "파로키는 관객에게 '자율적인 기계들의 전쟁을 상상하라고 요청한다. 군인 없는 전쟁을, 마치 노동자 없는 공장 같은.'" Trevor Paglen, "Passages: Harun Farocki (1944-2014)," artforum.com, February 6, 2015.

그렇지만 '자율성'은 여러 다른 의미를 지닌다. 코바니 전투 자체가 자율성을 위한 투쟁이었고, 기계가 아니라 인간을 위한 것이었다. 자율성은 코바니 수비대의 관점에서는 무언가 다른 것을 의미한다. 이른바 국가로부터의 자율성을 의미하는 것이다. 시리아나 터키라는 국가뿐만 아니라 국가 자체로부터의 자율성을. 자율성은 분리주의도 아니며, 국가를 장악하거나 점령하는 것도 아니라, 기존의 구조 안에서 그와 평행하는 구조를 창조하는 것이다.

괴베클리 테페 기둥의 이미지들은 국가의 창조 과정에서 중요한 접점을 표시한다. 그것들은 국가가 시작하던 시기에 만들어졌다. 확실히 어떤 고고학자들은 이 이미지들의 제작 자체가 석기 시대에서 국가의 태동을 이루어 냈다고 주장한다. 전문가들은 농경이 국가와 기성 종교에 앞선다고 생각하곤 했다. 괴베클리 테페는 그것이 반대였을 수도 있음을 시사한다. 신앙이 예술을 창조했다. 예술이 분업을 창조했다. 어떤 사람들은 다른 사람들을 위해서 식량을 생산해야 했다. 농경이 하나의 해결책으로 보였다. 과학자들은 세우고 새기는 복합적인 과정이 사회적 위계를 초래하여 필요한 인프라를 가능케 했다고 생각한다. 머리 없는 인간 위를 맴돌며 날아다니는 독수리를 조각한 이미지를 만들어 내는 와중에, 국가 비슷한 구조가 아마도 일종의 부산물로서 창조됐던 것이다. 아마도 기둥의 이미지들이 어떤 다른, 더욱 불평등해질 사회적 현실을 창조하기 위한 모델이 되었던 것이다.

내가 말한 바와 같이, 아무도 괴베클리 테페 기둥의 이미지들이 무엇을 의미하는지 알지 못한다. 캡션도, 사운드트랙도, 설명도 없다. 문헌도 없었고, 구전된 역사도 없다. 그러나 우리는 여전히 그것들의 결과 속에서 살고 있다. 즉 국가 속에서, 사유 재산과 계급 불평등의 특징을 지닌 사회 속에서, 모든 것이 누군가에게 귀속된 사회 속에서 살고 있는 것이다.

레바논 예술가 라비 므루에(Rabih Mroué)는 그의 작품 「구름을 타고」(Riding on a Cloud, 2016)에서 그의 주인공―그의 남동생 야세르(Yasser)에 기반을 둔 인물―이 저격수에게 머리를 맞은 후에 이미지를 인지하거나 이해하는 능력을 상실했다고 주장한다. 주인공이 뇌 손상을 입은 까닭에 그에게 이미지는 선, 색, 물질의 무의미한 조합이 되었다. 그는 아무것도 이미지로 인지하지 못한다. 저격수의 총탄이 그의 식별 능력을 파괴시키고 말았다.

기계를 위한 이미지들은 인간을 위한 이미지들과 다르게 보인다. 그것들은 가장 순수한 형태인 전송된 데이터로서 인간이 이해할 수 없고 심지어

면세 미술

지각할 수조차 없는 것이다. 그것들은 빛의 진동이나 자기량이나 외관상 임의적인 장문의 문자들로 코드화될 수 있다. 만일 우리가 그것들을 볼 수 있다면, 그것들은 우리에게 거의 의미가 없을 것이다. 저격수에게 머리를 맞은 사람에게 모든 그림이 그러할 것처럼 말이다. 심지어 선과 테두리보다도 더 추상적일 것이다. 우리는 자율적인 기계에 의해 만들어진, 그 기계를 위해 만들어진 이미지를 보는 데 장애를 겪는다. 저격수에게 맞은 누군가가 여타의 인간들에 의해 만들어진, 그 인간들을 위해 만들어진 이미지들을 보는 데 장애를 겪는 것과 마찬가지로 말이다.

어쩌면 20세기의 미술사는 인간들이 기계들에 의해 만들어진, 기계들을 위해 만들어진 이미지를 해독하도록 돕는 선행 튜토리얼로 이해될 수 있다. 예컨대 몬드리안의 이 회화를 보라.(도판 3)

DES9N7bxsOmHupY4JsjDg6fZ7vaFIZa WDBASiCj6vN+S
VYuCa9B05LdJHmeo+kpmK2PTvlShVkxpOwt59hGX6sdIT
apaRgEGCB8FZt3iSkE9EdmShv5vmSv3oMrCoSFIqnLeGY
9Wh6hNCNx4nUfxtzjoExo494fUr+hZebjFT050w//oy22
fW8fuwielm0Em7y28eFSmN5ITVpjzDabYQBjYPgRpLStG
jRMcsilxGH6Ud3nweSyqjimsCs6f2OL4JuolfPTSVAP9/
hiab9VKmyBM3WbOVwAi+wLjoS6k1FcAcyjQo8HU M3v
GALSnPn7w+wnD5YNKRdXPVpQ8tq+stidQzFdESSzajS7
rPC81pzrljW3tXOkrDmusp/mEzfTEHOsFRq9eq3kOJr+
CXXSOhjXuSSPVNH1rt8JIDUts529L qAb5pPfYta1L4bD
5LK3hNywW0CTsE xgg5jkR64boO/RUB4eYIVQWNSHEv
TtTz++ml+rYsZjlslyhEf6fGAMQPDyq00 XrhjFZEx
1mBprRDPAHbA4ROL38IHdpJTDIt3DaWuhsTKWzaAMw
MLlloiiIP8j7gEZXAwdSaJy+wc4a4iFZB7bCGB5ndwCS3
h0BNFq7kESbW+5wiBU7w6nEi NLYanDUoFW0DR1IBa
EA0X2vdbhIPXfVsgWmgDGwZByozblTQJJqYaQCOU7
k0+QffkqRxsO43RN2BnboNsFFCGDPgV5hkJMDXYhag
rpq/wLoqs6Ap

도판 3. 피터르 몬드리안, 「노랑, 파랑, 빨강의 구성」
(Composition with Yellow, Blue and Red), 1937-1942.

어쩌면 몬드리안의 전형적인 채색된 격자는 기계처럼 보는 방법을 배우려는 인간들을 위한, 즉 오늘날 무성한 포스트휴먼의 시각을 획득하기 위한 무의식적인 연습일 것이다.

이것은 포스트휴먼 다큐멘터리이다. 즉 광파와 전파가 보이지 않는 모든 공간에 스며든 것이며, 모든 생명체가 패턴으로 변형되어 아무 인간이나 그것을 지각하려면 번역을 거쳐야 하는 것이다. 또다시, 이미지가 사회적 현실을 창조하기 위한 모델이 된 것이다.

노트북을 마치 점치는 막대기처럼 받들고 폐허를 가로질러 걷는 이 두 사람을 보라.(도판 4)

JJqYaQCOU7k0+QffkqRxsO43RN2BnboNsFFCGDPgV5hk
JMDXYhagrpq/wLoqs6ApQUT2L2P/TmaOQ6xKmSjuymn
6E76xnYYN85Bp9oLyirFbg6zRWcpfUdMQssH7jlhK1iAu
YkY96TI6iltGoK1sT8hyZmUz7 mz7PWzesas7iEH/pkB
317a7zaS3sNANofRI7AMXb0oAUo595liMlWMjFuuKU
telKU4Xp8WxypzVmvSSGzLZjr6PKgo6ZWGhLwQ2Zk/Hb
WIPVogK1imYoWDZlD+Zm 4wYwDKoiC5zHgDsTwmpn0
R5e9×7vh9o33LwV+I9LoQkY/oD4HN8v/sJjVM3wSaMVT
CKsk54wiy+X2wEVBE0rN9oDMVNCTh1WKS9BYmu1K
+q6ugLiL3RiD MAXXwQQ7WTcKnBpn/rMQ9nzuPB9Ez
RwryZ5boXyzHj/UIoA8NmC6UgV5ZUTKPa8Ln4FMeh7
W295U nzu7JbPTxCQq5y3JZ+T4YbiWEBYidFSxSVAF3x
CH3d7cfPAJezKcjTTRzadzlmr/C5Fk bMwDu5Hr41itAk
MrxHE6OHqtB1DW2RbujRKcAF0hk3vnmFU1o16ylrc+
WXCyZs zZcAxcPRaW3bjCwAu79nSQGbZO1e6AHyLsud
UNZIG3bO8ZMacOvJC+Kq40pOA5 u2wD37VbWPSyYpBi
3pBagmOyKdjp+HwyQbXPhN5ReeG2u/MqNoSbCZg2My7
Cj44HES1jrWrfGx+1+

도판 4. 2015년 1월 코바니,
디하(DIHA) 통신사 기자 두 명이 와이파이 신호를 찾아다닌다.

그들은 물이 아니라 터키 휴대폰 제공 업체의 신호를 찾아다니고 있었다. 전쟁터로부터 그들의 신호를 보내기 위해서였다. 나는 그 도시가 해방되던 날에 그들과 이야기를 나눴다. 그들은 포위된 도시에서 몇 주간 머물렀던 쿠르드족 통신사의 기자들이었다. 몇 차례 저녁때 그들은 철조망 밑으로 도시에서 기어 나오려 했지만 터키 국경 수비대의 사격을 받았다. 그래서 그들은 폐허로 되돌아갔고, 그들의 이야기를 발송할 신호를 찾아다녔다. 그러나 이는 그렇게 쉬운 일이 아니었다. 인터넷이 날씨에 따라 변했다고 그들은 말했다. 그리고 저녁마다 그들은 파괴의 한복판에서 별도의 피신처를 구해야 했는데, 국경 안팎으로 퍼져서 돌아다니는 예측할 수 없는 신호를 쫓아다녔기 때문이다.

그런데 분명 이 구역에서 휴대폰으로 전송되는 데이터는 비트 단위로 수집되고 있다. 또한 우리는 어디에서 누구에 의해 수집되는지 알고 있다. 로라 포이트라스(Laura Poitras)를 비롯한 여럿이 에드워드 스노든(Edward Snowden)이 제공한 자료들을 분석한 논고는 그 지역의 모든 휴대폰 데이터가 앙카라 인근의 미국 국가안보국 감청 시설에서 사찰되어 터키의 정보기관에 전달되었다고 주장한다.[D] 이 논고에 의하면, 이 신호들은 터키 정권이 활동가들을 위협하고 기소하고 투옥하는 데, 혹은 더 악한 용도로 사용됐을 것이다.

『월 스트리트 저널』(Wall Street Journal)에 의하면, 이런 종류의 정보가 영향을 끼치던 무렵 서른 명 이상의 민간인이 이라크 국경 인근에서의 공습으로 2011년 12월에 살해되었다.[E]

여러분의 전화기를 쳐다보라. 머리 잘린 사람 위를 맴도는 괴베클리 테페 기둥의 독수리가 뜨는지 보라. 이 사진이 국가 감시의 회로를 비집고 통과하는 와중에 어떤 선과 테두리가 그것에 추가되었는가? 어떤

D   Laura Poitras, Marcel Rosenbach, Michael Sontheimer, and Holger Stark, "A Two-faced Friendship: Turkey Is 'Partner and Target' for the NSA," *Der Spiegel* 36 (September 1, 2014). 이 주장들은 에드워드 스노든이 누설한 국가안보국 자료들에 접근한 기자들을 근거로 만들어진 것이며 독립적으로 입증될 수 없다. 이 논고는 또한 터키 정권도 국가안보국의 강도 높은 감시를 받았다고 진술한다.

E   "터키가 지원하는 미국 드론 비행은 2007년 11월부터 시작된다. 이때는 부시 행정부가 앙카라에 연합정보융합조직이라 불린 것을 설립한 때이다. 이것은 국무총리 레제프 타이이프 에르도안이 이끄는 정부와의 결속력을 강화하려는 노력의 일환이다. 미국과 터키의 장교들이 어둑한 조명의 복합 건물 안에 나란히 앉아서 프레데터 드론의 실시간 비디오 자료를 사찰한다." Adam Entous and Joe Parkinson, "Turkey's Attack on Civilians Tied to U.S. Drone," *Wall Street Journal*, May 16, 2012 참조. 공식 조사에서는 연루된 공직자 측의 어떠한 계획적인 의도도 발견되지 않았다.

사물들이 식별되었는가? 어떤 계산에 근거를 두고 그것들이 정보기관용으로 여겨지거나 버려지는가? 어떤 행동들이 발동되었는가? 어떤 비행 물체들이 발사되었는가?

기계들은 또 다른 이해할 수 없는 이미지들을 보여 준다. 더욱 일반적으로는 인간의 시각으로 지각될 수 없는 데이터 집합을 보여 준다. 그것들은 현실을 창조하기 위한 모델로 사용된다. 그런데 어떤 종류의 현실이 이해할 수 없는 이미지들에 의해 창조되는가? 이런 까닭에 현실 자체가 인간의 의식으로 다소 이해할 수 없는 것이 된 것인가?

이런 작용들의 결과로 어떤 종류의 국가가 창조될 것인가? 비밀리에 대부분의 활동을 가리고, 비밀스러운 법제 뒤편으로 물러서는 국가, 불평등이 올라가는 만큼 깊숙이 숨은 국가?

현실을 위한 모델이 갈수록 인간의 시각으로 이해할 수 없는 데이터 집합으로 이루어진다면, 그것에 따라 창조되는 현실도 역시 부분적으로 인간이 이해할 수 없는 것이 될 수 있다. 그런 이미지들 속에서 모든 생명체는 자율적인 기계들이 여러분을 헐뜯거나 무언가 촉발하기 위하여 사용하는 패턴들이 된다. 그런 이미지들이 적용되어 창조하는 현실은 부분적으로 마치 여러분의 뇌가 저격수에 의해 손상된 것처럼 보이는 현실, 오로지 기계들을 통해서만 해독할 수 있는 현실이다. 죽은 선들(dead lines)과 죽이는 테두리들(kill boxes)[F]로 이루어진 현실이다. 이런 현실 속에서 여러분은 자기 자신의 눈을 이해하지 못한다.

그런 이미지들이 조합주의 국가(corporate states)를 부산물로서 창조할 수도 있다.

우크라이나 출신 동료 미술가 한 명이 내게 이야기를 하나 전해 주었다. 그의 이름은 올레크 포나료프(Oleg Fonaryov)이며, 그것을 바탕으로 멋진 사진 프로젝트를 만들었다.[G] 그는 다음과 같은 질문을 던졌다. 인간의 진화가 우리를 둘러싼 광원의 변화에 대응해 온 것이었다면? 수백만 년 동안 지구의 빛은 오로지 별들과 태양, 어쩌면 약간의 불빛이나 촛불에서 온 것이었다. 이제는 수많은 전깃불과 무수한 스크린이 있다. 죽은 자와 산 자의

F   편주: '킬박스'는 군사 용어로 항공이나 지상 화력을 집중해 적을 격멸하기 위해 선정하는 3차원 구획을 뜻한다.

G   포나료프의 작품은 「또 다른 행성」(Another Planet, 2010-)이다.

뼈를 가로질러 날아다니는 저 포스트휴먼 다큐멘터리들은 말할 것도 없다. 진화의 역사에서 유기적 신체는 변화하는 환경에 대처하기 위하여 변화해 왔다. 사람들이 어떠한 감각, 어떠한 기관을 키워야 보이지 않는 이미지들을 집어낼 수 있을까? 우리가 현재로서는 감지할 수 없는 데이터 스트림을 해독할 수 있을까? 사람들이 어떻게 진화해야 이해할 수 없는 이미지군(群)을 모델로 삼은 환경에 적응할 수 있을까?

코바니가 해방된 밤, 터키 쪽 국경에서 열린 큰 축하연에서 영사가 제대로 작동되지 않았다. 모스크에 큰 스크린이 걸려 있었다. 그러나 영사기에 입력되는 것이 없었다. 그러다가 어떤 바탕화면 이미지가 나타났다.(도판 5)

DES9N7bxsOmHupY4JsjDg6fZ7va FIZaWDBASiCj6vN+S
VYuCa9B05LdJHmeo+kpmK2PTvlShVkxpOwt59hGX6sd
ITapaRgEGCB8FZt3iSkE9 EdmShv5vmSv3oMrCoSFlqnL
eGY9Wh6hNCNx4nUfxtzjoExo494fUr +hZebjFT050w//oy
22fW8fuwielm0Em7y28eFSmN5ITVpjzDabYQ BjYPgRpL
StGjRMcsilxGH6Ud3nweSyqjimsCs6f2OL4JuoIfPTSVAP
9/hiab9VKmyBM3WbOVwAi+wLjo S6k1FcAcyjQo8
HUM3vGALSnPn7w+wnD5YNKRdXPVpQ8tq+stidQz
FdESSzajS7rPC81pzrljW3tXOkrDmusp/mEzfTEHOsFRq9
eq3kOJr+CXXSOhjXuSSPVNH1rt8JIDUts529Lq
Ab5pPfYta1L4bD5LK3hNy wW0CTsExgg5jkR64boO/

도판 5. 2015년 1월, 코바니 해방 축하 행사.
영상이 가무와 발언을 위한 배경 역할을 한다.

화면은 가면을 쓴 게릴라와 여러 깃발을 보여 준다. 하지만 그게 흥미로운 부분은 아니었다. 흥미로운 부분은 바탕화면에 나열된 아이콘들이었는데, 통신용 소프트웨어, 이미지 처리 도구, 암호화 소프트웨어, 파일 전송 프로토콜 클라이언트를 위한 것들이었다. 화면은 축하 행사의 배경으로 여겨졌지만 사실은 기록(document) 그 자체가 되었다. 그것은 작업장과 도구들을 보여 주었다. 그것은 자율적인 이미지 생산의 기록이었다. 이 도구들을 사용함으로써 어떤 종류의 현실이 창조될 것인가? 그것들이 인간의 자율성을 실현하는 데 도움이 될 것인가?

그러면 또 어째서 바탕화면의 사람은 가면을 쓰고 있는 것일까?

메디아: 이미지의 자율성

그 또는 그녀가 올레크가 예견한 센서를 이미 진화시켰기 때문일까? 그 또는 그녀는 이미 포스트휴먼 다큐멘터리 이미지들을 이해할 수 있을까? 그 또는 그녀는 발라클라바 밑에 새로운 기관을 숨기고 있는 것일까?

나는 마침내 내 두 눈으로 새들과 머리 없는 사람들을 보았다.

코바니의 국경 너머에 있는 수루치 난민촌에서 10대들이 게릴라 제복을 입은 한 소녀의 연출하에 춤을 연습하고 있었다. 그들은 전통 음악에 맞춰서 활기차게 뛰어놀고 있었다.

그런데 갑자기 그들이 마치 투하한 폭탄이나 여타 치명적인 폭력에 당한 것처럼 모두 바닥에 쓰러졌다. 한순간, 그 지역에서 허리띠로 사용되는 스카프들이 그들의 머리를 덮었다. 내 눈앞에서 그들이 시체의 재현으로 변했던 것이다.

그러나 날아다니는 새를 연기하는 그 안무가 소녀가 신체들을 하나씩 하나씩 일으켜 세웠다. 바닥의 모든 신체들은 서서히 새들로 변했다—독수리가 아니라 두루미로. 그리고 그들은 날아올랐다.

철새 두루미는 적어도 1만 2000년 동안 그 지역에 있었다. 괴베클리 테페의 기둥에 보이는 새들이다. 우르파의 환경 보호 활동가들은 지난 몇 년간 그 새들을 기다렸으나 허사였다. 시리아의 전쟁 탓에 새들이 오길 멈췄던 것이다. 이제 안무가 소녀가 새들을 다시 데려왔다.

소녀의 이름은 메디아(Medya)다.

면세 미술

1. 국립박물관

이것은 위키리크스의 시리아 파일 데이터베이스의 일부로, 2012년 공개된
파일이다. 파일 제목은 "316787_Vision Presentation—Oct 30 2010
Eng.pptx"로, 2010년 10월 파워포인트 양식으로 작성되었다.[A] 여기에는
시리아 영부인 아스마 알 아사드(Asma al-Assad)의 장래 시리아 박물관
건립 계획 세부가 담겨 있다. 영부인의 재단은 시리아의 경제적·사회적 발전을
홍보하고 국가 정체성과 문화 자긍심을 강화하는 박물관망 구축을 목표로 한다.
프랑스의 루브르 박물관이 이 계획을 추진하는 협력 기관으로 포함되어 있다.[B]
루브르와 빌바오 구겐하임 모두 재설계된 다마스쿠스 국립박물관의 본보기로
언급된다.

　　2011년 4월 한 회의에서 이 국립박물관 설계의 국제 공모
당선자가 발표될 예정이었다.

　　그러나 그 바로 3주 전, "들리는 바에 따르면 다라 시에서 행진하던
10만 명 가운데" 스무 명의 시위자들이 "살해되었다."[C] 당시 루브르 박물관과
대영박물관 관장을 비롯한 다수의 저명한 발표자들이 회의에 이미 초대된
상태였다. 2011년 4월 28일 자 『아트 뉴스페이퍼』(The Art Newspaper)는
거리 시위로 인해 회의가 취소되었다고 전했다.[D] 국립박물관 건축 공모
우승자는 영영 발표되지 못했다.

A　　파워포인트 파일은 대통령업무부처에 보낸 "시리아 박물관과 문화유산지를
　　위한 새 비전 발표"라는 제목의 이메일(2010년 10월 30일, 이메일
　　아이디 2089122)에 첨부되었다. https://wikileaks.org/syria-files/
　　docs/2089122_presentation-on-the-new-vision-for-the-syrian-
　　museums-and.html.

B　　하지만 2011년 6월 26일 협력 박물관들은 계획의 제도적 틀인 시리아
　　문화유산재단의 해체를 요청했다. 같은 달 초 『파이낸셜 타임스』(Financial
　　Times)는 그 기구가 활동을 중단했다고 보도했다. Lina Saigol, "First Lady
　　Struggles to Live up to Promises," *Financial Times*, June 9, 2011.

C　　Peter Aspden, "The Walls of Ignorance," *Financial Times*, June 9,
　　2012.

D　　Anna Somers Cocks, "Syria Turmoil Kills Mrs Al-Assad's Forum,"
　　The Art Newspaper, April 28, 2011.

2. 결코 다시는

베네딕트 앤더슨(Benedict Anderson)은 민족(nation)이 성립되려면 민족의
역사를 서술하고 그 정체성을 설계할 인쇄 자본주의(print capitalism)와
하나의 박물관이 있어야 한다고 주장했다.[E] 오늘날에는 인쇄 대신 데이터
자본주의와 수많은 박물관들이 있다. 박물관을 건립하는 데 민족이 필요한
것은 아니다. 그러나 민족이 시공간을 조직하는 하나의 방법이라면, 박물관도
그러하다. 시공간이 변하는 만큼, 박물관의 공간 또한 변화한다.

위의 사진은 터키 디야르바크르의 시립미술관이다. 이 미술관에서는 2014년
9월 인종 말살과 그 여파를 다룬 전시 『결코 다시는! 사과, 그리고 과거를
인정하기』(Never Again! Apology and Coming to Terms with the Past)가
열리고 있었다. 전시 포스터는 바르샤바의 유대인 구역 추모비 앞에 무릎을
꿇은 서독의 전 수상 빌리 브란트(Billy Brandt)를 보여 준다.

　　　그러나 전시는 지속되지 못했다. 대신, 200명이 넘는 야지디족
난민들이 미술관을 가득 메웠다.

　　　2014년 8월 다에시군이 시리아와 이라크 사이의 국경 일부를
침범하고 사실상 폐쇄한 후,[F] 약 10만 명의 야지디족 난민이 이라크 북부

E　　다음을 참조하라. Benedict Anderson, *Imagined Communities:
　　Reflections on the Origin and Spread of Nationalism, revised and
　　extended ed. (London: Verso, 1991), 224, and Anderson, "Census,
　　Map, Museum," excerpt from *Imagined Communities*, available at
　　haussite.net.

셴갈 지역에서 탈출했다. 대부분은 셴갈 산을 걸어서 피난했으며, 안전 경로를 확보해 준 쿠르드 반군의 도움을 받았다. 대다수가 시리아 북부 로자바와 이라크 북부의 여러 난민 대피소에 머무른 반면, 많은 난민들이 터키의 쿠르드족 거주 지역으로 넘어가 놀라울 만큼 큰 환대를 받았다. 디야르바크르시는 비상 보호소로 시립미술관을 개방했다.

　　　　미술관 공간에 깔린 매트에 자리를 잡자, 많은 난민들은 휴대폰으로 실종된 가족에게 전화를 걸려고 심카드를 요청하기 시작했다. 아래 보이는 것은 텅 빈 큐레이터의 책상이다.[G]

2014년 9월 이 미술관은 난민 대피소가 되었다. 그곳은 민족을 대표하는 것이 아니라, 민족 붕괴에서 피난 온 사람들을 보호했다.

3. 가능 조건들

구글 N그램 뷰어에 따르면[H] '불가능'(impossible)이란 단어의 사용은 20세기 중반 이래 급격히 감소했다. 이는 무엇을 시사하는가? 불가능한 일들이

F　　야지디족의 셴갈 탈출은 다음의 글에서 기술된다. Liz Sly, "Exodus from the Mountain: Yazidis Flood into Iraq Following U.S. Airstrikes," *The Washington Post*, August 10, 2014.

G　　그의 이름은 바리스 세이트반(Baris Seyitvan)이다.

H　　위키피디아에 따르면 "구글 'N그램' 뷰어는 온라인 뷰어로, 초기에는 구글 북스를 기반으로 삼다가 [현재는] 1800에서 2012년까지 인쇄된 발간물에서 나타나는 단어나 단문의 연간 출현 빈도를 도표화한다. 인쇄물의 언어는 미국 영어, 영국 영어, 프랑스어, 독일어, 스페인어, 러시아어, 히브리어, 중국어의 여덟 가지 언어를 바탕으로 한다.

갈수록 적어진다는 뜻인가? 불가능성 '그 자체가' 역사적으로 쇠락하고 있다는 의미일까? 어쩌면 그저 가능 조건들 자체가 시간이 흐르면서 변화하는 것임을 의미하는 것일 수도? 가능한 것과 불가능한 것 모두 역사적·외재적 조건에 따라 정의되는 것인가?

임마누엘 칸트(Immanuel Kant)에 따르면 시간과 공간은 무엇이든 지각하거나 이해하기 위한 필요조건이다. 시공간 없이는 지식, 경험, 시각은 펼쳐질 수 없다. 이러한 관점을 칸트는 '비판'(criticism)이라 칭한다. 이를 염두에 둘 때 동시대 미술이 발현되려면 어떤 종류의 시간과 공간이 필요한가? 더 정확히는, 동시대 미술 비판은 오늘날의 시간과 공간에 대해 무엇을 말해 주는가?

많은 학술적 저술을 거칠게 요약하자면 동시대 미술은 신자유주의 자본에 인터넷, 비엔날레, 아트 페어, 동시다발적인 평행 역사들, 소득 불평등의 증가가 더해져 가능해졌다고 하겠다. 이 목록에 부의 광범위한 재분배의 원인 중 하나인 비대칭적 전쟁, 부동산 투기, 탈세, 돈세탁, 금융 시장 규제 완화를 추가하자.

이 주제에 대한 철학자 피터 오스본(Peter Osborne)의 빛나는 통찰을 달리 표현해 보자. 동시대 미술은 (글로벌) 시공간의 결핍을 보여 준다. 게다가 동시대 미술은 허구적 통합을 각기 다른 시공간에 대한 다양한 관념에 투사함으로써 아무도 없는 공통의 표면을 제공한다.[1]

동시대 미술은 그 어떤 종류의 공통의 지반, 시간성 혹은 공간도 결핍되어 있는 세계적 공통성의 대리(proxy)가 된다. 동시대 미술은 위치의 증식 및 책무(accountability)의 결핍으로 정의된다. 동시대 미술은 도시 공간을 재조직하면서 전 세계 도시를 변형시키는 주요 부동산 사업의 방식으로 작동한다. 동시대 미술은 심지어 내전의 장소이다. 전쟁이 야기한 부의 재분배를 통해 10년쯤 후에 미술 시장 붐이 촉진된다. 동시대 미술은 기적적으로 공채가 사적인 부로 변환될 때마다 광섬유 기반 시설에 의해 서버상에서 발생한다. 동시대 미술은 납세자가 다른 주권 국가를 구제한다고 착각할 때 발생한다.

---

[1]   오스본은 동시대 미술이 "현시대의 이접적(離接的) 통합을 표현한다"고
        주장한다. "따라서 역사적 개념으로서 동시대는 [각기 다른] 인간의 삶의
        시대들이 지닌 변별적 전체성에 통합을 투사하기도 한다." Peter Osborne,
        Anywhere or Not at All: Philosophy of Contemporary Art (London:
        Verso, 2013), 22.

그러나 사실 그들은 고위험 부채를 취약 국가로 떠넘김으로써 보상을 받는 국제
은행을 원조하고 있을 뿐이다.[J] 혹은 이런저런 정권이 성형수술 시술에 맞먹는
홍보가 필요하다고 결정했을 때 동시대 미술은 발생한다.

　　　그러나 동시대 미술은 국가의 주권을 우회하는 새로운 물리적
공간을 창조하기도 한다. 동시대의 사례를 들어 보겠다. 바로 자유항의 미술품
수장고다.

이 사진은 모든 자유항 미술품 수장고의 원조인 제네바 자유항이다. 제네바
자유항은 제네바 구 화물역과 산업용 창고 건물의 일부가 포함된 면세 구역이다.
자유 무역 지대는 구 창고 건물의 뒤뜰과 4층을 점유하며, 따라서 하나의 같은
건물에 다양한 관할 구역이 존재한다. 다른 층들은 자유항 구역에서 제외되기
때문이다. 2014년 새로운 미술품 수장고가 열렸다. 불과 몇 년 전까지 자유항은
공식적으로 스위스의 일부로 여겨지지도 않았다.

　　　이 건물에 피카소 작품 수천 점이 보관 중이라는 소문이 있지만,
기록이 다소 불투명한 관계로 아무도 정확한 숫자를 알지 못한다. 그러나 이곳의
내용물이 그 어떤 대형 미술관의 소장품에도 견줄 수 있다는 점은 거의 의심의
여지가 없다.[K]

J　　　이는 독일(혹은 유럽연합 납세자)과 그리스의 관계와도 같다. 소위 긴급
　　　구제금융의 89퍼센트가 국제은행에 돌아갔다. 잔여 11퍼센트만이 그리스
　　　국가 예산에 들어갔다. 이 돈의 일부만이 미술 경매로 흘러들었다 치자.
　　　수상쩍게 개인 자산으로 변질되는 공공 기금의 지속적 지원이 없이 근래의
　　　미술 경매가 어떻게 운영될 수 있을 것인가?

현재 전 세계에서 가장 중요한 미술 공간 중 하나가 여기라고 가정해 보자. 이곳은 비공개일 뿐 아니라 매우 흥미로운 지형 안에 자리 잡고 있다.

법률적 관점에서 보자면 자유항의 미술품 수장고는 일종의 치외법권 지역이다. 몇몇은 공항의 환승 구역이나 면세 구역에 있다. 켈러 이스터링(Keller Easterling)은 자유 구역을 "울타리를 두른 창고업의 고립 영토"라 기술한다.[L] 그곳은 이제 글로벌 도시주의의 일차 기관이 되어 세계 곳곳으로 복사되고 붙여넣어진다. 이스터링이 명명하듯 그곳은 "초국정 운영"의 일례로서, 국민 국가의 법칙 너머 "잡종적 예외 상태" 안에 있다. 이렇게 규제 완화된 면제 상태에서 기업은 평범한 시민을 희생하여 특례를 취하며, '투자자'가 납세자를 대체하고 모듈이 건물을 대체한다. "[자유항의] 매력은 역외 금융센터와 비슷하다. 보안과 기밀 보장, 허술한 조사 (…) 그리고 다양한 세금 특혜. (…) 자유항이 실상 축적된 부의 항구적인 거처로 갈수록 쓰이고 있지만 그곳의 상품들은 엄밀히 말하면 환승 중이다."[M]

따라서 자유항은 항구적 환승 구역이다.

자유항이 고정되어 있다고 해도, 그것은 항구적 찰나성을 정의하기도 하는가? 그것은 단순히 치외법권 구역인가 아니면 금융 수익성을 위해 세심히 설정된 범죄 지구인가?[N]

자유항은 여러 모순을 지닌다. 그곳은 최종적 한시성의 구역이다. 또한 국민 국가가 관리하는 적법한 비합법의 구역으로, 선별적으로 통제를 상실함으로써 실패한 국가를 최대한 비슷하게 모방한다. 시스템 고장 직전까지 항행하여 결정적인 우위를 점하는 전투기의 공기 역학적 특질을 묘사하기 위해, 토마스 엘제서(Thomas Elsaesser)는 "건설적 불안정"(constructive

K   "미술품 딜러, 자문가, 보험사 사이에는 세계 최대의 미술관을 건립할 수 있을 만한 미술품이 이곳에 은닉되어 있다는 믿음이 광범위하게 퍼져 있다 정도로 말해 두겠다." David Segal, "Swiss Freeports Are Home for a Growing Treasury of Art," *The New York Times*, July 21, 2012.

L   Keller Easterling, *Extrastatecraft: The Power of Infrastructure Space* (London: Verso, 2014).

M   "Freeports: Über-warehouses for the ultra-rich," *The Economist*, November 23, 2013.

N   "기밀문서에 따르면, 제네바 자유항 전체는 해당 주에 최소 3억 스위스프랑 상당의 수익을 창출한다." Marie Maurisse, "La «caverne d'Ali Baba» de Genève, plus grand port franc du monde, ignore la crise," *Le Figaro*, September 20, 2014.

instability)이라는 용어를 사용한 적이 있다.[O] 전투기는 대개 의도했던 방향으로 '낙하'하거나 '실패'할 것이다. 이러한 건설적 불안정은 의도적으로 '실패'하는 구역들을 포함시킴으로써 국민 국가 내에서 실행된다. 예를 들어 스위스는 고립된 합법적·행정적 예외 구역인 "245개의 개방형 보세 창고"를 보유하고 있다.[P] 이 국가 및 여타 국가는 기업이나 개인의 부에 따라 적용되는, 아니 차라리 적용되지 않는, 다양한 유형의 관할권을 가진 컨테이너인가? 이러한 종류의 국가는 기회주의적 무국가성을 위한 패키지인가? 엘제서가 지적했듯 그의 "건설적 불안정" 개념은 전부 스위스 미술가 듀오 피슐리와 바이스(Fishli and Weiss)의 작업 「사물의 경과」(Der Lauf der Dinge, 1987)에 대한 논의에서 유래했다. 여기서 각종 사물은 붕괴를 축하하며 균형을 잃고 쓰러진다. 영상의 장엄한 좌우명은 다음과 같다.

Am schönsten ist das Gleichgewicht, kurz bevor's
zusammenbricht.
(균형은 무너지기 직전에 가장 아름답다).

여러 다른 용도들 가운데 자유항은 면세 미술(duty free art)을 위한 구역이 되기도 한다. 이는 사물들이 항구적으로 동결되는 실패한 균형에 즐겁게 매달려 있도록, '건설적 불안정'에 따라 통제와 실패가 조율되는 구역이다.

4. 면세 미술

본질적으로 호화로운 무인 지대이자 조세 피난처로 불릴 수 있는 거대 미술품 수장고들이 전 세계적으로 지어지고 있다. 여기서 미술품들은 거래될 때 한

O Thomas Elsaesser, "'Constructive Instability', or: The Life of Things as the Cinema's Afterlife?" (2008), pure.uva.nl. 동시대 정치사상 및 관리된 붕괴와의 관계에 대한 이러한 생각의 다층적 함의는 기술뿐 아니라 정치적 활용 면에서 저평가되어서는 안 된다. "그 공학적 기원은 신보수주의의 정치적 활용에 가려진다. 예를 들어 콘돌리자 라이스(Condolezza Rice)는 2006년 여름 레바논과 이스라엘의 전쟁에서 사망한 민간인들과 이에 따른 혼란을 '건설적 불안정'의 대가라고 칭했다."(19).

P Cynthia O'Murchu, "Swiss Businessman Arrested in Art Market Probe," *Financial Times*, February 26, 2015.

보관 창고에서 다른 보관 창고로 옮겨지며 섞인다. 이 또한 동시대 미술의 주요 공간 중 하나다. 역외의 혹은 치외법권의 미술관. 2014년 9월 룩셈부르크는 자체적인 자유항을 열었다. 룩셈부르크가 제네바 자유항의 성공을 모사하려는 유일한 나라는 아니다. "싱가포르 창이 공항에 2010년 문을 연 자유항은 이미 포화에 가까운 상태다. 모나코에도 자유항이 있다. 베이징에 계획 중인 '문화자유항'은 세계 최대의 미술품 수장 시설이 될 것이다."[Q] 이러한 시설 중 다수를 설립하는 데 주요한 역할을 한 곳이 스위스인 이브 부비에(Yves Bouvier)가 운영하는 미술품 운송 회사 나튀랄 르쿨트르(Natural Le Coultre)다.

자유항 미술품 수장고는 비밀 미술관이다. 그 공간적 조건은 설계에도 반영된다. 다소 형식적인 스위스 시설과 달리, 싱가포르 자유항 미술품 수장고 시설에서 설계자들은 게임을 상향 조정했다.

스위스 건축가, 스위스 공학자, 스위스 보안 전문가가 설계한 27만 평방피트 규모의 시설은 부분적으로는 벙커이고 일부는 갤러리다. 재미없지만 안전한 창고인 스위스 자유항 시설과는 달리, 싱가포르 자유항은 보안과 스타일의 결합을 시도했다. 로비, 전시장, 가구는 동시대 디자이너 론 아라드(Ron Arad)와 요한나 그라우분더(Johanna Grauwunder)가 디자인했다. 아라드의 거대한 궁형 조각 「경계 없는 철장」(Cage sans Frontières)은 로비 전체로 뻗어 있다. 노출 콘크리트 벽면에 줄지어 걸려 있는 회화 작품들은 시설에 갤러리 분위기를 선사한다. 7톤짜리 문으로 차단된 개인실과 금고가 복도를 따라 나열되어 있다. 로비 근처에서는 사설 갤러리가 미술관 수준의 조명으로 수집가에게 관람 기회를 제공하거나 잠재적 구매자에게 소장 미술품을 보여 준다. 기획 중인 2차 개장은 시설의 규모를 53만 8천 평방피트로 갑절로 확장시킬 것이다. 자유항 직원이 고객의 항공기로 마중 나가 리무진으로 수집가들을 주야불문하고 시설로 안내한다. 고객이 귀중품을 지녔다면 무장 호위가 제공될 것이다.[R]

Q   "Freeports," *The Economist*.
R   Cris Prystay, "Singapore Bling," *Wall Street Journal*, May 21, 2010.

"경계 없는 철장"이라는 제목은 이중의 의미를 갖는다. 새장에는 한계가 없다는 뜻일 뿐 아니라, 국가 주권의 균열 사이로 스며 나오며 자체적 운송망을 구축하는 초국정 운영하의 미술품 철수(withdrawal) 시설에서는 이제 모든 곳이 감옥임을 의미한다. 이 보편적인 감옥에서 비록 어느 규칙이 누구에게 또는 무엇에 적용되는지 그리고 어떻게 실행되는지 불분명할지언정 규칙은 여전히 적용된다. 그것이 무엇이든, 그 통제는 해당 자산의 가치에 반비례하여 여실히 느슨해지는 듯하다. 그러나 이 구축물은 삼차원 공간의 특정 위치에 구현된 고안물인 것만은 아니다. 그것은 또한 기본적으로 적층된 법률적, 운송적, 경제적, 데이터 기반 활동들이며, 광섬유뿐 아니라 항공 경로를 통해서도 상호 연결되는 국가법, 통신 규약, 기업 표준 등을 통해 클라우드와 사용자를 매개하는 일군의 플랫폼들이다.[S]

　　　민족에게 전통적으로 국립박물관이 있었다면, 이러한 '스택'(stack)에는 자유항의 미술품 수장고가 있다. 그것은 나라들 사이에, 국가 관할권이 자발적으로 물러났거나 무너진 곳, 주권이 겹쳐져 있는 지대에 자리한다. 비엔날레, 아트 페어, 고급화된 부동산의 3D 렌더링, 다양한 정권들을 미화하는 스타 건축가 설계의 미술관 등이 이러한 지역들의 기업적

S　　Benjamin Bratton, "On the Nomos of the Cloud: The Stack, Deep Address, Integral Geography," November 2011, bratton.info. "거대 구조인 스택(Stack)은 체계들로 이루어진, 호환 가능한 규격 기반의 복합적인 물질-정보 체계의 집합으로 이해될 수 있다. 체계는 수직적 구획, 층위들의 지형학적 모델 및 규약(protocol)에 따라 조직된다. 스택은 표준화된 범용 구획(section)이다. 우리가 마주친 바와 내가 제시한 원형에 따르면, 스택은 사회적이고 인간적인 '아날로그' 층위들(지하 에너지 자원, 몸짓, 정동, 사용자-반응체, 인터페이스, 도시와 거리, 방과 건물, 유기적이거나 비유기적인 외피)과 정보적이고 비인간(non-human)적인 계산적(computational) '디지털' 층위들[다중통신 광섬유 케이블, 데이터 센터, 데이터베이스, 데이터 표준과 규약, 도시 규모의 네트워크, 내장형 시스템, 범용 주소표(universal addressing table)]이 동등하게 구성된다. 스택의 하드웨어 및 소프트웨어 체계들은 서로 섞여 상태를 교환하고 그중 몇몇은 잠재적 조건에 따라 '더 하드해지거나 더 소프트해진다.' [역주: 프랑스 사상가 미셸 세르(Michel Serres)의 개념인 '하드/소프트'를 지칭한다.] 사회적 사이버네틱스로서 우리가 알고 설계하는 스택은 평형과 창발 모두를 만드는데, 한쪽이 다른 한쪽으로 해독할 수 없고 설명할 수 없는 리듬으로 진동하며, 대각을 이루는 목적을 위해 같은 구성 요소를 영토화 및 탈영토화한다."

면세 미술

표면이라면, 비밀 미술관은 마치 철수의 심연 속으로 사물이 사라지는 실크 로드, 다크웹에 해당한다.[T]

　　미술품과 그 이동을 상상해 보자. 미술품은 면세 구역망 내를 여행하며, 창고 공간들 자체 안에서도 여행한다. 아마도 그럴 때면 운송 상자는 열린 적이 없을 것이다. 한 보관 창고에서 다음 보관 창고로 노출되지 않고 이동할 것이다. 반군, 마약, 파생 금융 상품, 그리고 여타의 소위 투자 상품들처럼 미술품은 최소한의 추적이나 등록으로 상자 안에 머물면서 국토 밖을 여행한다. 우리 모두가 알고 있듯이 운송 상자는 심지어 비어 있을 수도 있다. 그것은 인터넷 시대의 미술관이지만, 이동이 은폐되고 데이터 공간이 클라우드화된 다크넷의 미술관이다.

　　매우 이질적인 움직임이 위키리크스의 시리아 파일에 상술된다.

보낸 사람: sinan@sinan-archiculture.com
받는 사람: mansour.azzam@mopa.gov.sy
보낸 날짜: 2010년 7월 7일 수요일, 오후 4시 6분
제목: 전달: OMA 직원 비행 일정
변경

T　　모스크바에서 한 관객은 이를 크나큰 이점으로 봐야 한다는 아주 재치 있는 발언을 했다. 많은 조야한 '시장용 미술'을 아무도 볼 필요 없이 안전하게 격리할 것이기 때문이다. 그녀의 관점에 무척 동감한다. [편주: 실크 로드는 2011-2014년 실존한 최초의 현대적 온라인 암시장 이름이기도 하다.]

아잠(Azzam) 씨께,

다음 주 월요일인 7월 12일에 렘 콜하스(Rem Koolhaas) 씨와
비서 스테판 페터만(Stephan Petermann) 씨가 [다마스쿠스에]
도착하는 것이 확정되었습니다. 전에 말씀드렸듯 비자가
필요합니다(두 분 모두 네덜란드 국적입니다). 두 분의 여권
스캔본을 첨부합니다. 두 분은 각자 다른 시각에 따로 도착하시게
됩니다. 콜하스 씨는 에미레이트 항공으로 중국을 출발해 두바이를
경유해 도착하고(오후 4:25 다마스쿠스 도착), 페터만 씨는 빈에서
오스트리아 항공으로 도착합니다(콜하스 씨보다 먼저 오후 3시
다마스쿠스 도착).

두 분은 목요일(오후 4시)에 출국하기 전까지 아트하우스나
포시즌 호텔에 숙박 예정입니다.[U]

위키리크스의 시리아 데이터베이스는 680개 도메인에서 추출한 250만 통의
이메일을 포함하지만, 이 문서들의 진위가 확인된 것은 아니었다. 하지만 홍보
대행사 브라운 로이드 제임스(Brown Lloyd James)가 아사드 일가의 이미지
개선에 결부되어 있다는 점은 입증할 수 있다.[V] 2011년 초 시리아 내전 발발
직전 『보그』(Vogue) 스토리에 아스마 알 아사드의 기사가 실린다. 전쟁 사진가
제임스 낙트웨이(James Nachtwey)가 예견이라도 한 듯 촬영한 이 기사에서
아스마 알 아사드는 근대화의 주역이자 문화의 수호자인 '사막의 장미'로
묘사된다.[W]

전쟁 발발 1년 후인 2012년 2월, 어나니머스와 협력 조직들이
시리아의 블로거, 시위대, 활동가들과 연대하여 시리아 대통령업무부처의
이메일 서버를 해킹했다.[X] 그들은 아사드의 보좌관 및 고문 78명의 수신함에

U   다음을 참조하라. https://wikileaks.org/syria-files/
     docs/2089311_urgent.html.
V   Bill Carter and Amy Chozick, "Syria's Assads Turned to West for
     Glossy P.R.," *The New York Times*, June 10, 2012.
W   이후 그 기사는 내려졌다. 자세한 배경은 다음의 글에서 찾아볼 수 있다. Max
     Fisher, "The Only Remaining Online Copy of Vogue's Asma al-Assad
     Profile," *The Atlantic*, January 3, 2012

접속했다. 몇몇은 동일한 암호 '12345'를 사용 중이었다 한다.[Y] 유출된 이메일은 주로 중간 관리자들의 것으로, 다양한 쟁점에 대해 대통령업무부처 장관 만수르 아잠(Mansour Azzam)과 렘 콜하스 건축 사무소(OMA), 리처드 로저스(Richard Rogers) 건축 사무소, 헤르초크 앤드 드뫼롱(Herzog & de Meuron) 건축 사무소 간에 주고받은 서신들이 포함되어 있었다. 이메일들 중 일부 내용을 달리 표현해 보겠다. 로저스와 콜하스는 다마스쿠스에 연사로 초대받았다. 콜하스의 경우 이 방문은 국회의사당을 포함한 프로젝트 논의로 확장되었다.[Z] 헤르초크 앤드 드뫼롱은 알레포 소재 알 아사드 문화의 집에 대한 무료 개념 설계안을 제안했고, 국회의사당 프로젝트 선정 과정에 관심을 표했다.[AA] 이 서신들 중 다수가 중간 관리자들끼리 주고받은 이들 건축 사무소에 대한 잡담이다. 스팸도 많다. 2010년 11월 말 이후로는 어떤 건축 사무소들과도 연락한 기록이 없다. 2011년 1월 개진된 시위들을 시발점으로, 그해 3월 말이 되자 전면적인 봉기가 시리아에서 발발했다. 실질적 교전이 거세지며 아사드 정권에 대한 조사가 심해지자, 공무원들과 건축가들 사이의 모든 대화 및 협의는 중단된 듯하다. 이 문서들의 진위 여부는 단독적으로 확인된 바가 없고, 그렇기에 당분간 이들의 상태는 출처를 알 수 없는 일군의 데이터들로, 추정되는 발신자 및 수신자와 연관이 있을 수도 있고 없을 수도 있다.[AB] 그러나 제일 확실한 사실은 그것들이 위키리크스 서버에 담긴 일군의 데이터이며 추정되는 출처나 저자성을 떠나 순환의 측면에서 기술될 수 있다는 점이다.

X   Michael Stone, "Anonymous Supplies WikiLeaks with 'Syria Files,'" *The Examiner*, July 9, 2012. 이 기사는 어나니머스의 초기 선언문을 인용한다. "UN이 시리아 상황에 대해 방관하며 탁상공론만 벌인 반면, 어나니머스는 행동을 취했다. 어나니머스는 블로거, 시위대, 활동가들을 도와 감시를 회피하고, 미디어를 전파하며, 정권의 통신 및 네트워크를 교란시키고, 두절이나 감시 시도에 대항해 시리아 인터넷을 모니터링했다. 또한 이들은 아사드와 그의 살인적이고 인종 말살적인 정부에 대항해 거침없는 정보 및 심리 캠페인을 벌였다."

Y   Barak Ravid, "Bashar Assad Emails Leaked, Tips for ABC Interview Revealed," *Haaretz*, February 7, 2012.

Z   다음을 참조하라. https://wikileaks.org/syria-files/docs//2104601_important-follow-up.html.

AA   다음을 참조하라. https://wikileaks.org/syria-files/docs//2094815_fwd-al-asad-house-for-culture-in-aleppo.html.

AB   이에 대해 헤르초크 앤드 드뫼롱 사무소에 답변을 요청했으나 글을 쓸 때까지 응답이 없었다. 렘 콜하스 건축 사무소의 답변은 이하의 본문을 참조하라.

사이프 알 이슬람 카다피(Saif al-Islam Gaddafi)의 회화 「전쟁」(War, 2001)을 살펴보자. 사이프는 리비아의 전 국가 원수 무아마르 카다피(Muammar Gaddafi)의 아들로, 2011년 나토 공습의 지원을 받은 반군이 그의 아버지를 퇴진시키기 전까지 리비아의 정계 인사였다. 이 그림은 "사막은 고요하지 않다"(The Desert Is Not Silent)라는 제목으로 2002년 런던에서 열린 한 전시에 출품되었다.

「전쟁」은 1999년 나토의 유고슬라비아 폭격을 그린다.

작가는 다음과 같이 쓴다. "코소보에 내전이 발발하여 그림과 그 주제는 산산조각이 났다. 바다는 포효하고 분노가 하늘에서 내려 강을 이룬 피와 부딪힌다."[AC] 사이프 알 이슬람은 당시 작가의 말에 이렇게 썼다. "우리는 무기를 구입하고 석유와 가스를 팔 뿐 아니라, 문화와 예술, 역사도 지니고 있다."[AD]

2010년 9월 OMA는 시리아에서 작업할 의향을 내비친다.[AE] 중개자 역할을 한 지역 건축가 시난 알리 하산(Sinan Ali Hassan)이 만수르 아잠에게 차후 보낸 이메일은 이러한 협업의 장점을 과시한다. "렘은 자하

AC   Martin Bailey, "Gaddafi's Son Reveals True Colours," *The Art Newspaper*, March 2, 2011.

AD   Stephanie Nebehay and Vincent Fribault, "Gaddafi Son Used His Paintings to Promote Libyan Culture," *Reuters*, October 28, 2011.

하디드(Zaha Hadid)의 전 지도 교수이자 상사였으며, 또한 리처드 로저스 경보다 지명도와 전문성 측면에서 (훨씬 더는 아니더라도) 더 중요한 건축가로 사료됩니다."[AF]

OMA와 시난 알리 하산 간의 대화에서 OMA의 제안이 이전에 리비아에 제안한 프로젝트에 기반했을 수도 있다는 점이 드러난다. "이는 저희가 소개드렸던 리비아 사하라의 비전과 비슷한 규모이며 렘이 대통령 각하와 논의한 것과도 유사합니다."[AG]

2010년 6월 한 인터뷰에서 렘 콜하스는 사이프 알 이슬람 카다피의 측근이 자신에게 접근했다고 밝혔다.[AH] 당시 사이프는 널리 개혁가로 여겨졌다. OMA의 리비아 프로젝트는 보존을 중심으로 전개되며 베니스 비엔날레에 전시되었다.[AI] 이 계획은 이후 시리아 팔미라 부근 사막 지역을 주제로 한 프로젝트 제안의 가능한 선례로 언급된다. 2011년 초의 봉기 이래 이어진 내전은 이 지역에 깊은 영향을 끼쳤다.

현재 국제형사재판소는 사이프 카다피의 인도를 리비아에 요구하고 있지만, 그는 아직 리비아에 수감 중이다.[AJ]

AE "렘 콜하스는 다마스쿠스를 방문하는 데 강한 의지를 보이며 공공 부문과 도시 고급화, 도시 재생에 참여하는 데 큰 관심을 표하고 있습니다. 상업적 개발과 교외 종합 설계는 지양하지만, 참여를 확정하기 전에 다마스쿠스의 현 건축적 조건과 도시화를 감지하고 느끼고자 합니다. 저는 또한 렘이 다마스쿠스 건축 학교에 관여하게 해 OMA와 대학 간에 인턴십 과정을 개설하고자 했습니다." 메일 전문은 다음을 참조하라. https://wikileaks.org/syria-files/docs/2092135_very-important.html.

AF 같은 메일.

AG 시리아 대통령 바샤르 알 아사드를 가리킨다. 메일 전문은 다음을 참조하라. https://wikileaks.org/syria-files/docs/2091860_fwd-.html.

AH Suzie Rushton, "The Shape of Things to Come: Rem Koolhaas's Striking Designs," *The Independent*, June 21, 2010. "예상 밖의 새로운 고객은 리비아, 특히 (가다피의) 아들을 둘러싼 미묘한 집단인데, 그들은 리비아를 유럽 쪽으로 끌어당기기를 원한다."

AI '크로노카오스'(CRONOCAOS)라는 제목으로 2010년 베니스 비엔날레에서 선보인 OMA의 전시에는 리비아 사막에 대한 섹션이 포함되어 있었다. 이 전시는 '비판적 보존 이야기'를 기반으로 구성되었다. 다음을 참조하라. "Rem Koolhaas / OMA*AMO in Venice: 2010," art-it.asia.

AJ 국제형사재판소는 2011년 6월 27일 사이프 가다피에게 체포 영장을 발부했다.

5. 꿈

원래 질문으로 되돌아가자. 시공간에 무슨 일이 벌어졌는가? 시간과 공간은 어째서 부서지고 탈구되었는가? 공간은 어째서 컨테이너 같은 체인점 모듈로, 다크웹으로, 내전으로, 그리고 전 세계로 복제되는 조세 도피처로 산산조각이 났는가?

이러한 생각들을 간직한 채, 나는 잠들어 꿈을 꾸었다. ...그리고 내 꿈은 아주 이상했다. 그것은 피터 오스본의 최근 글 중 하나에 등장하는 어떤 도식들에 대한 꿈이었다.

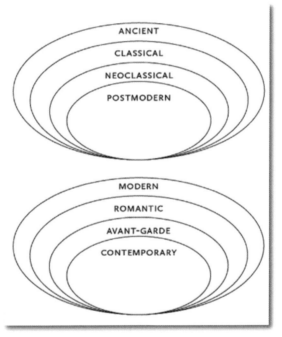

도식은 동시대 미술의 계보학을 묘사한다. 나는 그 내용에 집중하는 것이 아니라 형태에 주목했다. 제일 처음 인지한 사실은 일련의 동심원이 움푹한 것, 어쩌면 보조개, 어쨌든 입체적인 구멍을 가리키는 것 같다는 점이었다. 그런데 시공간이 왜 말하자면 늘어져 내리는 걸까? 중력이 잘못된 것일까? 어쩌면

면세 미술

초소형 블랙홀이 이 원들을 이지러뜨린 것일까? 그러나 다시 생각해 보면 무언가 다른 것이 이 보조개를 만들어 냈을 가능성이 훨씬 큰 것 같기도 하다.

문득 나는 질문에 대한 답을 찾아냈다. 나는 중력을 벗어나 우주를 향해 떠오르기 시작했다. 피터 오스본도 같이 떠다니고 있었다. 그는 예사롭지 않은 텍사스 사투리로 아래를 가리켜 이 광경을 내게 보여 주었다.

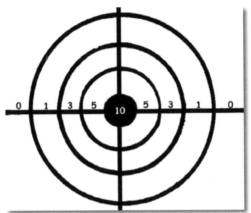

위에서 보면 피터의 도식은 과녁으로 변모했다.

당신이 그 도식을 위에서 바라보면, 예의 은근한 구멍은 사라진다. 그것은 평면 스크린이 된다. 이제부터 사람들은 피터의 도식에서 이미 과녁이 명중되었고 충돌 현장에 구멍이 입을 벌리고 있음을 가리키는 움푹 파인 곳 대신 동시대 미술의 계보학을 보는 데 그치고 말았다.

위에서 보면 동시대 미술의 계보학은 대리나 스크린 같은 역할을 하고 있었다. 충돌 현장을 은폐하는 광경으로 기능한 것이다.

우주복 헬멧 너머로 피터가 침울하게 말했다.

이것이 동시대 미술의 역할이다. 그것은 대리, 대역이다. 그것은 시공간이 이접적인 통합체로 산산 조각난 뒤 충돌 현장 위로 투사된다. 그리고 스타 건축가가 설계한 무지갯빛 스택으로 붕괴하기 시작한다.

동시대 미술은 사람들이 충격 정책의 효과, 충격과 공포 작전, 리얼리티 쇼, 정전, 여타 다른 형태의 삭감, 고양이 움짤, 최루탄으로 휘청거릴 때에도 여전히 괜찮은 척하는 일종의 층

혹은 대리다. 이 모든 것들은 충격과 혼란, 영구적인 과민성 우울증 상태를 일으켜 감각 기관과 어쩌면 추론 및 이해 능력까지 완전히 해체하고 다시 설계한다.

당신 역시 자유항 수장고의 문 뒤에서 어떤 일들이 벌어지는지 모른다. 그렇지 않은가? 거기서 무슨 일이 일어나는지 내가 말해 주겠다. 시간과 공간은 박살이 나서 괴상한 입자 가속기 안에서처럼 작은 조각으로 재배열된다. 그 결과는 오늘날 동시대 미술로 불리는 경계 없는 철장이다.

─그리고 여기서 허구적 부분이 급작스럽게 끝난다.─

면세 미술

나는 충격 속에서 깨어나 나도 모르게 이 PDF 문서를 소리 높여 읽었다.

시리아 공화국 대통령 바샤르 알 아사드 박사 귀하
2010년 11월 15일, 로테르담

존경하는 대통령님께,
7월의 회의 및 이후 알 바디아의 전략적 개발에 OMA/AMO가
어떻게 접근할지 개요를 준비해 달라는 요청에 따라 '알 바디아
비전' 제안서를 보내 드리오니 검토를 부탁드립니다.

　　이 연구에 대한 저희의 접근법은 알 바디아를 시리아 내부의
통합된 실체로 보는 개념에서 출발합니다. 저희는 이 지역이
고유한 유산을 보존하는 한편 국가 전체에 기여하는 강력한
원천으로 기능하리라 구상하고 있습니다. '알 바디아 비전'은 해당
지역에 중요한 일군의 주제를 위한 행동과 보존 계획을 창출할
것입니다.

　　저는 대통령님을 다시 만나 첨부한 제안서에서 개략적으로
설명한 연구를 논의하기를 고대하고 있습니다. 우리는 이 연구가
시리아에 대한 우리의 진지한 관심과, 이 지역의 개발과 관련된
다양한 어려움을 고려할 수 있는 우리의 역량 모두를 보여 준다고
믿습니다.

　　저는 11월 넷째 주에 시리아를 방문하여 다마스쿠스에서
공개 강연을 가지는 한편 시리아에 대한 저의 지식과 경험을
확장하고자 합니다. 알 바디아와 국회의사당 및 기타 국가 주도의
문화 프로젝트 같은 다른 프로젝트들과 관련해 체류 기간 동안
향후 가능한 업무에 대해 귀하와 심화된 이야기를 나눌 기회가
생긴다면 무척 기쁠 것 같습니다.

렘 콜하스 드림

OMA

Dr. Bashar al-Assad
President of the Syrian Republic

Rotterdam, 15th November 2010

Dear Mr. President,

Following our meeting in July and the subsequent request that we prepare an outline OMA/AMO approach for the strategic development of Al Badia, I am pleased to present you with the Al Badia Vision proposal for your review.

Our approach to this study begins with the conception of Al Badia as a unified entity within Syria. We envisage the region to act as a powerful resource for the benefit of the entire country while preserving its unique heritage. The Al Badia Vision creates a plan of action and of preservation for a set of subjects that are crucial to the region.

I am looking forward to meeting with you again to discuss the study as outlined in the attached proposal, which we trust demonstrates both our sincere interest in Syria and our capabilities to consider various challenges to the development of the region.

I will be visiting Syria during the fourth week of November for the purpose of giving a Public lecture in Damascus as well as to expand my knowledge and experience of your country. It would be a great pleasure to elaborate further with you on our prospective engagement with Al Badia and other projects such as the National Parliament and other national and cultural projects during my stay.

Yours sincerely,

Rem Koolhaas

Heer Bokelweg 149
3032 AD Rotterdam - The Netherlands
t +31 10 243 8200 - f +31 10 243 8202
office@oma.com - www.oma.com

106   면세 미술

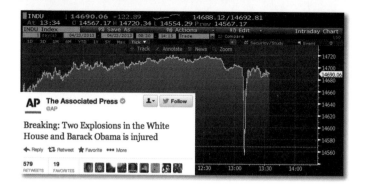

6. 이제 저스틴 비버로

2013년 5월 4일 E! 온라인의 트위터 계정으로, 누군가 저스틴 비버(Justin Bieber)를 가장하여 "나는 게이다"라고 의기양양하게 내뱉었다.

알다시피 시리아 전자 부대(SEA)가 계정을 해킹한 것이다.

시리아 전자 부대는 누구인가? 아사드 정권에 친화적인 해커들 집단이다. 2015년 초 그들은 프랑스의 『르몽드』(Le Monde)도 해킹한 바 있다. 그 전에는 『뉴욕타임스』(New York Times), 『워싱턴 포스트』(The Washington Post), 그리고 미 해군 신병 모집 부서의 웹사이트를 탈취했다. 또한 이 집단은 [미국] 연합통신사의 트위터 계정을 해킹해 백악관이 폭격당했다는 가짜 보도를 내보냈다.[AK]

위의 도식은 이 트윗이 월스트리트에 가한 여파를 보여 준다. 3분 만에 "가짜 트윗은 주식시장에서 1360억 달러를 날려 버렸다."[AL]

시리아 어나니머스와 다수의 동맹들은 시리아 전자 부대를 해킹하고 혐의가 추정되는 단원들의 좌표를 다크웹에 던져 버렸다.[AM]

AK   Shane Harris, "How Did Syria's Hacker Army Suddenly Get So Good?," *Foreign Policy*, September 4, 2013. 보다 자세한 사항은 다음의 흥미로운 보도를 참조하라. John Scott-Railton and Morgan Marquis-Boire, "A Call to Harm: New Malware Attacks Target the Syrian Opposition," citizenlab.org, June 21, 2013.

AL   Max Fisher, "Syrian Hackers Claim AP Hack That Tipped Stock Market by $136 Billion. Is It Terrorism?," *The Washington Post*, April 23, 2013.

시리아의 데이터 공간은 공세에 시달리고, 해킹당하고, 파편화된다. 게다가 그것은 연합통신사에서 월스트리트 그리고 러시아와 오스트레일리아 서버에 이르기까지 또 연예 잡지의 트위터 계정까지 확장된다. 그것은 시리아 파일이 저장된 위키리크스 서버로 확장된다. 이 서버는 이전에 아마존닷컴의 호스팅에서 쫓겨나 한동안 떠돌아다녀야 했다. 위키리크스가 치외법권의 시랜드 공국이라는 구 유전으로 서버 이전을 시도했다는 설이 있다.[AN] 이는 사실상 자유항의 각본을 다른 각도에서 복제하는 것일 테다.

그러나 보다 일반적인 질문을 던져 보겠다. 인터넷 혹은 다양한 데이터베이스들 간에 훨씬 정교하게 네트워킹된 작용들이 박물관의 물리적 구축 혹은 그 불가능성에 어떻게 영향을 미치는가?

7. 스위스에서 보낸 이메일 한 통과 그 답장

보낸 사람: 히토 슈타이얼 <xy@protonmail.ch>
보낸 날짜: 2015년 2월 17일 화요일, 오후 8시 5분
받는 사람: 사무실 접수처
제목: 진위 확인 요청

담당자분들께

2012년 '시리아 파일'의 일환으로 위키리크스에 공개되었던 OMA/AMO와 시리아 정부 공무원 및 중간 관리자들 사이에 오간 다양한 이메일의 진위 확인을 요청드리고 싶습니다.

저는 베를린 기반의 영상 작가이자 기고가이며, 데이터 공간 및 삼차원의 물리적 공간에서 벌어지는 내전의 조건하에 국립박물관이 어떻게 변형되는지에 대한 강연을 준비 중입니다.

OMA와 시리아 대통령 업무부처 간의 이메일 왕래를 두고

AM   Hunter Stuart, "Syrian Electronic Army Denies Being Attacked By Anonymous," *Huffington Post*, September 4, 2013.

AN   Joshua Keating, "WikiLeaks to move to Sealand?," *Foreign Policy*, February 1, 2012.

파문을 일으키려는 의도는 없습니다. 제가 뜻하는 바는 인터넷 커뮤니케이션과 몇몇 국민 국가의 (준)붕괴가 모두 동시대 박물관 공간의 설계에 어떠한 영향을 미치는지 질문을 던지는 것입니다.

이러한 맥락에서 시리아 프로젝트의 논의를 중단시킨 정황에 대해 좀 더 알게 된다면 흥미로울 것 같습니다. 귀 사무실에도 자체적인 사유가 있을 것이고, 그 부분을 논의에 포함하고 싶습니다.

아래에 제가 인용하려고 하는 링크 목록을 첨부하니 확인 부탁드립니다.

감사합니다.

히토 슈타이얼 드림

https://wikileaks.org/syria-files/docs/2089311_urgent.html
https://wikileaks.org/syria-files/docs/2092135_very-important.html
https://wikileaks.org/syria-files/docs/2091860_fwd-.html
http://www.google.com/url?sa=t&rct=j&q=&edata-src=s&source=web&cd=1&ved=0CB8QfjAA&url=http%3A%2F%2Fwikileaks.org%2Fsyria-files%2Fattach%2F319%2F319092_101115_Rem%2520Koolhaas%2520letter.pdf&ei=wt_AVPCiIMj2O7S2gIAO&usg=AFQjCNH7127P_2iKG_V5Es1zCksXsxDd5A&bvm=bv.83829542,d.ZWU

위의 이메일은 스위스 기반 암호화 메일 서비스 프로톤메일(ProtonMail)에서 보냈다.

답신: 진위 확인 요청
보낸 사람: 제레미 히긴보섬(Jeremy Higginbotham) <xy@oma.com>
받는 사람: 히토 슈타이얼 <xy@protonmail.ch>

면세 미술

보낸 날짜: 2015년 2월 26일, 오전 7시 13분

친애하는 히토 슈타이얼 씨께,

메일 주셔서 감사합니다. 저희는 아래 링크된 문서들의 진위
여부를 확인해 드릴 수 없습니다.
그렇지만 작업의 건승을 빌겠습니다.
감사합니다.

OMA 홍보실장
제레미 히긴보섬 드림

에드워드 스노든의 폭로 이후 나는 프로톤메일을 사용하기 시작했다.
프로톤메일은 감사하게도 암호화된 이메일 플랫폼을 무료로 제공해 준 유럽
입자물리 연구소(CERN) 연구원들이 창시한 프로젝트다. 아래는 스위스 지도를
이용해 그들이 자신들의 프로젝트를 기술하는 방식이다.

> 프로톤메일 서버상의 모든 정보는 제네바주 법원의 관할하에
> 있으며 스위스와 제네바주의 개인 정보 보호법을 따릅니다.

프로톤메일 서버상의 모든 정보는 제네바주 법원의 관할하에 있으며 스위스와
제네바 주의 개인 정보 보호법을 따른다.
그러나 OMA/AMO의 친절한 답변은 자유항에 저장되는 것이
아니라, '통상적인' 스위스 관할하에 스위스 알프스 산맥 깊은 곳에 자리한
옛 군사 지휘 본부 건물에 저장될 뿐이다.[AO] 이것이 내 데이터에 대해 정부가
개입할 그 어떤 가능성도 눈꼽만큼이라도 성가시게 만들기 위해 내가 사용하는
사법권과 암호화다. 스위스 은행과 기타 시설을 통해 엄청난 규모의 탈세와
돈세탁을 가능하게 만드는 법적 보호를 나는 실상 이용하고 있는 것이다.[AP]

AO   프로톤메일 홈페이지(protonmail.ch)의 '스위스 보안' 항목에 있는 정보다.
AP   최근 사례 하나로는 다음을 참조하라. Jill Treanor, "HSBC: Swiss Bank
      Searched as Officials Launch Money-laundering Inquiry," *The
      Guardian*, February 18, 2015.

다른 한편으로 개인 정보 보호 관련 웹 도구를 사용했다는 점만으로 사용자는 미국 국가안보국의 관심을 끌고, 그 결과 사실상 역효과를 내게 된다.[AQ] 익명성의 스크린은 역설적인 장치임이 드러난다.

익명성을 높여 줄 거라고 보았던 정책들의 모호한 효과는 자유항 활동의 또 다른 차원을 보여 준다.

2015년 2월 25일 모나코 검찰은 룩셈부르크, 제네바, 싱가포르 자유항과 관련된 회사 나튀랄 르쿨트르의 소유주 이브 부비에를 미술품 사기 혐의로 체포했다. "부비에가 중개인이었던 거대 미술품 거래에서 가격 부풀리기에 초점을 맞춰 조사가 이루어졌다."[AR] 부비에는 자유항에 보관되는 대부분의 미술품이 소위 '유령 회사'(sociétés écran, 직역하면 '스크린 회사') 소유라는 점을 이용했다는 혐의를 받았다. 거래가 이러한 익명 대리인을 통해 이루어졌기 때문에 구매자와 판매자는 부과된 수수료의 액수에 대해 의사소통하고 통제할 수 없었다.[AS] 소유주에게 익명성을 제공할 거라 여겨졌던 스크린은 그 반대로 작용했을 수도 있다. 비가시성은 항상은 아니지만, 가끔 양면적으로 작동하는 스크린이다. 그것은 누구든 스크린을 통제하는 자의 편의대로 움직인다.

8. 시계 쏘기: 공공 박물관

전술한 것처럼 베네딕트 앤더슨은 민족이 성립하려면 인쇄 자본주의와 박물관이 있어야 한다고 주장했다. 오늘날 민족 없이 박물관을 세우는 것은

AQ 이런 모호함이 토르(Tor)처럼 익명성 보호를 약속하는 유명한 웹 도구들의 특징이다. 에드워드 스노든 유출 사건은 토르를 사용하는 것만으로 혹은 웹상에서 보안 강화 도구를 검색하는 것만으로도 미국 국가안보국의 조사에 노출된다는 점을 폭로한다. 다음을 참조하라. "NSA Targets the Privacy-conscious," daserste.ndr.de. 감시를 차단하고자 개발된 소프트웨어가 실제로는 감시를 끌어들이고 만다.

AR Angelique Chrisafis, "Leading Swiss Art Broker Arrested over Alleged Price-fixing Scam," *The Guardian*, February 26, 2015; 다음의 기사도 참조하라. "Monaco: Yves Bouvier, le roi des ports francs en garde à vue," letemps.ch, February 26, 2015. 부비에는 사기를 당했다고 하는 러시아 집권층 드미트리 리볼로플레프(Dmitry Rybolovlev)를 탓하며 혐의를 부인했다.

AS "Yves bouvier: les dessous de la plainte," March 1, 2015, letemps.ch.

불가능하지 않다. 심지어 우리는 민족과 박물관이 모두 (이 경우, 조각조각 박살내서) 시간과 공간을 조직하는 또 하나의 방식일 뿐이라고, 보다 일반적으로 바라볼 수도 있다.

그런데 시간과 공간은 박물관의 새로운 패러다임이 만들어질 때마다 박살나지 않나? 이는 발터 벤야민이 이야기하듯, 사실 1830년 프랑스의 7월 혁명에서도 벌어진 일이다.[AT] 혁명가들은 시계를 쏘았다. 그 전에 그들은 달에 새 이름을 붙이고 그 기간을 변경함으로써 달력을 전복시키기도 했다.

또한 19세기 파리의 주요 봉기 때마다 그러했듯, 이 시기 루브르는 또다시 습격받았다. 시간과 공간이 박살나고 새로 용접되면서 공공 박물관의 원형이 만들어졌다. 루브르는 습격에서 태어났다. 루브르는 프랑스 혁명 중이던 1792년 습격당했고, 자유항 미술품 수장고의 구시대 판이라 할 수 있는 전리품의 봉건적 수장고에서 (아마도 세계 최초로) 공공 박물관으로 변모했으며, 민족 문화의 모범을 제시했다. 이후, 루브르는 다른 곳에 고압적으로 그 문화를 파종하고자 한 식민 제국의 문화적 대표 주자가 되었다. 보다 최근에 봉건 국가, 독재 정권, 그리고 그 둘이 조합된 지역에 루브르 분관을 만들려는 사업으로 넘어가기 전까지는 말이다.

그러나 현 시리아 국립박물관은 다른 질서 아래 존재한다. '빌바오 효과'에 고무된 계획들과 달리, 그 박물관은 온라인에, 여러 지역의 무수한 서버에 자리한다. 존 리치(Jon Rich)와 알리 샴세딘(Ali Shamseddine)이 지적했듯, 시리아 국립박물관은 대체로 보이지 않은 무수한 살상, 잔학 행위, 공격을 기록하고 녹화한 일련의 온라인 영상들이다.[AU] 아사드 재단이 취득한 루브르의 시리아 분관이 아니라, 이것이 실제 시리아 국립박물관이다. 영상 및 기타 자료들로 구성된 이 우연적인 아카이브는 다양한 장르와 양식으로 제작되며, 사람들이 파편 더미를 헤집는 장면이나, 트위터로 가속된 고화질 참수 영상을 보여 준다. 그것은 상공에서가 아니라 지상으로부터의 공습을 보여 준다. 지상에서 제작된 자료와 기록은 전 세계의 각종 서버에 도달한다. 유튜브에 올리는 행위만으로 죽임을 당할 수 있는 제작 현지만 제외하고,

AT   Walter Benjamin, "Theses on the Philosophy of History," Thesis XV, in *Illuminations*, ed. Hannah Arendt (New York: Schocken Books, 1988), 261-262.

AU   Ali Shamseddine and John Rich, "An Introduction to the New Syrian National Archive," *e-flux journal* 60 (December 2014).

그 자료들은 이론상 아무 스크린에서나 볼 수 있다. 이러한 시공간의 도치는
자유항에 군집한 미술 소장품의 역전에 가깝다.

이 아카이브 전체는 인간의 지각에 적합하지 않거나 적어도 개별적
지각에는 적합하지 않다. 위키리크스의 시리아 파일을 포함해 모든 대규모
데이터베이스가 그렇듯, 그것은 서사, 입증, 혹은 해석의 여지가 없는 (혹은
거의 없는) 정보의 발견물 형식을 띤다. 그것은 부분적으로 공개될 수도 있지만,
꼭 온전히 이해될 수 있는 것은 아니다. 그것은 부분적으로 접근이 불가한 채로
남는데, 이는 배제 때문이 아니라 그 어떤 개인의 지각 능력과 주의 범위도 훌쩍
넘어서기 때문이다.[AV]

9. 자율성

처음의 사례들로 돌아가 보자. 자유항 미술품 수장고, 그리고 난민 대피소가
된 디야르바크르의 시립미술관. 한 공간은 미술품을 비축함으로써 세계에서
철수시키고, 반면 다른 공간은 붕괴하는 민족의 탈출자를 기본적으로 보호한다.
물리적인 삼차원 공간에서, 저자를 위험에 빠뜨리지 않고, 그리고 이 두 사례가
보여 주는 숨 막히는 공간적·시간적 변화를 고려하면서, 미술은 어떻게 그리고
어디에서 공개적으로 보일 수 있을까? 공공 박물관의 새 모범은 어떤 형식이
될 수 있을까? 그리고 이를 숙고하는 과정에서 '공공' 개념 자체가 어떻게
급진적으로 변화할 것인가?

자유항 미술품 수장고와 거기 비축된 면세 미술품을 되새겨 보자.
나는 이 문제를 회피하거나 과소평가하는 것이 아니라 더 밀어붙여 보자고
제안하고 싶다.

면세 미술 개념은 국민 국가의 문화 모델에 비해 한 가지 이점을
지닌다. 면세 미술은 의무가 없어야 한다(have no duty). 가치를 수행, 재현,
교육, 체현할 의무가 없는 것이다. 면세 미술은 누구에게 신세를 져서도,
명분이나 주인에 봉사해서도, 무언가의 수단이 돼서도 안 된다. 면세 미술은
특정 문화, 민족, 돈, 또는 그 밖의 무엇도 재현하는 수단이 되어서는 안 된다.

[AV] 대량 유출의 공개라는 점에서 한편으로 위키리크스, 다른 한편으로 에드워드
스노든, 로라 포이트라스, 글렌 그린월드(Glenn Greenwald) 그리고 그들의
수많은 협력자들이 취한 서로 다른 전략에 주목하라.

자유항 창고의 면세 미술조차 의무에서 자유롭지 않다. 면세 미술은 세금만 면제받은 것이고, 여전히 자산으로 존재할 의무를 지닌다.

이런 것을 볼 때, 면세 미술은 본질적으로 전통적인 자율적 미술이 엘리트주의에 빠지거나 그 자체의 생산 조건을 망각하지 않았더라면 실현했을 바로 그것이다.[AW]

그러나 면세 미술은 자율적 미술이라는 예전 개념을 재발급하는 것 이상이다. 그것은 후줄근해진 '예술의 자율성'이라는 용어의 의미도 변형시킨다. 최근의 시간적·공간적 상황 아래의 자율적 미술은 바로 그 시공간적 조건 자체를 고려해야 한다. 미술의 가능 조건은 더 이상 그저 엘리트주의자의 '상아탑'이 아니라 독재자의 동시대 미술 재단, 집권층이나 무기 제조업자의 탈세 사기나 헤지 펀드 트로피,[AX] 미대생의 부채 상환 속박, 유출된 데이터의 보고, 스팸의 집합체, 그리고 어마어마한 양의 '자발적' 무급 노동의 생산물이기도 하다. 이것들은 모두 분쟁 지역이나 민영화가 가속화된 지역에서 나타나는 미술의 물리적 파괴뿐 아니라 자유항 창고에 쌓이는 미술의 집적으로 귀결된다. 이러한 맥락에서 자율적 미술은 정치적 자율성을 국민 국가 모델의 대안을 구축하는 실험이라 이해할 수도 있다. 국민 국가 모델은 여전히 민족 문화를 선포하는 한편, 실패한 국가의 축소판 같은 고액 순자산 보유자들의 외부인 출입 통제 구역을 포함함으로써 '건설적 불안정'을 동시에 시행한다. 스위스의 예로 돌아가자. 이 나라는 규제가 축소된 고립된 치외법권 지구가 너무 많아서, 건실한 시계 산업에 포함된 x-퍼센트의 깡패 집단으로 정의하는 게 더 정확할 수도 있다. 그러나 초국정 운영은 홍콩에서 로자바까지 다양한 지역에서 벌어진 최근의 자율성 실험이 입증하듯, 완전히 다른 상황에서 아주 다른 결과들을 지닌 정치적 자율성으로도 정의될 수 있다.

자율적 미술은 심지어 저자와 소유주로부터 해방된 미술이 될 수도 있다. OMA의 부인을 기억하는가? 이제 자유항의 모든 미술품이 다음 문장으로 보증된다고 상상해 보라. "저는 이 미술품의 진위 여부를 확인해 드릴

AW   이에 대한 가장 단호한 기술로는 다음을 참조하라. Peter Bürger, *Theorie der Avantgarde* (Frankfurt: Suhrkamp Verlag, 1974); *Theory of the Avant-Garde*, trans. Michael Shaw (Minneapolis: University of Minnesota Press, 1984), 90.

AX   이것이 체결된 거래를 축하하기 위한 기념품을 뜻하는 "재무의 묘석"(financial tombstone)의 전통적 역할을 수행할런지도 모른다. 위키피디아의 '거래성사 장난감'(Deal toy) 항목을 참조하라.

수 없습니다."

다음 사진은 터키 수루치의 문화센터다. 이는 동명의 자치주의 행정 중심지인 코바네 시의 경계 너머에 있다. 코바네 자치주 자체는 시리아 북부 로자바 지역에 위치한다. 로자바의 자치주가 '칸톤'이라 불리는 것은 우연이 아니다. 그들은 자치주들을 건립하는 데 기초 민주주의가 담당하는 역할을 강조하기 위해 스위스의 주(canton)를 모델로 삼았다.[AY]

2014년 9월 다에시 전사들이 코바네주를 공격한 후 문화센터는 일시적으로 또 다른 난민 대피소가 되어, 코바네 주변의 포위된 지역에서 피난 온 수백 명을 수용했다.

1년 후 다에시는 자살 테러로 문화센터를 공격했고, 30명이 넘는 활동가들이 죽었다. 이 사건은 터키에서 내전이 재개되는 출발점이 되었다. 내전 기간 쿠르드족 도심은 지금까지 반영구적으로 이어지고 있는 예외 상태 아래 파괴되고 점령되었다.

같은 기간 시리아 팔미라에서 약탈된 고고학 유물이 제네바의 자유항에서 발견되었다.

AY   하지만, 기초 민주주의는 [스위스에] 있었을지라도 제한적이었다. 여성 참정권이 1971년까지 적용되지 않았고 아펜첼이너로덴주에서는 1990년에 이르러서야 인정되었음을 감안하면 말이다.

          면세 미술

디지털 잔해

파울 클레(Paul Klee)의 「새로운 천사」(Angelus Novus, 1920)보다 유명한 수채화는 찾기 힘들 것이다. 발터 벤야민은 폭풍이 지나간 자리에 산처럼 쌓여 가는 파편 더미를 노려보면서 진보의 폭풍에 무력하게 떠밀려 가는 불운한 피조물로 천사를 묘사했다.[A] 벤야민의 아포리즘은 유명하고 과할 정도로 많이 인용된다. 그러나 그림의 공간 배치를 자세히 살펴보면, 간과된 놀라운 결과가 있다.

드로잉에는 그려진 파편 더미가 전혀 없다. 그러나 이 점이 파편 더미가 전혀 없음을 의미하지는 않는다. 천사가 관객인 우리를 마주보고 있고—벤야민에 따르면—파편 더미 또한 마주보고 있기 때문에, 폐기물은 드로잉의 외화면(hors-champ)에 있어야 한다. 이는 파편 더미가 우리가 있는 곳에 있다는 뜻이다. 혹은 한발 더 나아가면, 실은 관객인 우리가 파편 더미일 수도 있다. 그럭저럭 20세기를 헤쳐 나갔으나 상처가 없지는 않은 자들인 우리가 역사의 잔해일 수 있는 것이다. 우리는 깜짝 놀란 천사의 응시에 사로잡힌 버려진 사물과 쓸모없는 상품들이 되어 왔고, 그 천사는 불확실 속으로 날아가면서 우리를 끌어당기고 있다.

하지만, 천사의 응시에 붙잡힌 잔해는 오늘날 다른 형태일 수 있다. 손실 없이 복사되고 무한히 회수 및 복구가 가능하다고 간주되는 정보의 시대에 파편 더미와 폐기물은 낡은 개념이 아닌가? 생산물을 매끄럽게 복제할 수 있고 파괴할 수 없음을 자부하는 시대에 폐품이 무엇으로 보일 수 있나? 추정컨대 정보가 불멸이 되고 시간의 흐름에 영향을 받지 않게 되는 때는 언제부터인가? 역사의 상처란 이미 돌이킬 수 없이 종결된 아날로그 시대의 기호 아닌가? 역사 자체가 낡았고 점차 해체되고 있지 않은가?

사실은 그 반대다. 역사는 끝나지 않았다. 그 폐기물은 계속 하늘 높이 쌓이고 있다. 게다가, 디지털 기술은 창조적 폐기 및 거의 모든 것의 저하를 추가적으로 가능케 한다. 그것은 파괴, 부패, 타락을 위한 선택지를 증식시킨다. 디지털 기술은 역사적 잔해를 생산하고 복제하며 복사하는 훌륭한 새 도구다. 정치 사회적 폭력으로 증폭될 경우 디지털 기술은 역사의 산파뿐 아니라 역사의 (성형) 외과 의사가 된다.

외견상 비물질적으로 보이지만, 디지털 폐기물은 여전히

A   Walter Benjamin, "Theses on the Philosophy of History," in *Illuminations: Essays and Reflections*, ed. Hannah Arendt (New York: Schocken Books, 1968), 257-258.

물적 현실에 견고히 결부되어 있다. 디지털 폐기물의 동시대적 표명 중 하나는 중국의 구이유 같은 유독한 재활용 도시들이다. 이런 곳의 지하수는 오염되었고, 사람들은 메인 보드와 하드 디스크 폐기물을 뒤지고 다닌다. 디지털 시대의 잔해는 파괴된 건물, 찢긴 콘크리트, 녹슬고 있는 강철만 있는 것이 아니다. 디지털화된 전쟁, 생산의 전산화, 부동산 투기가 이러한 품목들을 넘쳐 나게 하고 있더라도 말이다. 디지털 폐기물은 물질적이기도 하고 비물질적이기도 하며, 극히 구체적인 물리적 부품을 지닌 데이터 기반의 잔해다.

이러한 디지털 잔해의 예로 스팸보다 좋은 사례는 드물다.[B] 온라인 통신에서 스팸은 예외가 아니라 오히려 통상적이다. 최근에는 모든 이메일 메시지의 약 80퍼센트가 스팸이다. 스팸은 디지털 글쓰기의 대부분을 이루고, 그 본질이다. 스팸은 또한 현실과 강하게 연관되어 있기도 하다. 스팸은 활동적이고 확장적인 물질이다. 이와 같은 형태의 디지털 잔해는 결코 이차적이거나 우연적이지 않으며, 잉여를 지도 원리로 격상시키는 이 시대의 유력한 표현이다.

벤야민의 공간 방정식을 완성해 보자. 만약 천사가 우리를 바라본다면, 우리가 파편 더미임이 분명하다. 파편 더미가 현재 스팸을 의미한다면, 이것이 천사가 우리에게 부여하는 이름이다.

당신은 스팸이어야 한다

약물 81퍼센트 모조품 5.4퍼센트 강화제 2.3퍼센트 피싱 2.3퍼센트 학위 1.3퍼센트 카지노 1퍼센트 체중 감량 0.4퍼센트 기타 6.3퍼센트[C]

원하지 않는 대량의 전자 통신의 의미로 쓰이는 스팸이라는 용어의 오늘날 용례는 1970년 방영된 [BBC TV 시리즈] 「몬티 파이선의 곡예 비행쇼」(Monty

---

B   이 주제에 관심을 갖게 한 임리 칸(Imri Kahn)에게 감사를 표한다. 스팸에 대한 매우 유용한 텍스트는 다음을 참조하라. Finn Brunton, "Roar so Wildly: Spam, Technology and language," *Radical Philosophy* 164 (November/December 2010), 2-8.

C   Commtouch Online Security Center, commtouch.com [역주: 컴터치(Commtouch)사는 2014년 사이렌(Cyren)으로 사명을 변경하였으며, 이에 따라 웹사이트도 cyren.com으로 바뀌었다.]

Python's Flying Circus)의 한 촌극에서 단서를 찾을 수 있다. 해당 장면은 카페에서 두 명의 손님이 아침 식사 메뉴를 요청하는 설정이다.

(카페 장면. 손님은 전부 바이킹이다. 번(Bun) 씨 부부 등장—
와이어를 타고 아래로 내려온다.)

번 씨: 안녕하세요.

웨이트리스: 안녕하세요.

번 씨: 뭐가 있나요?

웨이트리스: 보자. 달걀과 베이컨이 있고요, 달걀, 소시지, 베이컨이 있고, 달걀과 스팸이 있고, 달걀, 베이컨, 스팸이 있고, 달걀, 베이컨, 소시지, 스팸이 있고, 스팸, 베이컨, 소시지, 스팸이 있고, 스팸, 달걀, 스팸, 스팸, 베이컨, 스팸이 있고, 스팸, 스팸, 스팸, 달걀, 스팸, 스팸, 스팸, 스팸, 스팸, 스팸, 구운 콩, 스팸, 스팸, 스팸, 스팸이 있고, 아니면 트러플 파테로 장식하고 모르네이 소스를 얹은 새우를 곁들인 랍스터 테르미도르, 브랜디, 달걀 프라이와 스팸이 있네요.

번 씨 부인: 스팸이 없는 건 없나요?

웨이트리스: 음, 스팸, 달걀, 소시지, 스팸이 있어요. 여기엔 스팸이 그렇게 많이 없어요.

번 씨 부인: (비명을 지르며) 스팸이 들어간 건 싫다고요!

(...)

번 씨: 여보, 소란을 피우지 마요. 내가 당신 스팸을 먹겠소. 나는 스팸이 좋거든. 나는 스팸을 먹을 거야. 스팸, 스팸, 스팸, 스팸...

바이킹들: (합창) 스팸, 스팸, 스팸, 스팸...

번 씨: ... 졸인 콩, 스팸, 스팸, 스팸.

웨이트리스: 졸인 콩은 떨어졌어요.[D]

D   *The Broadview Anthology of British Literature, Concise Edition, Volume B*, ed. Joseph Black et al. (London: Broadview Press, 2015), 1509-1510.

몬티 파이선의 촌극은 정복 이야기다. 통조림 음식인 스팸이 천천히 그러나 결정적으로 모든 메뉴에 침범하고 모든 대화에 퍼져서 마침내 스팸, 스팸, 스팸만 남게 된다. 한 무리의 바이킹과 기타 서로 어울리지 않는 출연자들이 이 과정을 기념한다. 스팸은 극본에 쇄도하다 쇼의 말미에는 최종 출연진 목록까지 침수시킨다. 그것은 반복의 승리고, 압도적인 만큼 유쾌하기도 하다.

촌극에서 스팸은 처음에 동명의 통조림 고기를 일컫는다. 그러나 이후 이 의미는 말의 반복과 용어 자체의 통제가 불가능한 복제를 강조하는 쪽으로 뜻이 바뀐다. 이러한 두 번째 의미가 새롭게 대두된 온라인 활동 분야에서 증폭되었다.

1980년대에 스팸이라는 용어는 MUD(multi-user dungeon) 게임 환경에서 습격의 한 형태로 즉물적으로 사용되었다. 다른 사람들의 글을 스크린 밖으로 밀어내기 위해 같은 단어를 반복적으로 타이핑하는 것이다. 내용은 중요하지 않고 분량이 중요하다. 스팸이라는 단어는 원하지 않는 정보를 물리적으로 막을 수 있는 비활성 물질로 변했다.

이런 식으로 거슬리고 의미 없는 거대한 글 뭉치를 보내는 것을 스패밍(spamming)이라고 불렀다. 이것은 평상시 하던 대화를 계속할 수 있게 신참자를 방 밖으로 내몰기를 원하는 한 집단의 내부자들이 사용한 전략이었다. 스패밍은 또한 경쟁 집단의 회원들이 채팅을 하지 못하게 막는 데도 사용되었다. (...) 일례로, 스타워즈 팬들은 종종 스타트렉 채팅방을 습격해 스타트렉 팬들이 나갈 때까지 글 뭉치로 화면을 채워 버리곤 했다. 예전에는 침수(flooding)나 쓰레기 버리기(trashing)로 불렸던 이 같은 행위는 스패밍으로 알려지게 되었다.[E]

E Myshele Goldberg, "The Origins of Spam," MysheleGoldberg.com, May 21, 2004: "스타워즈 팬들은 지적인 토론이나 성난 논쟁이 지겨워지면, '스팸과 탱(Tang)' 논법으로 되돌아갔다. '어쨌든' 그들은 쓸 것이다. '스타트렉은 그저 스팸과 탱에 대한 것이다,' 스팸과 탱 스팸과 탱 스팸과 탱 스팸과 탱 스팸과 탱 스팸과 탱 스팸과 탱 스팸과 탱 스팸과 탱 스팸과 탱 스팸과 탱 스팸과 탱 스팸과 탱 스팸과 탱 스팸과 탱 스팸과 탱. 그들은 아무도 타이핑을 하지 못하도록 같은 메시지를 수십 번, 수백 번 복사해 채팅방의 모든 열을 채운다." [역주: 탱은 1957년 제너럴푸드사에서 만든 과일 맛 음료수 분말로, 인공적으로 향을 가미한 합성 식품이다.]

이에 따라 스패밍은 말의 반복을 이용해 누군가나 무언가를 추방하는 데 열중하는 온라인 행위로 부상했다. 단어들이 공간적으로 다른 단어를 밀어낼 가능성을 지닌 확장된 사물로 실제로 쓰였다. 요즘 스팸은 훨씬 상업적인 계산에 가까워지고 있다. 상업적이거나 사기성 의도가 있는 대량의 이메일 메시지가[F] 전 세계의 데이터 접속에 범람하고 있으며, 시간과 노력의 낭비로 상당한 경제적 손실을 가하고 있다. 이러한 과정으로 얻을 수 있는 고객의 비율이 현저히 낮음에도 스팸은 여전히 성장 여지가 있는 사업이다. 노력이 필요 없는 기술 복제가 이러한 사업의 경제적 토대라는 것은 말할 나위도 없다. 스패밍은 반응하지 않는 청중에게 잠복해 있는 극히 미미한 가치를 도출하기 위해 가치 없고 성가신 무언가를 무의미하게 계속 반복하는 것이다.

인조고기

그러나 이와 같은 아주 뻔한 관찰 외에 어떤 다른 결론을 도출할 수 있는가? 동시대 거대한 디지털 파편 덩어리로서 스팸이 현재에 대해 그 밖의 무엇을 말할 수 있나? 좀 더 자세히 살펴보자.

스팸이 사물로 변한 단어가 되기 전부터 이미 스팸은 사물이었다. 이 사물은 몬티 파이선 회차에서 처음으로 상찬한 품목으로, 호멜 푸드사에서 제조한 통조림 고기의 유명한 상표다. 성분이 의심스러웠기에 여러 별명이 생겼는데, '특별히 가공된 미국 고기', '비축 물자를 압착한 미국 고기', '고기인 척하는 무언가', '식료품, 돼지고기, 햄', '동물의 나머지 부분으로 만든 고기' 등으로 불렸다.[G] 스팸의 성분은 매우 수상쩍고, 그 본질은 대용품이다. 또한, 가격이 싸기 때문에 전후 시대에 스팸은 여러 요리에 들어갔다. 아마 몬티 파이선의 촌극에서 알 수 있듯이 너무 많이 포함되었을 것이다. 스팸은 하층민과 군인을 위한 저렴한 주식이었고 지금도 그렇다. 스팸은 천연 식품과 합성 식품의

F   이 맥락에 대한 가장 흥미로운 사례 중 하나는 'us.ebid.net'이라는 온라인 옥션에서 망실된 앤디 워홀(Andy Warhol)의 작업 「스팸」(Spam)의 판본을 판매한 일이다. 2011월 6월 접속.

G   [편주] 철자를 이용한 언어유희로 원문(Specially Processed American Meats / Supply Pressed American Meat / Something Posing As Meat / Stuff, Port and Ham / Spare Parts Animal Meat)의 머리글자를 조합하면 모두 '스팸'이 된다.

기이한 혼합물을 보여 준다. 그것은 철저히 진짜가 아니지만 동시에 유기적이며, 천연 식품의 흔적을 일부 지니고 있는 공산품이다. 너무 잘게 갈려서 아마도 다른 유형의 존재로 비약해 버린 고기로, 철저히 가짜고 의심스럽지만 군대의 침략과 단순 생존을 가능하게 하기에는 충분히 영양분이 풍부한 물질이다.

그러나 스팸을 정치 이론, 특히 생명정치(biopolitics) 논의에서 다룰 만한 흥미로운 용어로 만들어 주는 것은 바로 스팸의 혼성적 속성이다. 안토니오 네그리(Antonio Negri)와 마이클 하트(Michael Hardt)에게 살(flesh)은 사회적이거나 여타 다른 제약으로 금지되지 않은 몸의 은유다. 그들은 살이 새롭게 등장한 야만적인 대항 권력을 갖추었을 뿐 아니라, 천사 및 악마에게 내재된 "온전함"(fullness)을 향한 "순수한 잠재성"을 지녔다고 도취적인 어조로 묘사한다.[H] 살은 활력의 육화(incarnation)로 여겨지고, 종교적 담론 나아가 구원 및 해방에 대한 메시아적 담론의 의미까지 부가된다.[I] 살은 니체 이후 순수한 긍정성의 보고(寶庫)다.

생기 넘치는 살에 대한 영웅적인 묘사와 대조적으로, 스팸은 그저 비루한 잡종 고기다. 스팸에는 젠체하는 살의 속성이 전혀 없다. 스팸은 소박하고 싸다. 남는 고기 조각으로 만들어져 어느 정도 재활용이기도 하고 완전히 무생물인 존재다. 스팸은 상품으로서의 고기고 매우 저렴한 고기기도 하다. 하지만 이것이 스팸을 과소평가해야 함을 의미하지는 않는다. 왜냐하면 스팸은 인간과 기계, 주체와 대상을 가로지르는, 잡종화된 상품으로서 존재의 형태를 표명하기 때문이다. 스팸은 생물학적 사물일 뿐 아니라 사물화된 생명을 가리킨다. 이처럼 스팸은 순수하게 생물학적인 용어들보다 동시대 존재의 실제 조건들을 훨씬 잘 말해 줄 수도 있다.

스팸은 산업 생산의 고기 가는 기계를 통해 존재해 왔다. 이것이 왜 스팸의 제조가 마찬가지로 산업 세대인 (혹은 포스트 산업 세대인) 전 세계의 사람들(원시적 축적의 반복적인 분쇄를 견뎌 온 이들)에게 와 닿는지에 대한 이유다. 부채에 묶여 노예처럼 일하기, 이어지는 탈출, 산업 노동자로 선발, 반복된 실패를 몇 번 돌고 나면 사람들은 자급 농업으로 돌아갈 수밖에 없다.

H   Michael Hardt and Antonio Negri, "Globalisation and Democracy," in *Reflections on Empire*, ed. Antonio Negri and Ed Emery (Cambridge: Polity, 2008), 79-113, 93, 94.

I   Antonio Negri, *The Labor of Job: The Biblical Text as a Parable of Human Labor* (Durham, NC: Duke University Press, 2009), 72.

결국 그들의 재출현은 포스트포드주의 서비스 노동자라는 좁은 영역에서만 목격할 수 있다. 상응하는 스팸 전자 메시지처럼, 이러한 군중들은 동종의 거대한 다수를 이루고 있으나 잉여고 성가시며 과잉이라 간주된다. 그들은 또한 통제 불능으로 계속 복제된다고 여겨진다. 이러한 집단은 스팸이지 살이 아니다. 자본의 끝없는 맹습으로 대대로 기반이 되어 온 재료로 만들어지고, 전례 없이 새롭게 더욱 잡종화되고 사물 같은 형태로 재포장된 존재인 것이다.

전자 스팸은 이와 같은 몸의 투기적 차원을 강조한다. e-스팸을 통해 판촉되는 대부분의 제품이 몸의 외양이나 성능 그리고(혹은) 건강을 강화하기 위한 것이라는 점은 극히 명백하다. 스팸 이메일은 몸에 작용하고자 하는 방식이다. 언제나 정시에 서비스를 제공할 수 있게 가짜 시계를 차고 있는, 하나같이 약물에 중독되고, 몸을 키우고, 극도로 날씬하고, 매우 활동적이고, 성적으로 몹시 흥분한 사람들의 롤 모델로 스팸을 이용하는 것이다.[J] 스팸 이메일의 65퍼센트 이상이 항우울제, 비아그라, 혹은 같은 효과를 장담하는 모종의 가짜 약의 구매를 강요해, 완벽하게 이용 가치가 높은 몸, 잉여 집단이 갈망하는 생산 수단에 대한 환상을 판다. 두 가지 형태의 스팸은 모두 육체 이후(post-carnal)의 존재다. 그들은 살의 저하된 형태뿐 아니라 강화되고, 변형되고, 인공적인, 가공된, 상향된 몸의 생산을 다룬다.

그러나 스팸은 자체의 대항 권력이 없지 않다. 에드 루셰이(Ed Ruscha)의 훌륭한 회화 「실제 크기」(Actual Size, 1962)에는 아래로 향하는 궤적을 그리며 날아가는 눈부신 스팸 캔이 등장한다. 빛나는 꼬리는 스팸 캔을 혜성과 화염병 사이의 크로스오버처럼 보이게 한다. 스팸은 잠재적인 동적 힘이 깃들었을 뿐 아니라 공중에 떠다니고 가연성이기도 한 고체의 사물이다. 스팸 캔은 은행 유리창으로 던질 수 있다. 그것들은 튼튼하고 탄력이 있다.

어떤 경우에는 스팸을 요리로 응용하는 것이 스팸을 전쟁 및 궁핍과 연결시키는 인식을 용케 역전시키기도 한다. 한 예로 스팸을 별미로 쓰는 하와이의 사례가 있다. 2차 대전 동안 일본인들에게 조업이 금지된 이후

J   Ellen Messmer, "Experts Link Flood of 'Canadian Pharmacy' Spam to Russian Botnet Criminals," *Network World*, July 16, 2009. "이 경우, 스스로를 최고의 인터넷 온라인 약국이라고 선전하는 '캐나다 약국'은 캐나다와도 관계가 없고 약국도 아니다. 실상 '캐나다 약국'은 공인된 웹사이트로 존재하지 않고, 약 8개의 범죄형 봇넷들이 생성한 스팸 메시지 속의 이동하는 하이퍼링크로만 존재한다."

에드 루셰이, 「실제 크기」, 1962, 캔버스에 유채, 170.2 x 182.9 cm.
© Ed Ruscha. Courtesy of the artist and Gagosian.

스팸은 인기가 많아졌다. "현지인들에게 스팸은 중요한 단백질 공급원이 되었다."[K] 하지만 희소성의 상징으로 남기는커녕, 스팸은 창조적인 요리의 재료로 재도입되었다. 스팸나코피타(Spamakopita),[L] 스팸 주먹밥, 스팸 카츠,[M] 스팸 로코모코,[N] 스팸 퓨전 파히타, 스팸 소면, 스팸 처트니, 스팸 만새기 카르보나라, 스패마로니(Spamaroni)와 치즈.[O] 한국에도 스팸에 대한 비슷한 해석이 존재한다. 여기서 스팸은 미군이 들어온 이후 전파되었다. 독일식 버전은 도네르 케밥이다.[P] 거대한 꼬챙이에 꿴 동양풍의 구운 스팸이라는 매우 인기가 많은 형태의 요리다. 이 요리는 1970년대에 실직한 터키 이민 노동자들이 개발했다. 그 이후 그것은 독일의 비공식 국민 요리가 되었다. 이와 같은 스팸의 활용은 소비자층의 구성(composition)을 강조하고, (때로는) 감각에 대한 호소력을 높인다.

　　하지만 전자 스팸이라 할지라도 의외로 사회 구성과 친연성이

K　　Michael F. Nenes, "Cuisine of Hawaii," in *American Regional Cuisine, The Art Institutes SM* (Hoboken: Wiley, 2007), 479.

L　　역주: 그리스식 시금치 파이인 스파나코피타(spanakopita)에 스팸을 넣은 요리.

M　　역주: 스팸을 돈카츠처럼 튀긴 음식.

N　　역주: 밥 위에 고기 패티를 얹고 계란 프라이를 얹은 하와이 전통 요리인 로코모코(loco moco)에서 고기 패티 대신 스팸을 넣은 요리.

O　　역주: '마카로니와 치즈'에 스팸을 넣은 요리.

있다. 실제로 전자 스팸은 처음에 레스 푸블리카(res publica), 즉 공적인 것으로 명확히 규정되었다. 개발된 최초의 스팸 필터 중 하나는 공화국(republic)이란 단어를 포함하는 이메일이면 무엇이든 거의 예외 없이 스팸이 된다는, 있을 법하지 않은 발견에 기반하고 있었다. (흥미롭게도 또 다른 수상한 키워드는 '부인(madam)'과 '보증(guarantee)'이었다.)[o]

그러므로 스팸은—다양한 버전에서—단호히 공적이다. 그것은 언제나 몇몇 원천, 물건, 몸, 글자, 금속, 색깔, 단백질 모두에서 만들어진다. 스팸의 성분은 공통성(commonality)이다. 그것은 상상할 수 있는 한 가장 불순한, 살아 있는 성분과 살아 있지 않은 성분의 혼합물이다.

스팸은 루셰이의 그림처럼 글자를 육적인 사물로 바꾼다. 이와 같은 육화는 그럼에도 종교적 선례를 훨씬 넘어선다. 현실을 직시하자. 오늘날 말의 육화는 대부분 스팸, 스팸, 스팸의 형태를 하고 있다.

역사

그러나 스팸은 차단과 밀집의 힘을 갖춘 수동적 물질인 것만은 아니다. 스팸은 또한 매우 다른 형태의 사회 조직을 가져온다. 그것은 일군의 사람들이 상호 작용하며 구축되고 조직되는 양상을 바꾼다. 몬티 파이선의 촌극에서 스팸은 노동 패러다임의 변화뿐 아니라 (아마도) 역사의 형태 자체의 변화도 가리키는 중추적 용어가 된다.

P   이 요리의 범오스만 제국 버전과 달리, 독일판 도네르 케밥은 보통 미리 제조된 원기둥형 스팸으로 만들어졌다. Eberhard Seidel-Pielen, *Aufgespießt – Wie der Döner über die Deutschen kam* (Rotbuch: Hamburg, 1996), 47f. 자이델-필렌은 독일 자동차 산업의 포드주의 생산 체계가 하락하자 많은 산업 이민 노동자들이 창업해 간이식당을 열었고, 그 결과 20세기 독일에서 유일하게 중요한 요리의 혁신이 가능해지는 길이 열렸다고 주장한다. 도네르 케밥은 쿠키, 정자, 개 사료, 살모넬라를 비롯해 수많은 공식적, 비공식적 성분으로 만들어진다. 그는 또한 1990년대 초반 통일 이후의 폭동 시기에 독일의 네오 나치 청년들이 한 손으로는 히틀러에게 경례를 하면서 다른 한 손에는 도네르 케밥을 쥐고, 한편으로는 이민 노동자들의 숙소에 방화하면서 다른 한편 도네르 케밥 매대에 달려간 방식을 상술한다. Alan Posener, "Auch Deutschland dreht sich um den Döner," *Welt Online*, May 30, 2005.

Q   Brunton, "Roar so Wildly," 4.

촌극의 마지막 부분의 삽입 장면은 교실에 앉아서 바이킹의 침입을 상술하는 역사 교사를 보여 준다.

BBC ⓒ 1970, BBC 스팸 TV.

(역사가로 장면 전환. '역사가'(A HISTORIAN)라는 캡션이 화면 위로 겹쳐진다.)

역사가: 바이킹들의 또 다른 위대한 승리는 브롬리의 초록 난쟁이 카페에서 일어났습니다. 바이킹들은 또다시 같은 작전을 썼습니다. (지도 위의 화살표로 지도를 가리키며) 여기 이 피요르드에서 항해해 트론헤임에 모여 오크 나무로 된 갤리선을 영국으로 보내 줄 강한 북동풍을 기다린 후 5월 23일 영국으로 항해를 시작했습니다. 브롬리에 도착하자 그들은 초록 난쟁이 카페 및 스팸에 모여서 스팸 메뉴에서 스팸 특정한 스팸 요리를 고른 후 스팸, 스팸, 스팸, 스팸, 스팸....

(역사가 뒤편의 배경 막이 올라가며 다시 카페가 보인다. 바이킹들은 다시 노래하기 시작하고 역사가가 그들을 지휘한다.)[R]

R   *The Broadview Anthology of British Literature, Concise Edition,*
     Volume B, 1510.

이 짤막한 장면은 꽤 평범해 보인다. 그러나 실상 이는 역사의 재현 자체가 스팸의 침범으로 변화하는 것을 보여 준다. 처음에 역사가는 지도 모양의 궤도를 걸고 약간 높은 위치에서 권위적인 수업 스타일로 정면에서 사건을 설명하기 시작한다.

BBC © 1970, BBC 스팸 TV.

BBC © 1970, BBC 스팸 TV.

그러나 스팸이 대화에 범람하기 시작하자, 역사가 뒤의 벽이 올라가며 무대 커튼임이 드러나고 커튼 뒤에 있던 처음의 카페 무대가 재등장한다.

면세 미술

역사가는 지휘봉을 휘두르기 시작하고 자유분방한 스팸 축하 합창에 동참한다. 처음에 그는 이 불협화음을 지휘하는 것처럼 보이나, 곧 포기하고 지휘봉을 둘로 부러뜨린다.

BBC © 1970, BBC 스팸 TV.

이 짧은 삽입 장면에는 서로 다른 두 가지 발언 양식이 등장한다. 우선, 역사가는 교실 안의 수업처럼 관객들에게 말한다. 장면이 전환된 후 우리의 시점이 손님의 시점과 청중의 시점의 혼합으로 전환되면서 정면에서 말하는 방식은 폐기된다. 첫 번째 발언 양식이 다소 권위주의적인 교육 모델을 대표한다면, 두 번째는 확실히 공연으로서의 서비스나 서비스로서의 공연 상황에 맞춰져 있다. 이러한 전환은 대화에 스팸이 새로 침투하면서 촉발된다. 스팸은 수업 같은 발언 양식을 밀어내고, 공중에 매달린 손님들로 지속되는 서비스 및 스펙터클에 기반한 발언 양식을 도입한다.

이 장면에 내재된 시간성의 형태 또한 바뀐다. 전환 전에는 명백히 침입과 진보의 서사가 있었던 반면, 이후에는 어울리지 않고, 비동기화된, 완전히 다문화적이고, 외설스럽고, 자유롭게 움직이는 공연 서비스의 순수한 스펙터클이 존재한다. 지휘자나 지도자, 전위 없이 함께 자발적으로 등장한 합동 축하연인 것이다.

스팸은 의사-과학적인 역사에 대한 설명을 장악해 배우, 손님, 스팸, 서비스 노동자들이 구분되지 않는 수행적 혼돈으로 바꿔 놓는다. 학술 담당자의 해설을 갖춘 선형적이고 목적론적인 역사의 진보는 단절된다. 수업을 정면에서 설명함으로써 만들어지는 통일성은 사라진다. 분위기는 교육에서 축하로 이동한다.

하지만 스팸의 공적 구성은 재미와 환락에만 있지 않다. 이 장면이 나온 후 바로 이어지는 최종 출연진 목록처럼, 그것은 분명 스펙터클 생산의 구조를 관통한다. 스팸은 직함과 제작자 및 기술진의 이름에 침투한다. 서비스 업종의 감탄사가 부분 부분 끼어든다(일요일은 쉽니다/스팸은 휴무에요, 손님). 스팸이 노동을 지우는 것이 아니다. 스팸은 노동과 노동자들에게 똑같이 침입하고 관통해 그저 계급을 지운다.

따라서 스팸은 노동과 그 실행자 모두를 기술한다. 그것은 활동이고, 주체이자 대상이며, 전술한 모두를 묘사하는 통제 불능으로 증식하는 단어다. 사람들은 스팸의 세계에 포함되고 잠재적으로 먹을 수 있는 물질로 변한다. 말들은 사물로 육화되고 사물은 말이 된다. 무질서한 스팸과 남겨진 서비스 노동/노동자들을 모으는 유일한 구호는 촌극의 마지막 문구에 있다.

기획, 각본, 스팸 연출
　스팸 테리 존스
　마이클 스팸 팔린
　존 스팸 존 스팸 존 스팸 클리즈
　그레이엄 스팸 스팸 스팸 채프먼
　(...)
필름 카메라
　제임스 (스팸 소시지 달걀 토마토) 밸푸어
　(일요일은 쉽니다)
　(...)
영상 편집
　레이 (버터구이 토스트와 노란 사과 세 조각)
　밀리초프(스팸 추가)
　(...)
BBC 스팸 TV
서비스료는 포함되지 않았습니다.

서비스료는 포함되지 않았습니다.

이 구호는 스팸의 내재적 약속이다. 하트와 네그리가 삶의 완전무결한 잠재성에 대해 칭송했지만, 스팸의 약속은 훨씬 평범하다. 서비스료가 포함되지 않았다는 것은 간단히 말해 무료여서는 안 된다는 뜻이다. 디지털 시대에서조차 서비스는 무한정 복제될 수 없다. 그러나 오늘날 '서비스료가 포함되지 않았다'라는 문구는 [현실의] 묘사가 아니라 실현되기를 기다리는 주장이다. 공연으로서의 서비스(또한 서비스로서의 공연의) 시대에, 노동은 쉽게 무료로 구할 수 있다. 마치 노동도 복사-붙여넣기하고 디지털 복제가 가능한 것처럼 말이다.

물론 이 쟁점은 이메일 계정과 전 세계의 데이터 라인을 막히게 하는 수북이 쌓인 반복적 스팸 문제에는 거의 반영되어 있지 않다. 그러나 스팸 메일의 물적 과잉을, 불필요하고 잉여라고 간주되는 모든 이들이 발언하기 시작해 '서비스료는 포함되지 않았다'는 슬로건을 외치는 시간이자 스팸이 서비스 및 스펙터클 노동자에게 육화된 시간을 예견하는 것으로 보면 안 되는가?

동시대의 전자 스팸은 범람을 통해 무관심한 군중으로부터 일어날 성싶지 않은 가치를 유발하려 한다. 그러나 스팸이 되는 것, 즉 실현되지 않은 약속과 온전히 동일시하는 것은 공적인 것, 데이터베이스화된 폐기물의 명랑한 육화가 되기 위해 서로 다른 존재의 형태 사이에 있을 법하지 않은 공통의 요소를 촉발하는 것을 뜻한다.

탐색할 질문이 하나 남아 있다. 몬티 파이선의 스팸 촌극은 어떻게 다른 형태의 역사를 구현하는가? 언뜻 보기에, 권위적인 관점을 포기하고 혼돈의 창출에 진심으로 참여하는 변화한 역사가의 행동이 질문에 대한 답처럼 보인다. 하지만 또 다른 측면 또한 존재한다.

파울 클레의 수채화를 상기하자. 이 그림에는 또 다른 수수께끼가 있다. 천사는 아주 살짝 시선을 피하고 있다. 천사는 진짜 우리를 보지 않는다. 뒤에서 벌어지는 무언가 때문에 마음이 산란해져서일까? 뒤편의 균일한 배경이 무대 커튼이라는 실체를 드러내면서 위로 올라가는 바로 그 순간에 사로잡힌 것일까? 과거의 소멸에 대한 애도와 격렬하게 전치된 미래 사이에서 갈등하는 대신, 새로운 장면에 가담하려고 돌아서려는 참일까? 그는 아침 식사 메뉴에서 무엇을 시킬 것인가?

디지털 잔해

그녀의 이름은 에스페란자였다

그녀의 이름은 에스페란자(Esperanza)였다. 건설업을 운영하며 인도주의적인 모험에 대한 대단한 열정을 키워 나가는 35세의 푸에르토리코 여성이었다. 그녀의 남편은 딱하게도 2년 전에 사망했다. 그녀는 2007년 2월에 자신과 어린 딸의 사진들을 온라인 교제 플랫폼 Match.com을 통해 보냈다.[A]

처음에 프레드는 그녀의 편지들에 무심코 답장했다. 그러다가 그는 갑자기 그녀와 사랑에 빠진 것을 깨달았다.

몇 달이 지나고 그는 아내와 아이들을 떠나 에스페란자와 살겠노라고 가족에게 말했다. 그의 어머니가 그녀를 만나 보기라도 했느냐고 묻자 그는 아니라고 답했다. 때가 되면 그는 그녀를 만나게 될 것이었다. 이제껏 그들은 서로 통화와 채팅을 나누고 있었다. 그녀가 그들의 첫 만남을 막판에 취소했다. 그는 공항에서 기다리며 꽃다발을 손에 들고 설렘보다 더한 두려움에 떨고 있었다.

돌이켜 보면 그는 어떻게 알아채지 못했는지 이해할 수가 없었다. 그녀는 채팅을 하면서 웹캠을 켜려 하지 않았다. 기술적인 문제들이 끊이지 않았고, 통신은 예정에 없던 갑작스러운 회의들로 두절됐다. 그렇지만 반면에 그녀는 결코 돈을 요구하지 않았다. 그녀가 사망한 날까지는.

어떤 공무원이 덴마크의 미국 대사관이라며 그에게 전화를 걸었는데, 덴마크에는 그녀가 사업차 여행을 떠난 참이었다. 그녀가 경쟁 구도의 폭력 조직들의 우발적인 총격으로 뜻하지 않게 살해됐다는 것이다.

프레드 인생 최악의 날이었다.

그는 그녀의 시신을 인도하기 위해 돈을 부쳤다. 충격으로 감정이 멍해져 있었다. 아무것도 중요치 않았다. 절차상 불거진 여러 문제들 중 아무것도 중요치 않았다. 그는 그녀를 보러 가지 않기로 결심했다. 그들의 첫 번째 데이트가 그녀의 죽음 이후에 성사되리라는 생각을 견딜 수 없었던 것이다.

이야기는 느닷없이 끝났다. 그의 친구가 온라인상에서 이것저것 검색을 해 보았다. 최근에 덴마크에서 살해당한 미국 시민은 없었다. 총격은 없었다. 에스페란자는 결코 실존하지 않았다. 그녀는 사기꾼 집단의 피조물이었다.

[A] 이것은 순전히 허구의 사례. 현존하는 인물이나 사건과의 어떠한 유사성도 의도된 바 없다.

면세 미술

이 사람이 사기꾼임에 의심의 여지가 없다는 것을 깨닫기
바랍니다. 당신에게 포토숍된 스톡 사진을 보냈던 순간부터 일말의
의구심 없이 확실한 것입니다. 저는 당신이 어떤 여성과 상대한
것처럼 취급할 테지만, 이런 요소들 중의 다수는 어떤 남성에
의해 구사된 것일 수도 있습니다. 특정 요소들은 사기꾼들에게
늘 매한가지인 것이지만(결국 궁극적인 목적은 같습니다―당신의
돈을 뜯어내는 것), 다른 요소들은 각양각색입니다. 우리가 아는
대부분의 사기꾼들은 대량의 신속함을 추구합니다―해외에서 가짜
프로필을 가져와, 최대한 많은 사람들에게 접근하여, 그들 모두와
재빨리 금전적 단계로 넘어갑니다. 이런 접근법은 금세 더 많은
사람들을 놓치게 될 것이지만, 사기꾼들은 많은 사람들을 동시에
노리고 있기(적어도 그러기를 원하기) 때문에, 희생자당 겨우 수백
달러에 불과할지라도 여전히 돈을 벌고 있습니다.

　　또 다른 사기꾼들은 더욱 조직적이고 장기적인 접근법을
선택합니다. 이들은 더욱 숙련된 사기꾼들이며, 제 생각에는
가장 위험한 부류입니다. 그들은 희생자 개개인에게 많은 시간을
들입니다. (...) 이 '더 나은' 사기꾼들은 IP 주소 문제를 훨씬
더 잘 알고 있으며, 저 단순한 실수로 그들의 희생자를 놓치지
않기 위하여 자기 위치를 인정하거나 프록시 뒤에 숨을 공산이
큽니다. 당신이 면밀히 살펴보시면 그들도 실수를 합니다―하지만
일반적으로 실수를 알아채기가 훨씬 더 어렵습니다. (...) 2002년의
것임을 보여 주는 EXIF 데이터를 지우지 않은 채 사진을 보낸 것은
더더욱 사소한 실수였고, 대다수의 희생자들이 이를 알아차리지
못할 것입니다. (...)

xmlns:tiff = "http://ns.adobe.com/tiff/1.0/"

xmlns:exif = "http://ns.adobe.com/exif/1.0/"

xap:CreateDate = "2002-05-07T11:00:16+05:30"

xap:ModifyDate = "2002-05-07T11/00/16+05:30"

xap:MetadataDate = "2002-05-07T11:00:16+05:30"

무언가 이상한 게 보입니까?[B]

서한의 정서

최근 방갈로르를 여행하는 와중에 나는 내가 충분히 이해하지 못한 것을 말하고 있음을 깨달았다. 대중 토론의 자리에서 훌륭한 페미니즘 학자 라타 마니(Lata Mani)가 내게 디지털이 감각과 정서에 미치는 영향에 대해 물었다. 나는 가장 강력한 정서적 효과가 매우 뜻밖이고 심지어 구식의 수준에서, 즉 서한체에서 일어난다고 답했다. 현실의 신체로부터 분리된 단어들의 붓으로서.

　　디지털 글쓰기—이메일이나 채팅을 통한—는 글쓰기라는 역사적 실천에 관한 동시대적인 문제를 제시한다. 자크 데리다는 문자의 난제, 즉 문자가 부재와 지연과 맺는 연관성을 끈질기게 기술한 바 있다.[C] 이 경우에 지연은 최소화되지만 부재는 그대로 남는다. (거의) 실시간적인 소통과 신체적인 부재가 결합함으로써, 이를테면 부재 감각(absense)이라고 일컬어질 법한 것이 창조된다. 그것은 (거의) 실시간으로 현존하는, 어떤 부재의 감각적인 측면이다. 이 살아 있는 생생한 부재에게 물리적 신체의 결핍이란 불행한 우연이 아니라 필연적인 것이다.

　　그것의 대리자는 메시지 몸체로 압축되며, 리듬, 흐름, 음향, 중단과 효용 양측의 시간성으로 번역된다. 이 중 어떠한 것도 '가상적'이거나 '모조된' 것이 아니다. 부재는 실재적이며, 그것에 기반을 둔 소통만큼이나 실재적이다.

B　　https://www.romancescam.com/forum/
viewtopic.php?t=13755&start=30; https://romancescam.com/
forum/viewtopic.php?f=6&t=13755&start=15.

C　　Jacques Derrida, *Of Grammatology* (Baltimore: Johns Hopkins
University Press, 1997), 47, 67.

Re: Mxxxx QT의 사진을 이용한 사기꾼들
작성자 axxxxxxs, 2011년 1월 26일 수요일 오전 8:05

이것은 사설 IP 주소이며 추적될 수 없습니다. 호스트명:
10.227.179.xxx

만나는 데 아무 문제도없어, 난 만남을 믿고 있고 직접 보는 게
중요해, 당신이 만나고 싶다면 나 당신에게 가는 항공편을 바꿀
수 있어, 그리로 가는 항공편을 바꾸는 데 아무 문제도없어,
우리가 만나는 걸 어떻게 생각하는지 말해줘, 만나서 직접 보는 게
내겐 중요하고 난 나이와 장소는 신경쓰지 않아, 당신에게 가장
가까운 공항 이름이 뭐야, 나 지금 항공사에 전화해서 항공편 변경
가능한지 물어볼 수 있어

이것은 사설 IP 주소이며 추적될 수 없습니다.

난괜찮아 자기야, 당신은 오늘 어때?
나의 블랙베리® 무선 기기에서 보냄

당신 여전히 나 만나고 싶어 자기야?

나 msn없는데

자기야 나 만나고 싶어?
당신 공항 이름이뭐야 자기야?
1시간 안에 알려줘 자기야

자기야, 혼자 살아? 당신의 여행 경험에 대해 말해줘 나의
블랙베리® 무선 기기에서 보냄
(...)

나 항공사에서 티켓발권했어 나의 블랙베리® 무선 기기에서 보냄

9   그녀의 이름은 에스페란자였다

여보야, 나 황공권끊었고 내가 1시간 내로 항공권 스캔본 이메일로
첨부해서 보낼게 자기야 나의 블랙베리® 무선 기기에서 보냄
즈김 지금 보내 자기야
여보야[D]

디지털 멜로드라마

1588년 '스페인 죄수'라는 낭만적인 이름의 사기가 처음으로 일어났다.
사기꾼이 희생자에게 접근하여 자기가 한 스페인 귀족과 연락하고 있는데 그
귀족이 감옥에서 석방되기 위하여 많은 돈을 필요로 한다고 말했다. 누구든
그를 도와주면 풍족한 보상을 받을 것이며, 그의 딸과 결혼도 하게 될 것이라고.
첫 번째 사례비가 지급된 후에 새로운 곤경이 계속 등장했고 결국 희생자는
무일푼의 빈민이 되었다.

　　디지털 시대에 이 이야기는 업데이트되어 동시대의 전쟁 및 격변과
공명한다. 무수한 419 사기들—이 숫자는 나이지리아 법률에서 준거가 되는
형법 조항 번호를 지시한다—이 일상의 파국을 사업의 줄거리로 고쳐 쓴다.
충격 자본주의와 그 결과들—원자재를 둘러싼 전쟁이나 민영화—은 상호
작용적인 로맨스나 모험 소설로 재구성된다.

　　당신도 미지의 여인에게서 온 편지를 받았을 수 있다—막스
오퓔스(Max Ophüls)의 1948년 고전 멜로드라마 제목처럼 말이다. 오퓔스의
영화에서 빈의 한 여자는 죽은 뒤에야 편지로 짝사랑을 고백한다. 편지는
그녀의 존재를 거의 의식하지도 못한 콘서트 피아니스트를 향한 그녀의
한결같은 열정을 모두 세세하게 이야기한다.

　　동시대의 디지털 버전에서 미지의 여인에게서 온 편지들은 개인적,
정치적 비극에 시달리는 지구 곳곳에서 등장한다. 푸짐한 양의 일일 연속극으로
희석된 포스트-포스트 식민적인 비극들이 내는 불협화음인 것이다. 과부와
고아가 금융화된 초자본주의, 자연재해, 온갖 반인륜적 범죄에 휩쓸린다—
그리고 바로 당신이 그들의 운명을 수습해야 하는 것이다.[E]

D　　http://www.romancescam.com/forum/viewtopic.php?f=1&t=8784&
start=150. [편주: 이 글에 실린 인용문의 잘못된 맞춤법과 띄어쓰기는 원문
표기를 그대로 반영한 것이다.]

근거	%
비행기 사고	35
자동차 사고	13
해일/지진	3
쿠데타	22
바가지요금	16
미공개	11
발신자	
변호사	35
과부	31
어린이	10
은행원	24

출처: caslon.com.au

로맨스 사기는 느닷없는 사랑과 기회를 제공하고 태연하게 은행 계좌번호와 여권 사본을 요청한다. 여행 스케줄이 자금 이체에 대한 설명과 연쇄적으로 샘플링된 사랑 고백과 뒤섞인다. 감각의 모듈들이 복사-붙여넣기되고 재활용되며 도용된다. 그렇지만 이것들은 명백히 대량

E   지금까지 온라인 사기에 관한 학문적 조사는 거의 전부 나이지리아 사례에 집중해 왔다(이는 로맨스 사기가 지리적으로 다양한 곳에서 발생한 것을 고려해 보면 의아해 보이는 일인 것 같다). 가장 폭넓고 통찰력 있는 연구는 Andrew Apter, "IBB=419: Nigerain Democracy and the Politics of Illusion," in *Civil Society and the Political Imagination in Africa*, ed. John Comaroff and Jean Comaroff (Chicago: University of Chicago Press, 1999), 270ff. 여러 419 사기에 관한 사례 연구로는 Harvey Glickman, "The Nigerian '419' Advance Fee Scam: Prank or Peril?," *Canadian Journal of African Studies: Revue Canadienne des Études Africaines* 39:3 (2005), 460-489. 또한 참고할 것은 Daniel Jordan Smith, "Ritual Killing, 419, and Fast Wealth: Inequality and the Popular Imagination in Southeastern Nigeria," *American Ethnologist* 28:4 (2001), 803-826, 그리고 Daniel Künzler, "Who Wants to Be a Millionaire? Global Capitalism and Fraud in Nigeria," paper presented at the Interim Conference of Research Committee 02 of the International Sociological Association, World Social Forum, Nairobi, January 22, 2007.

그녀의 이름은 에스페란자였다

생산됨에도 불구하고, 토마스 엘제서가 멜로드라마에 관해 말한 것처럼, "우리가 이용할 수 있는 유일한 비극의 형식(들)"이다.[F] 그들은 스팸 편지함에 들러 불쑥 그것들을 열어 본다.

레디메이드로서의 비극

멜로드라마 장르는 불가능성, 지연, 항복에서 출발한다. 그것은 가정적인, 여성화된 영역을 이야기한다. 이른바 최루성 영화(weepie)는 수십 년간 저평가되고 예술-로서의-영화로부터 무사히 격리된 장르였다. 그것은 억압과 여성적 순종을 영속화한다는 혐의를 받았다.

그렇지만 멜로드라마는 억압되고 금지된 관점에 목소리를 부여하기도 했다. 다른 어디서도 표현될 수 없던, 비난당하고 수치스럽고 묵살되던 시점에 목소리를 부여했다. 지나친 과장과 이국취미는 칙칙하게 반복되는 재생산 노동과는 다른 무언가를 상상할 수 있게 해 줬다. 멜로드라마는 문화적 교류, 인종적 조화, 잘못된 의사소통으로 아깝게 상실된 행복에 대한 믿기 어려운 이야기를 지어낸다. 그것은 정치적인 것이란 개인적이라고 주장한다─따라서 감정의 관점으로 사회의 역사를 추적한다.[G]

2011년 4월 18일
친애하는 슈타이얼 씨에게,

이렇게 난데없이 귀하에게 편지를 보내 죄송합니다만, 아주아주 중요한 것이 저희의 눈에 띄었고, 저희는 모두의 상호 이익을 위해 귀하의 동의를 구하는 것이 중요하다고 믿습니다.

F   Thomas Elsaesser, "Tears, Timing, Trauma: Film Melodrama as Cultural Memory," in *Il Melodramma*, ed. E. Dagrada (Rome: Bulzoni Editore, 2007), 47-68.

G   토마스 엘제서의 1973년 논문은 멜로드라마에 관한 여전히 손꼽히는 글이다. Thomas Elsaesser, "Tales of Sound and Fury: Observations on the Family Melodrama," in *Home Is Where the Heart Is: Studies in Melodrama and the Woman's Film*, ed. Christine Gledhill (London: British Film Institute, 1987), 43-69.

저는 영국 아이엔지 디렉트의 예금 관리자이자, 작고하신 일본인 히로시 J. 슈타이얼 씨의 개인 펀드 매니저인 데스 맥데이드입니다. 그분께서는 최근에 부인과 외아들과 함께 작고하셨습니다. 당시에 버마에서 휴가를 보내시던 중이었고 장례를 위해 영국으로 송환되셨습니다. 저희는 지난 감사에서 고인의 이름으로 17,844,000.00GB£(일천칠백팔십사만 사천 영국 파운드화)가 예치된 휴면 계좌를 발견했습니다.

저희는 조사 중에 고인이 그의 외아들을 최근친으로 지명한 것을 발견했습니다. 고인의 친척을 찾아내려는 모든 노력은 불가능한 것으로 판명되었습니다. 계좌는 고인이 작고한 이후로 휴면 상태입니다. 그러므로 저희는 귀하에게 연락을 취하여 귀하를 고인의 최근친으로 지명하고 고인의 지목된 최근친의 자격으로 귀하에게 예금을 이체할 수 있도록 귀하의 동의를 구하기로 결정했습니다.

저희는 고인에 관한 모든 유관한 세부 사항들을 갖고 있으니 예금을 성공적으로 청구하는 데 도움이 될 것입니다. 귀하의 편으로 예금을 이체한 후에, 귀하께서는 48%를 보유하실 것이고, 48%는 저희의 몫이고, 4%는 거래 과정이나 그 후에 저희 양측에서 발생할 (만약의) 비용을 위해 남겨질 것입니다.

긍정적인 답변을 주시면 대단히 감사하겠습니다. 그러시면 저희가 고인의 재산 청구를 공증하기 위해서 영국 아이엔지 디렉트에 제출할 신청서 초안 / 고인의 계좌 세부사항을 귀하께 보내드릴 수 있습니다.

이 사업적 거래에 관심이 있으시면 제게 연락을 주십시오. 이메일: dsmcdaid@live.co.uk, 전화번호: +44 778 78 24 355, 팩스번호: +44 1183-350-425. 또한 이 제안에 이의가 있으셔도 제게 연락을 주십시오.

이만 줄이겠습니다.
데스 맥데이드
영국 아이엔지 디렉트 예금 관리자

April 18, 2011

Dear Steyerl,

Apologies to write to you out of the blue like this but something very, very important came to our notice and we believe it's important we seek your consent for the mutual interest of all.

I'm Des McDaid, Savings Director, ING Direct UK. personal funds manager to late Mr. Hiroshi J. Steyerl, a Japanese national. He died recently along with his wife and only son, while holidaying in Burma and flown back to England for burial. In our last auditing, we discovered a dormant account with GB£ 17,844,000.00 (Seventeen million, eight hundred and forty-four thousand British Pounds Sterling only) in his name.

During our investigations we discovered he nominated his son as his next of kin. All efforts to trace his relations have proved impossible. The account has been dormant since his death. Therefore, we decided to contact you, to seek your consent to enable us nominate you as next of kin to the deceased and transfer the funds to you as designated next of kin to the deceased.

We've all relevant details about the deceased, which shall help us claim the fund successfully. After transfer of funds to your favour, you shall retain 48%, and 48% ours, 4% set aside for expenses both parties might incur during or after the transaction (if any).

Your positive response shall be highly appreciated to enable us favor you with a draft application / account details of the deceased for submission to ING Direct UK to authenticate the claim to the deceased's estate.

Should this business transaction, be of interest to you, please contact me via Email: dsmcdaid@live.co.uk, Tel No; + 44 778 78 24 355 or Fax No; + 44 1183-350-425. Please also contact me if you object to this proposal.

Yours truly,

Des McDaid
Savings Director ING Direct UK.

그러나 멜로드라마의 새로운 개인 맞춤형 디지털 버전은 다르게 생산된다. 더 이상 그것은 모두에게 다 맞게 테일러리즘적으로 스튜디오 기반에서 생산되는 것이 아니라 맞춤형 상품인 것이다.

이런 메시지들은 단지 발송될(posted) 뿐만 아니라 어쩌면 포스트주의적이기도 하다. 포스트주의란 스스로를 차후의 이차적인 것으로, 역사 자체의 잔여물로 간주하는 시간의 징후이다. 그것은 모든 것이 일반적으로 지양되었으나 낡은 세계관들을 대체할 새로운 것이라곤 없다고 상정한다.

면세 미술

그러나 이 포스트 변증법적인 상황에는 어떤 변증법적인 반전이 존재한다. 포스트주의들은 자신이 거리를 두며 지양했다고 주장하는 문제를 보존한다. 분명 이런 어떠한 용어들—포스트-마르크스주의, -구조주의, -모더니즘 등—이라도 자기가 통과했다고 주장하는 용어들의 도움 없이 정의하기란 불가능하다. 거리는 내밀한 가까움에도 불구하고, 아니 어쩌면 정확히는 그 가까움 때문에 확보된다. 근접과 거리의 공존은 포스트라는 접두사 자체의 구조에 내재한다. 포스트는 어떤 과거를 함축하는데, 그 의미는 공간적 분리에서 파생된 것이다. 이 접두사의 가장 초창기 형태에서 그 어원은 '뒤에, 후에, 나중에'뿐만 아니라 '향하여, 쪽으로, 근처에, 가까이에'를 지시하며, '늦은'뿐만 아니라 '떨어진'을 지시한다.[H] 가까움과 떨어짐, 부재와 현존이 이 용어의 구조적인 아포리아를 구성한다.

로맨스 사기는 이런 동시적인 현존과 부재가 희망과 욕망으로 어색하게 이어진 시간 풍경과 내밀하게 연관된다. 또한 그것은 미결정된 시간성, 즉 가까움과 떨어짐, 과거와 현재를 동기화하는 시간성, 더 이상 믿지 않는 세계관을 놓으려 하지 않는 시간성과 완벽하게 공명한다.

개념적 사랑

디지털 멜로드라마와 서한의 정서로의 전회는 다소 느닷없이 이루어진다. 이전에 디지털 감정의 세계는 좀 더 원기왕성하게 상상됐다. 하지만 사이버 섹스 그리고 신체적 세계와 디지털 세계의 병합에 관한 애초의 꽤나 날것의 생각들 중 그 어느 것도 아주 지속 가능한 호소력을 얻지 못했다. 데이터 글러브, 디지털 딜도 등 성애적인 목적에 적합한 것으로 여겨진 장비는 데이터, 감정, 촉각이 가볍게 이동하는 시대에 거추장스러운 골칫거리로 판명되었다.

또한 서한 교환의 인기는 그것이 명백히 유용하다는 데 기반을 둔다. 텍스트는 돌려쓰는 매체이며, 저렴하고 비용 효과가 좋다. 복잡한 공학도,

---

[H] 온라인 어원학 사전(etymonline.com)에 의하면 "'이후'를 뜻하는 접두사, 라틴어 post '뒤에, 후에, 나중에'에서 유래, *pos-ti(아르카디아어 pos, 도리아어 poti '향하여, 쪽으로, 근처에, 가까이에'를 참조할 것, 고대 교회 슬라브어 po '뒤에, 후에', pozdu '늦은'을 참조할 것, 리투아니아어 pas '에, 옆에'를 참조할 것)에서 유래, 인도유럽조어 *po-(그리스어 apo '로부터', 라틴어 ab '떨어진'을 참조할 것)에서 유래".

덩치 큰 장비도 필요치 않다. 단지 읽고 쓰는 기본적인 기술과 인터넷 카페에서 임대할 단말기 한 대면 된다.

또한 어쩌면 로맨스 사기의 레디메이드 언어는 동시대적 글쓰기의 실천에서 더욱 심층적인 변동을 표현한다. 흐릿한 것과 날것의 시각 경제와 병행하여, 디지털 영역에 운집한 이미지 조각들만큼이나 여러 방식으로 압축되고 추상화된 텍스트 경제가 발전해 왔다. 광고의 유산에서 자극받은 빅토리아풍 정서 경제가 트윗 메시지의 긴축적 언어와 합병된 것이다. 그것은 직설적인 동시에 정숙한 것이다. 간소한 동시에 섬세하고, 대담한 동시에 수줍어하는 것이다. 압축되고 비운 텍스트가 감정이 공백을 채울 수 있게 해 준다. 텅 빈 단어들이 미끼를 놓고, 뒤로 물러서서, 장난을 친다. 축소와 후퇴가 강렬함의 불꽃을 튀긴다.

Re: GXXX TXXXX
작성자 xxxxxxxxxxxxxxx, 2009년 9월 18일 금요일 오후 8:20
Gxxxx는 지금 또 다른 이메일 주소 gxxxx@hotmail.com을 가지고 있고, 전 그녀에 사진을 구하려 애쓰고 있지만 그건 돌멩이 하나에서 피를 뽑아내려 애쓰는 것과 같습니다.

그녀는 제가 새로운 관계를 세우려 애쓰고 있다는 것을 알며, 이제는 결국 절 내버려둘 것이고 다만 친구이기를 바란다고 다만 편지를 써도 제가 그걸 괜찮아 하는 사람이기를 바란다고 말했습니다.

Cxx
cxxxxxxxxxxxx

잦은 게시자
게시글: 160
가입: 2009년 4월 11일 토요일 오후 5:33
장소: Lxxxxxxxxx

위로

면세 미술

Re: Gxxxx Txxxxx

작성자 wxxxx, 2009년 9월 19일 토요일 오전 8:38

그래요, 전 이해가 가질 않습니다. 당신은 이 자가 어떤 글래머 모델의 훔친 사진들을 사용하는 나이지리아 사기꾼이라는 것을 아는데도 여전히 그와 이야기하고 '친구'이기를 원합니까? 이게 정확히 당신의 사기꾼이 원하는 바인데, 곧 '그녀'가 어떤 비상사태에 처해서 돈을 필요로 할 것이기 때문입니다. 당신이 한 모든 일은 사기꾼이 다른 각도에서 다시 노리게 문을 열어 둔 것입니다. 당신은 거의 모든(무슨 소리냐면 99퍼센트 이상의) 사기꾼들이 실은 남성이지 그들이 가장하는 여성이 아니라는 것을 아십니까?

Re: Gxxxx Txxxxx

작성자 gxxx, 2009년 9월 21일 월요일 오후 5:52

실은... 당신이 줄곧 언급하는 '그녀'는 다만 어떤 흑인 녀석이며 여전히 당신을 조종하고 있는 것입니다. 그녀는 없고..., 다만 그만이 있습니다... Gxxxx는 없습니다...

gxxxx

VIP 게시자

게시글: 972
가입: 2008년 11월 25일 화요일 오후 11:13
장소: 캐나다, 에이(eh)

Re: Gxxxx Txxxxx

작성자 gxxxx, 2010년 12월 4일 토요일 오후 10:18

이 연속 댓글에 있는 주소 gxxxxxxxx@hotmail.com은 Nxx Axxxxx Axxxxxx (Axxx Dxxx)라는 이름의 페북 프로필로 닿습니다.

그녀의 이름은 에스페란자였다

거주지: 아크라, 가나
고등학교: 웨스트아프리카 중등학교 '08

친구가 많고 이놈이 올린 메모도 많습니다.

Nxx 정보 왔노라, 보았노라, 이겼노라. 성령의 권세에 의한 것
아님.
진심으로 다정한 남자임....난 똑똑하고,
창의적이고,배려하고,성실하고, 재밌는 걸 좋아해.....여행을 좀
했고 나중에 꼭 여행을 다닐 계획이 있어...삶이 선사해야만 하는
모든 일상적인 것들과 야영하면서.
훌륭한 유머 감각과 넘치는 재치.매력적이고 용모 단정, 모든
사회적인 상황들에 우아하게 미소로 대처 가능.
성별 남성
관심 있는 성별 남성과 여성
결혼/연애 상태 싱글[1]

스페인 죄수

*내 이름은 프레드다. 난 에스페란자와 사랑에 빠졌다. 그녀는 내 인생의
사랑이었다. 아무도 내가 사기에 대해 어떻게 느끼는지 이해하지 못한다.
그러나 난 에스페란자가 실재했는지 아니었는지 상관하지 않는다. 그녀를 향한
나의 사랑이 있었다. 내 관점에서는 그 어떠한 사기도 있지 않았다. 왜냐하면
설사 에스페란자가 한 명의 사람으로 존재하지 않았다 하더라도 그녀의
편지들은 내 스크린에 존재했기 때문이다. 그 내용이 거짓말이었을 수도 있고,
IP가 감춰졌을 수도 있고, 발신자가 어떤 투영일 수도 있다. 그러나 글쓰기
자체는 실재적인 것으로 남는다. 누가 텍스트를 썼는지는 상관없다. 그녀든,
그든, 그들이든. 난 편지들을 사랑했다, 사람이 아니라.*
　이런 편지들을 쓰는 것은 만만찮은 노동이다. 텍스트 모듈을

---

[1] http://www.romancescam.com/forum/viewtopic.php?f=1&t=19587
&start=45#p109129.

　　　　　　　면세 미술

채택하여 붙여넣기하고, 계획을 짜고, 장부를 기재하고, 키보드를 두드리고, 연기하고, 서류를 정리하고, 사진을 보정하는 일이다. 사기꾼들은 표적의 환상을 만족시키려 일하며, 개개인의 욕망에 대한 고객 맞춤형 정서 서비스를 제공한다.

　　사기의 배후에는 대개 조직된 작업단이 존재한다.[J] 대부분 편지 쓰는 사람은 남성이며, 전화를 거는 따위의 생생한 모습을 보여 주기 위해 자주 여성이 보조로 일한다.[K] 이런 커넥션의 글로벌하고 포스트 식민적인 측면은 일부 사례들에서 강조되어 왔지만 그것의 전반적인 함의는 논의되지 않은 채로 남아 있다. 우리는 정보 격차와 불균등 발전에 기반을 둔 글로벌 정치 경제의 맥락에서 이런 문학적 형식의 속임수를 어떻게 이해할 것인가?[L] 적어도 이런 노력의 일부에는 어떤 근원적인 도덕이 있다. 그것은 식민 착취로 약탈당한 재물을 되찾는다는 생각이다.[M] 반제국주의 이데올로기의 잔재들이 파격 변신 티브이 프로그램의 미의 기준과 기이하게 섞인다.

　　　　사기꾼 cecixxxxxx@hotmail.com에 대해 밝혀진 것

J　　다니엘 퀸츨러는 나이지리아 419 사기꾼들이 꽤 느슨하게 조직되고 단체는 보통 다섯 명을 넘지 않지만 대개 다국적으로 조직되며 "프로젝트 위주"라고 주장한다. Künzler, "Who Wants to Be a Millionaire?," 16f.

K　　romancescam.com의 사기 훼방꾼들의 경험에 의하면.

L　　Bjorn Nansen, "I Go Chop Your Dollar: The Nigerian 419 Scam and Chronoscopic Time. A Research Article," *Piracy: anti-THESIS* 18 (2008), 43.

M　　글릭만은 프레드 아주두아(Fred Ajudua)의 사례를 인용하는데, 그는 "검은 로빈 후드"라고 자처하며 "사기는 백인의 노예제와 식민주의에 대한 보상이라고 주장했던" 인물이다. Harvey Glickman, "The Nigerian '419' Advance Fee Scams," 478. 또한 퀸츨러는 대중문화의 여러 출처들 가운데 어느 유명한 나이지리아 극영화의 줄거리를 언급한다. "이 시놉시스는 나이지리아에서 대중적으로 이야기되는 419 사기에 관한 통념을 언급한다. 바로 피해자의 탐욕이라는 통념이다. 이런 생각은 앤디 아메니치(Andy Amenechi)가 유명한 나이지리아 배우 응켐 오우오[Nkem Owoh, 일명 오수오피아(Osuofia)]를 출연시켜 엄청나게 히트한 「마스터」(The Master, 2005)에서도 중심을 차지한다. 데니스(응켐 오우오)는 유럽의 이주자였는데 강제 추방을 당하게 된 후로 줄곧 몸부림쳐야 했다. 어느 날 그는 부유한 족장 이페아니[카나요 O. 카나요(Kanayo O. Kanayo)]를 만나서 419 사업으로 접어든다. (…) 그는 기자들에게 말하면서 외국인들이 탐욕스러우며 노예제와 식민주의를 보상해야 하기 때문에 419들이 정당화된다고 그들을 설득한다." Künzler, "Who Wants to Be a Millionaire?," 13f.

작성자 Rxxxx, 2007년 7월 24일 화요일 오후 9:45
자기 자신을 세시 톰슨이라 칭함

„(...) 저는 사기 사이트 한 곳을 살펴봤고 그/그녀가 같은 사진들로
다른 주소를 사용한 것을 찾아냈습니다. 이번에는 자기가
러시아인이라고 주장하고 있었습니다. 비자와 티켓 사기 등이
이어졌습니다. 저는 이것을 그녀에게 드리밀었고, 그 답변은 이와
같습니다.

"너;는 내가 만나 본 가장 어리석은 남자야.... 모든 백인들은
아프리카인들의 손아귀에서 고통받게 될 거야 , 한 명씩 한 명씩...
너희는 흑인들을 노예로 취급했지, 전혀 문제없어. 너희는 너희가
우리한테 훔친 모든 것을 갚아야 할 것이야, 하나씩 하나씩. 난 널
붙잡을 방법을 안다고 , 머저리야. 너네 백인들한테 똥냄새 나는 거
알고나 있나? 신에게 왜냐고 물을래? 그러면 네놈들이 원숭이라고
불렀던 아프리카인이 너에게 답해 줄 거야... 오 원숭이가 이
세계를 지배하게 될 거야 , 언젠가....더러운 구덩이 속의 바구니.
하얀 개구리.. 넌 너 닮은 암컷 개구리를 찾아서 역겨운 냄새를
풍기는 개구리들을 낳는 게 좋을 거야. 일시: 2007년 7월 24일
화요일 20:58:49."[N]

매우 명백하게도, 419 사기는 더 폭넓은 거시 경제의 쟁점들—나이지리아의
경우에는 1980년 초의 유가 하락에 동반한 부채 위기와 그에 뒤따른 실업과
불안정—과 관련하여 발전한다.[O] 앤드류 앱터(Andrew Apter)는 온라인 사기가
금융의 가치를 창조하는(또는 가장하는) 상당히 허구적인 방식들을 복제하면서
사업적 금융 협약의 뒤집힌 거울상을 제시한다고 주장한다. 또한 허구적인
가치에 대한 물질적인 지시 대상이 사실상 없다는 것은 언어나 재현 체계 그
자체에도 영향을 끼친다. 즉 기표가 떠다니기 시작하고,[P] 그것과 지시 대상의

N   http://www.romancescam.com/forum/viewtopic.php?f=1&t=1555.
O   Nansen, "I Go Chop Your Dollar," 39. 석유 기반 경제와의 연관성은
     Apter, "IBB=419"에서도 세부적으로 탐구된다.
P   Apter, "IBB=419," 299.

연관성은 전적으로 버려지는 않더라도 풀려나는 것이다. 세계화된 금융 자본주의의 폰지 사기와 착각이 개인 맞춤형 로맨스 언어로 번역되고 있다. 앱터는 419 신용 사기가 그야말로 퍼포먼스 예술이라고 명하는데, 그 토대는 일반적으로 증가한 시각적 기만과, 정치에서뿐만 아니라 사유화와 투기에 기반을 둔 경제에서의 텅 빈 가치 형태들이다.[Q] 이는 또한 아주 많은 사람들이 사기에 빠지는 이유도 제시한다. 그것은 사기에 내재하는 착각의 원리가 우리 동시대의 정치적, 경제적 현실의 실체적인 부분을 구성하기 때문이다.

그렇지만 분명히 이 특정한 유형의 퍼포먼스 예술의 젠더적인 측면이 그 금융 협약의 거울상보다 훨씬 더 놀라운 것이다. 백인이나 혼혈의 이성애자 여자, 백인 게이나 이성애자 남자를 가장하는 (대체로) 이성애자 흑인 남성들에 대해 무엇을 말할 수 있을까? 그러고서 일을 벌이다 걸리면 색깔을 바꾸기에(예컨대 백인이나 혼혈에서 흑인으로) 이르는 그들에 대해? 이 모든 와중에 그들은 다른 사람들, 대부분의 경우에는 포르노 신인 배우나 모델의 도용된 사진들을 보낸다.[R]

이것이 어떻게 초기 인터넷 이론에 그득했던 자기 지정 젠더(self-assigned gender)의 해방적인 약속들과 공명하는가? 변장이나 전복은 여전히 이런 맥락에서 타당한 범주들인가? 아니면 차라리 우리는 새롭고 고도로 사유화된 문화 산업 분야들에 대해 말해야 하는가? 일대일로 선보이는 드라마나 아니면 폰지 사기의 서사적 형식에 기반을 둔 개인 맞춤형 모큐멘터리(mockumentary)를 수행하는 분야들에 대해?

로맨스 사기의 생산이 상기시키는 것은 디지털 작업대라는 관념이다. 거기 모인 정렬한 문학적 노동자들은 유연한 분업으로 조직되어 작업을 수행한다(performing work)―또는 흡사 '실재' 금융 부문의 노동자들마냥 실적으로 작업한다(working in performance). 그 생산품은 모든 가능한 고객의 환상을 수용하기 위해 변형되는 연속적인 주문형 정체성이다. 노동으로서의 열정은, 포스트포드주의 시대의 이상적인 노동자들에게 동기를 부여하는 것으로 여겨진 열정으로서의 노동이라는 관념의 뒤집힌 거울상이다.

그새 로맨스 사기는 세계 전체로 퍼졌고, 가난하거나 나이든

Q   같은 글, 272, 279.
R   어쩌면 "나는 지능이 있고 너는 외모가 있으니까 떼돈을 벌어 보자"라고 말할
     수도 있다.

그녀의 이름은 에스페란자였다

여성들, 많은 경우에 가정부들을 겨냥하여 그들이 평생 모은 것을 앗아갔다.[S]
사기꾼들은 취약한 사람들의 감정을 망가뜨리는 것에 개의치 않는다. 그들은
대도시 연애 시장의 폐물을 겨냥한다. 이를테면 싱글 맘, 구닥다리 육신,
왕자님을 꿈꾸는 외국인 가정부. 추한 것이 말을 써서 노리는 약한 먹잇감.

엘비스 프레슬리(와 비지스)는 노래했다. "당신은 내가 한 마디
말도 진심으로 하지 않는다고 생각하죠. 다만 말뿐이긴 하지만 말은 당신의
마음을 온통 훔치기 위해 내가 가진 모든 것이죠."

창조적 언어

말로 행위하는 방법이란? 존 오스틴(John Austin)의 이 아리송한 질문은
이른바 발화 행위 이론을 정초하는 텍스트 중 하나의 제목이다.[T] 오스틴은 말이
순수하게 기술하는 재현이 아니라 행동을 초래할 수 있는 동인이라고 주장한다.
그의 예시들 중 하나—이 맥락에 부합하게—는 서약이 결합을 창조하는 자리인
결혼식이다. 그러나 이것은 종교적인 텍스트에서 늘상 발견되는 한결 더 거창한
발화 행위에 비한다면 차라리 빈약한 예시이다. 창조 자체가 발화 행위에
의해 수행된다. "빛이 있으라"라는 문장이 유일신교도들에게는 세계의 개시를
표시한다. 신적인 발언은 창조적 공포의 한 형태이다. 겁나게 하면서 동시에
감질나게 하는 것이다.

발터 벤야민에 의하면 이런 능력의 더 약한 형태가 인간의 언어로
옮겨 왔다.[U] 작명의 창조적 힘은 다만 신적인 발언의 능력에서 잔류한 것이다.
미셸 푸코가 좀 더 건조하게 언급했듯이 지시와 명령의 힘도 역시 인간

S   Hazel Parry, "Romeo Conmen Target Lonely Hearts," *China Daily,
     HK Edition*, September 22, 2010. 더 많은 정보는 아시아 기반의
     사기들을 소개하는 웹사이트(dragonladies.org)에서 찾을 수 있다.
     중국과 말레이시아에서 사기당한 여성들의 증거가 많이 있고, 또한 아시아
     여성들과의 교제를 약속하며 보통 이른바 번역료를 물리는 데 집중된 사기 등
     아시아에서 비롯된 여러 사기들이 있다.

T   J. L. Austin, *How to Do Things with Words*, ed. J.O. Urmson and
     Marina Sbisá (Cambridge, MA: Harvard University Press, 1962).

U   Walter Benjamin, "On Language as Such and the Languages of
     Men," in *Selected Writings, 1913-1926*, ed. Marcus Bullock and
     Michael W. Jennings, vol. 1 (Cambridge, MA: Harvard University
     Press, 1996), 68f.

언어에서 계속 공명한다.[V] 말의 중요성과 그 적나라한 힘은 과소평가될 수 없다. 말이 세계를 만든다. 또한 말이 세계를 파괴할 수도 있다.

디지털 영역에서 언어의 능력은 기계적 퍼포먼스를 현실화하는 코드로 번역된다. 창조의 발화 행위에서 파생된 언어의 마술이 하드웨어로 행위하기에 지원된다. 코드는 물질을 활성화하고 행동하게 부추긴다. 기계적 언어는 우리가 새로운 말, 새로운 세계, 새로운 언어를 창조할 수 있게 해 준다.

로맨스 사기꾼들의 경우에, 그들의 언어가 지닌 상대적인 새로움은 역설적이게도 그것의 완전히 재활용된 본성에 있다. 물론 이 언어는 전혀 새롭지 않지만 광고 슬로건과 연속극 대화를 통해 충실히 예행연습된다. 그것은 가사 노동 관중에 영합하는 근대 문화 산업의 공통어다. 하지만 그것이 사기꾼들의 언어에서만큼 파편화되고 망가진 적은 거의 없었다.[W] 이런 언어들은 본성상 뻔뻔하게 콜라주되어 있고 번역 기계에 의해 명백히 불완전하게 발생하므로, 내가 다른 자리에서 "스팸속"(Spamsoc)이라고 언급한 바 있는 세계화된 언어 집단에 속한다.[X] 스팸속은 스패니시(Spanish)라는 단어가 자동화된 스캐닝 장치에 의해 오인될 때 여러분이 얻게 되는 것이다—나의 예시는 중국 해적판 DVD 포장 뒷면의 영어에 기반을 둔 언어였다. 스팸속은 부서진 언어인데, 왜냐하면 그것이 세계화의 압력과 젠더화된 단층선을 반영하기 때문이다. 포스트-포스트 식민적인 언어의 위계들, 프리랜서 노동의 젠더화된 분업, 또한 저작권과 디지털 레버리지를 두고 진행되는 글로벌한 갈등이 속하는 체제 속에서, 스팸속과 그 무수한 파생어들은 비일관적으로 뒤섞인 위키피디아 항목들과 컴퓨터로 번역된 반쯤의 난센스로 등장한다.

로맨스 사기꾼들의 언어는 대부분의 경우에 지역색을 띠며, 너무 정중하고 종종 부자연스러운 언어를 채택한다.[Y] 그것은 숱한 부조화와

V 예를 들면, Michel Foucault, "Truth and Power," in *Power/Knowledge: Selected Interviews and Other Writings 1972-1977*, ed. Colin Gordon (New York: Pantheon, 1980), 109-133.

W Nansen, "I Go Chop Your Dollar," 38.

X Hito Steyerl, "Notes about Spamsoc," *Pages magazine* 7 (2009), 59-67을 보라.

Y 사기 메일 언어의 특징을 조사한 것으로는 다음을 보라. Jan Blommaert and Tope Omoniyi, "Email Fraud: Language, Technology and the Indexicals of Globalisation," *Social Semiotics* 16:4 (2007), 573-605.

실수투성이로 세계 곳곳의 이른바 스팸 훼방꾼들에게는 웃음거리이다. 그러나 경멸은 너무나 방어적이고 분개하는 반응이다. 이런 임시변통의 말투는 멜로드라마로 번역된 극도로 복합적인 지정학적 상황들의 구조적 긴장을 표현한다. 언어와 번역에 관한 발터 벤야민의 성찰이 이 문제를 첨예하게 제시한다. 의미의 격차 속에서 원본적인 말의 힘은 여전히 빛을 발하는데, 아마도 말이 내용에서 거의 벗어나 의미 작용이 결여된 순수한 웅얼거림과 더듬거림과 유사해지기 시작할 때 가장 그럴 것이다.[Z]

창조의 광채는 거의 로봇처럼 반복하는 낭만적인 키워드 속에서도, 뒤섞이고 도용되고 콜라주된 무의미한 정서적 어휘의 잔해 안에서도 퍼진다. 마치 언어의 모방적 힘은 부서뜨릴 수 없을 뿐만 아니라 심지어 역설적이게도 파편화와 압축으로 증가하는 것처럼 보인다.

그러므로 새로운 디지털 포스트-영어적인 언어들은 결함이 있는 것이 전혀 아니라, 이와 반대로 우리가 유감스럽게도 아직 충분히 이해할 수 없는 어떤 도래할 세계에서 온 언어들이다. 로맨스 사기꾼의 언어는, 언어와 가치가 재난 자본주의의 정서적 플롯 내에서 현실을 놓아 버림에 따라 텅 빈 가치 형태들이 영속적인 자유 낙하에 사로잡혀 추락하는 미래에서 온 메시지이다.

마음을 온통

장례식이 끝나고 저는 고인의 재산을 정리하는 데 필요한 모든 것을 살펴보기 시작했습니다. 그런 일에 처하면 누구라도 알겠지만 아주 골치 아픈 일이었습니다. 저는 청구서와 웨스턴 유니온 명세서를 들여다보기 시작했고, 모든 것은 그의 예비 신부를 가리키고 있었습니다. 이후 수개월에 걸쳐 그의 자산, 컴퓨터 파일, 청구서를 검토했습니다. 고인은 빈털터리였습니다. 집을 잃었고,

---

Z   Walter Benjamin, "The Task of the Translator," in *Selected Writings, 1913-1926*, Vol. 1, 253-263: "언어의 흐름에서 충만하게 형성된 순수한 언어를 다시 획득하는 것이 번역의 굉장하고 유일한 능력이다. 이런 순수한 언어—더 이상 아무것도 의미하거나 표현하지 않으며, 비표현적이고 창조적인 말로서 모든 언어들에서 의도된—속에서, 마침내 모든 정보, 모든 의미, 모든 의도가 하나의 지층과 마주치는데, 거기서 그것들은 소멸되는 운명에 처하는 것이다."(261)

면세 미술

자동차 할부금이 밀려 있었습니다. 신용 카드는 한도에 다다라 있었습니다. 그는 재정적인 곤란에 처해 있었습니다. 저는 여기 있어야 할 그녀는 어디에 있을까 생각했습니다. 저는 편지들을 읽고 고인의 컴퓨터를 들여다보기 시작했고, 수개월이 지난 후에 모든 것이 분명해졌습니다, 그녀는 그와 결혼할 의도가 없었던 것입니다. 그녀는 그를 만나러 오는 것을 두 차례 취소했을 뿐만 아니라, 또한 그를 두 차례 공항에 남겨 두었습니다. 제가 수집하고 입증할 수 있었던 것으로부터 종합해 보면, 고인은 2년 남짓의 시간 동안 그녀에게 3만 달러 이상의 돈을 주었던 것입니다. (...)

그녀는 호텔 라운지에서 저를 만나기로 되어 있었습니다. 그래서 저는 먼저 내려가 술을 몇 잔 마시며 기다렸습니다. 그리고 그녀가 걸어 들어오는 것을 보았습니다. 저는 매우 감탄했고, 상황을 잘 알고 있지 않았더라면 저 역시도 사랑에 빠졌을 것입니다. 그녀는 매우 우아했고, 사진에서보다 더 아름다웠습니다. 그녀의 영어는 완벽했고, 우리가 전화로 통화한 때보다 훨씬 더 나았습니다. 이윽고 생각해 보니? 전화상에서는 그녀가 아니었습니다. 그럼에도 불구하고, 우리가 술을 마시며 이야기를 나누었을 때, 저는 그녀에게 러시아 여성과 사랑에 빠져 결혼하기로 했던 제 친구에 관해 말하기 시작했는데, 그녀는 제 이야기에 매우 집중했고, 자주 웃음을 띠었고, 제 손을 움켜잡고, 제 말을 빠짐없이 귀담아 듣습니다. 저는 여러분 모두에게 얘기한 대로 제 이야기를 마쳤습니다. (그렇지만 단지 기본적인 것만입니다) 그녀에게 제 친구가 그녀를 미국으로 데려오기 위한 모든 준비를 마쳤고, 러시아에서 그녀를 돌봤지만, 그녀는 그를 떠났다고 말했습니다, 그녀에게 그의 죽음에 대해서도 말했습니다. (...) 그녀는 매우 슬퍼했고, 이제야 왜 제가 그녀와 그녀의 사랑에 관해 그렇게 조심했는지 알았다고 말했습니다. 그렇지만, 눈길을 달라고 제게 말했습니다 (저는 여기에 바로 여기에 당신과 함께 있습니다.) 저는 제가 살아 있는 동안은 그녀가 했던 저 말들을 결코 잊지 않을 것입니다. 저는 그녀를 쳐다보았고, 제 양복 주머니에 손을 넣어, 그녀에게 봉투를 건네주었습니다. 그녀는 웃음을 띠었고 눈동자를 반짝였습니다, 저는 그녀가 봉투에 돈이

있겠거니 생각했다고 봅니다 그녀가 봉투를 열었을 때, 저는
그녀의 얼굴 표정을 결코 잊지 못할 것입니다. 그 봉투에는 두 장의
사진이 있었습니다, 제 친구와 그녀가 모스크바에서 찍은 사진,
그리고 그의 묘비 사진, 이에 덧붙여 그들에 이름이 적힌 비자
신청서가 있었습니다.[AA]

사기 당한 사람들과 사기 치는 사람들이 현격히 다름에도 불구하고 한 가지
감정이 그들을 결속시킨다. 이 감정은 희망이다. 사기꾼의 경우에 이 희망은
물질적인 것일 수 있는 반면, 사기 당한 사람들의 경우에 그것은 동시에
감정적이면서 물질적인 것일 수 있다.

어쩌면 이 희망은 어떤 더욱 일반적인 상황을 시사하는 것이기도
하다. 아마도 서한의 정서에 투여된 희망의 목표는, 삶이 "언제나 벌써"[AB] 끝난
것으로 보이는 포스트들의 시대의 지루한 시간성을 중단시키는 것이거나,
가정부와 싱글 맘을 비롯한 디지털 멜로드라마의 표적이 되는 관객들을 위하여
재생산 노동의 반복적인 현실을 폭파시키는 것이다.

어쩌면 더더욱 일반적으로는 상황이 불안정하고 불안전할수록
희망은 증식한다. 사랑이 공짜가 아니라도, 희망은 공짜인 것으로 보인다.
하지만 희망도 역시 자본주의가 즐겨 쓰는 연료이며, 자본주의의 영원히 재생
가능한 희소 자원 중 하나이다. 아메리칸드림과 그것의 무수한 프랜차이즈화된
버전들은 희망에서, 거의 전적으로 희망에서 운동량을 얻는 거대한
소용돌이다. 희망은 속임수와 착취를 위한 트로이의 목마다. 또한 변화를
위한 온갖 탐색을 추진하는 요소다.

이런 희망은 급진적이고 돌이킬 수 없는 변화의 순간을 비밀스럽게
열망할 수도 있다. 혁명이 아니라 아마도 뜻밖의 계시를, 이야기의 갑작스러운
반전의 순간을. 그것은 모든 것이 아직은 달라질 수도 있으며 변화가 손닿을
곳에 있다는 희망이다.

AA   다음의 익명 보고서에서 발췌. "Doc's Story," in *The Scam Survivors'*
     Handbook (2010), romancescambaiter.com.

AB   최고로 남용된 포스트 시기의 슬로건 중 하나를 인용한 것.

면세 미술

제 이름은 에스페란자이고 저는 죽지 않았습니다. 제게
esperanza112@hotmail.com으로 연락 주십시오.

살아 있습니다

답장

esperanza가 dsmcdaid에게, 세부 보기 오전 10:22(0분 전)

맥데이드 씨에게,

제 이름은 에스페란자이고 저는 죽지 않았습니다.

　　저는 귀하께서 2011년 4월 18일 미국 로드아일랜드에 계시는 제 시어머니 나가코 슈타이얼에게 보내신 혼란스러운 편지를 읽고 있습니다. 귀하는 고인이 된 제 남편 히로시 J. 슈타이얼이 사고로 사망했다고 주장하시는데, 그것은 사실입니다. 그렇지만 귀하의 잘못된 견해와는 반대로, 고인의 아내인 저는 버마의 비행기 사고에서 기적적으로 생존했습니다. 다행스럽게도 제 아들도 생존했습니다. 저희는 지금 랑군의 한 병원에 머물며 지독한 부상에서 회복하고 있고, 희망적이게도 다음 주면 붕대를 풀게 될 것입니다.

　　비통하고 궁핍한 과부로서 저는 귀하께서 고인이 된 제 남편에 자금을 그의 최근친인 제가 아닌 다른 누군가에게 지급하려 계획한다는 것을 듣고 무척 놀랐습니다.

　　그러므로 저는 귀하께 이 자금을 제 은행 계좌로 즉시 송금하실 것을 촉구합니다.

이만 줄이겠습니다

에스페란자

국제디스코라틴어

다른 얘기로 시작해 보자. 영국디스코애호가(English Disco Lovers)에 대해 들어 본 적이 있는가? 페이스북과 트위터에서 그들과 머리글자가 같은 쌍둥이—역시 약자로 'EDL'인 인종주의적인 영국방위동맹(English Defence League)—보다 우월한 화력(또는 사랑)을 행사하려 하는 환상적인 온라인 프로젝트다. 이를 위해 그들은 이중 언어 슬로건 "Unus Mundas, Una Gens, Unus Disco(하나의 세계, 하나의 인종, 하나의 디스코)"를 사용한다. 물론 영국디스코애호가의 명칭은 원본의 고의적인 오독이며, 성공적으로 실패한 사본이 번역으로 생성된 것이다.

많은 전시 보도 자료의 경우도 마찬가지다—혹은 알릭스 룰(Alix Rule)과 데이비드 레빈(David Levine)이 그들의 널리 읽힌 논문 「국제미술영어」에서 그렇게 주장한다.[A]

국제미술영어(International Art English), 약칭 'IAE'는 동시대 미술 보도 자료에서 쓰이는 단연코 어설픈 영어에 그들이 붙인 명칭이다. 룰과 레빈은 국제미술영어를 조사하기 위해서 『이플럭스』(e-flux)를 통해 배부된 그런 텍스트들 일체에 대한 통계 연구에 착수한다.[B] 그들은 그 텍스트들이 대륙 철학의 오역에서 흔히 부주의하게 도용된 거창하고 텅 빈 용어들로 가득한 왜곡된 영어로 집필된다고 결론짓는다.

지금까지는 괜찮다. 하지만 그들이 실제로 검토하고 있는 것은 무엇인가? 출판물의 무언의 위계 내에서 보도 자료는 심지어 밑바닥에도 겨우 미치는 수준이다. 초파리 한 마리 수명만큼 연명하며 먹거리 한 차례 살 목록만큼 내다보는 것이다. 서둘러서 취합되고, 짧은 시간 배포되고, 빈약하게 표현되는 이런 편지 더미들은 우리의 꽉 들어찬 편지함 속에서 주의를 끌려고 경쟁한다. 보도 자료는 세계 이곳저곳의 혹사당하는 저임금 조수와 인턴에 의해 전형적으로 집필되므로, 그것의 젠체하는 산문은 그걸 쓴 사람들의 낮은 지위와 가장 통렬하게 대조된다. 보도 자료는 디지털 스팸에 대한 미술계의 등가물로서, 연쇄적으로 유명 인사를 들먹이고 준해체적으로 때 빼고 광내면서 음경 확대 광고와 치열하게 경쟁한다. 그리고 보도 자료는 미술 글쓰기의 대부분을 구성할

A   Alix Rule and David Levine, "International Art English," *Triple Canopy* 16 (2012).

B   나는 과거에 『이플럭스 저널』(e-flux journal)에 광범위하게 기고한 바 있어서, 그 논쟁에서 어떤 중립적이고 객관적인 입장을 취할 아무런 명분이 없고, 국제미술영어 스팸을 완전히 의식한 공동 생산자임을 엄연히 자인한다.

테지만 또한 형식과 내용 모두에서 가장 저급한 계층이기도 하다. 따라서 이것을 미술 용어의 표본으로 주목하는 것은 흥미로운 선택인데, 왜냐하면 그것은 정확히 대표적인 것이 아니기 때문이다. 한편, 권위적인 고급의 미술 글쓰기는 MIT 출판사 지불 장벽 뒤에서 계속 거들먹거리며 고이 남는다.[C]

그렇다면 룰과 레빈이 조사한 표본에서 사용되는 언어는 무엇인가? 저자들이 이론의 여지없이 입증하듯이 그것은 부정확한 영어이다. 이것은 보도 자료들을 영국 영어 용법의 데이터베이스인 영국국립코퍼스(British National Corpus, BNC)와 통계적으로 비교함으로써 증명된다. 놀랄 것도 없이, 이것은 국제미술영어의 일탈적인 본성을 노출시키는데, 저자들의 주장에 의하면 그것은 방대한 외래적인―주로 라틴계의―요소들, 수십 년간 오역된 대륙 미술 이론의 잔재들로부터 파생된 것이다. 이로써 창조된 조악한 언어를 룰과 레빈은 포르노에 비교한다. "우린 보면 안다"는 것이다. 따라서 한편에는 영국국립코퍼스의 용법, 즉 정상적인 영어가 있다. 다른 한편에는 국제미술영어가 있다. 일탈적이고 포르노적인. 오, 또한 동떨어지는.

그러나 여기서 음란물을 기꺼이 작성하고 있는 자는 누구인가? 룰과 레빈에 의하면, 국제미술영어는 스코페의 어떤 익명의 미술 학도에 의해서, 스페인의 무르시아 동시대 미술 프로젝트에서, 타냐 브루게라(Tania Bruguera)에 의해서, 중국 문화부의 인턴들에 의해서 구사되거나 구사됐을 것이다.[D]

이 시점에서 나는 묻지 않을 수 없다. 어째서 스코페의 미술 학도― 또는 저 사안과 관련해서 그 누구라도―가 영국국립코퍼스에 따라야만 하는가? 어째서 모두가 영국국립코퍼스와 동일한 빈도와 통계적 분포로 영단어들을 사용해야 하는가? 유일하게 가능한 이유는 그 저자들이 영국국립코퍼스가 영어가 영어이기 위한 무언의 척도라고 상정한다는 것이다. 그것이 표준 영어, 즉 규범이라는 것이다. 그리고 이런 규범은 세계 각지에서 단호하게 수호되어야 한다는 것이다.

C   테일러 앤드 프란시스를 비롯하여 공적 자금이 지원된 학술 저술을
     반(半)독점한 포주들을 참고하라.
D   타냐 브루게라가 통계적으로 정확한 영어를 위반한 것은, 룰과 레빈에
     의하면, '현실'(reality)이라는 단어를 남용한 것이다. 이제 나는 '현실'이
     영국국립코퍼스에 아주 자주 등장하지 않는 것에 놀라지 않는다. 지난 수십
     년간 영국은 '현실'에 더욱 집착해 왔기 때문이다. 그렇지만 '현실'이라는
     단어를 소위 포르노적인 언어의 핵심 용어로 만드는 것은 그것을 좀 너무
     부정하는 것이다.

믈라덴 스틸리노비치, 「영어를 말하지 못하는 미술가는 미술가일 수 없다」
(An Artist Who Cannot Speak English Is No Artist), 1992.

믈라딘 스틸리노비치(Mladen Stilinović)가 오래전에 우리에게
말했던 바, 영어를 말하지 못하는 미술가는 미술가가 아니다.[E]

이제 이것은 갤러리 인턴들, 전시 기획 대학원생들,
카피라이터들로 확장된다. 그리고 우리의 사랑하는 외견상 글로벌한 미술계
안에서조차 표준영어방위동맹이 작동하고 있으며 영국국립코퍼스는 그것의
암묵적인 기준점이다. 그것의 규범들은 단지 문법과 철자뿐만 아니라 또한
'부정확한 영어'에 대한 극도로 편협한 관점에 의해 정의된다. 최고의 동시대
정치 이론 번역가 중 한 명인 에일린 디리그(Aileen Derieg)가 멋지게
주장했던 것처럼, '부정확한 영어'라는 것은 "가장 단순하고 가장 표층적인
용어로 작성되지 않은 것이며, 그것을 읽는 사람은 그들이 미리 알고 있지 않은
것을 이해하려고 굳이 노력하지 않는다."[F]

나의 경험상 '정확한' 영어 글쓰기는 최대한 소박하고 상식적이어야
한다—그리고 믿기 어렵게도 사람들은 이것을 지루한 것이 아니라 하나의

E   믈라덴 스틸리노비치, 「영어를 말하지 못하는 미술가는 미술가일 수 없다」,
     1994-1996. 현수막에 자수.
F   사적으로 나눈 대화에서.

　　　　　　　　　면세 미술

미덕으로 간주한다. '정확한' 영어 미술 글쓰기의 절정은 표준적인 동시대 미술 잡지인데, 그것은 너무나 두려움이 많아서 아무것도 말하지 못하고 대개 영국국립코퍼스 규범에 맞게 보도 자료를 고쳐 쓰는 데 자족한다.

하지만 표준적인 영어 미술 글쓰기의 주요한 공식 규칙은 나만의 비체계적인 통계 분석에 의하면 다음과 같다. 당신보다 유력한 그 누구라도 결코 공격하지 말라. 이 규칙은, 큐레이터들의 관심을 끌려는 희망으로 몇몇 기구한 용어들을 취합하는 허구적인 발칸의 미술 학도를 조롱하는 국제미술영어 원고에서 완벽하게 준수된다. 물론 이것은 어쩌면 매일 일어나는 일이다. 그렇지만 그건 너무나 치사한 짓이다.

이는 동시대 미술계와 그것의 터무니없는 취향, 그것의 가식적인 용어들과 거들먹거리는 힙스터의 전형을 마냥 비웃지는 말아야 한다는 얘기가 아니다.

물론 우리는 미술계의 용어에 감춰진 돈세탁과 포스트 민주주의적인 폰지 사기를 어느 언어로도 공격하거나 아니면 기술하기라도 하는 필자들이 부족한 실정이다. 예컨대 터키나 스리랑카의 포스트 대량 학살, 젠트리피케이션이 주도하는 미술 호황에 대해 감히 이야기하는 사람들은 많지 않다. 나는 국제미술영어에서든 쿠르드어에서든, 풍자적인 것이든 진지한 것이든 이런 전개들에 대한 통계 조사가 많으면 정말 좋겠다.

그렇지만 이것은 룰과 레빈의 관심사가 아니다. 대신 그들은 통계적 의심을 넘어서 국제미술영어가 일탈적인 영어임을 입증한다. 좋다, 하지만 어쩌라고? 더욱이 이런 판결은 새로운 언어들이 창조될 때 작동하는 순전한 야생성을 과소평가하고 있지 않은가? 알렉스 알베로는 광고와 홍보가 1960년대 초창기 개념미술을 위한 맥락을 결정적으로 창조했음을 보여 준 바 있다.[G]

그렇지만 동시대 디지털 확산과 유통의 우여곡절, 그 부인할 수 없는 오류들과 희열들은 룰과 레빈이 주목하는 것이 아니다. 번역과 언어의 정치학도 역시 아니다. 그들의 목적은 비표준 영어를 식별하는 것이다(또는 비자발적인 시라고 생색내며 칭찬하는 것이다). 그렇지만 우리는 그들의 분석을 단지 두서없는 외국인들에 대한 자국어 보호주의적인 경멸이라고 과소평가하지 말아야 한다.

모스타파 헤다야(Mostafa Heddaya)는 한 훌륭한 논고에서 국제미술영어 미술 용어가 동시대 미술이 독재자와 집권층을 위한 필수적인 액세서리가 된 다극적인 미술계에서의 정치적 탄압과 틀림없이 공모하고

있다고 지적했다.[H] 헤다야는 국제미술영어가 대규모의 착취―아부다비의
사디야트섬에서 논란을 야기한 뉴욕 대학교와 구겐하임의 단지 건설과
같은―를 애매모호하게 만드는 데 쓰임을 강조함으로써 논쟁에 극도로 중대한
개입을 해낸다.[I]

　　동시대 미술의 글로벌한 생산과 확산을 통해 태어난 모든 것은,
국제미술영어의 또 다른 외국인 선구자 칼 마르크스를 인용하자면, 머리에서
발끝까지 모든 구멍에서 피와 오물을 흘리고 있다. 이는 분명히 많은 사례의
국제미술영어를 포함하며, 그 확산을 결코 독점하진 않더라도 부채질하는 것은
신봉건주의적이고 극보수주의적이고 권위주의적인 동시대 미술의 돈벌이다.
국제미술영어는 단지 인턴들과 비모국어 영어 사용자들의 언어만은 아니다.
또한 그것은 미술을 수단으로 세계 전역에서 작동하는 갱신된 본원적 축적의
부작용이기도 하다. 국제미술영어는 오늘날의 미술계와 미술 시장 내의 언어와
유통을 둘러싼 사회적이고 계급적인 긴장들을 정확하게 표현한다. 즉 갈등,
투쟁, 논쟁, 여간해선 보이지 않는 젠더화된 노동의 장소인 것이다. 그것은 그
자체로 탄압과 착취를 지지한다. 그것은 동시대 미술을 1퍼센트가 사용하는
것을 정당화한다. 하지만 또한 그것은 자본주의 그 자체와 흡사하게 계급적,
지리적 이동을 가능하게 하는 바, 그 이동 제한에 국제미술영어의 사용자들이

G　　In Alexander Alberro, *Conceptual Art and the Politics of Publicity*
　　　(Cambridge, MA: MIT Press, 2003). 나는 여기서 세계화 속의 번역을
　　　연구하는 흥미진진한 학문 분과에 대해 개괄하고 있다. 이 학문의 일부
　　　성과들은 인터넷(translate.eipcp.net)에서 열람할 수 있다. 그 웹사이트의
　　　연구자들과 이 학문의 종사자들 중에는 가야트리 스피박(Gayatri
　　　Spivak), 존 솔로몬(Jon Solomon), 보리스 부덴(Boris Buden), 로지
　　　브라이도티(Rosi Braidotti), 안토넬라 코르사니(Antonella Corsani),
　　　슈테판 노보트니(Stefan Nowotny)가 있고, 그 외에도 하나같이 유명한
　　　사상가들이 많다. 그들의 연구는 권력, 언어, 신자유주의적 세계화를 다루며,
　　　난민 투쟁 같은 사례 연구나 역사적 탈식민화에 관한 독특한 관점을 자주
　　　활용한다. 이 학문은 소수자 언어, 신생 언어, 잠입된 언어가 동시대의 정치적
　　　현실에서 맡는 역할을 강조한다. 아! 또다시 '현'으로 시작하는 단어가 나왔다.
　　　이 각주를 성인용으로 지정하라!

H　　Mostafa Heddaya, "When Artspeak Masks Oppression,"
　　　hyperallergic.com, March 6, 2013.

I　　2013년 1월 7일 gulflabor.wordpress.com에 게재된
　　　걸프레이버(GulfLabor)의 공개 성명과 theartnewspaper.com에 실린
　　　구겐하임의 답변을 보라.

종종 노골적으로 반항하는 것이다. 그것은 디지털 공통어를 창조하며, 그 오작동을 통하여 미래의 대중, 즉 미리 구성된 지리적, 계급적 모형 너머로 확장하는 그런 대중의 윤곽을 보여 주기 시작한다. 또한 국제미술영어는 동시대 미술이 수상쩍게 금융에 관여하는 몇몇 가장 확연한 측면들을 (흔히 동조하지 않는) 국가 포럼의 범위를 넘어서 대중에게 일시적으로 노출하는 데 사용될 수 있다. 결국, 또한 국제미술영어는 반대자, 이민자, 변절자의 언어이다.

역시, 이 모든 것은 룰과 레빈의 관심사가 아니다. 좋다. 나는 정치 경제가 영국국립코퍼스에서 매우 중요하다고 믿지는 않는다. 하지만 그들의 논문은 헤다야의 논변의 이면을 완벽하게 표현한다. 왜냐하면, 룰과 레빈이 정확하게 진술하듯이, 국제미술영어가 너무나 글로벌해져서 아무도 겁박하지 못하게 된 다음에 미래는 관습적인 식자층의 영어로 회귀하는 데 있기 때문이다. 그리고 영어의 승인된 용법을 화폐로 만들어 독점하는 거대하고 증대하는 학술 산업이 입증하듯이 사실 이것은 먼 미래가 아니라 현재이다. 영국과 미국의 공동 학계는 국제 교육 시장에서 한 가지 주요한 이점을 지닌다. 그것은 번듯한 영어 실력을 제공할(그리고 단속할) 수 있다는 것이다.

사우바도르 다 바이아의 어떤 갤러리도, 카이로의 어떤 프로젝트 공간도, 자그레브의 어떤 기관도 영어에서 벗어날 수 없다. 그리고 영어는 제국의 도구이며, 언제나 그러했다. 영어는 원어민에게 하나의 자원이며, 지구 전역의 무수한 장소에서 보편적으로 고용될 수 있음을 보장한다. 미술 기관, 대학교, 칼리지, 페스티벌, 비엔날레, 출판사, 갤러리들은 보통 미국과 영국의 원어민을 직원으로 채용할 것이다. 분명히 여타의 자원과 마찬가지로 취업은 특권을 보호하고 영속시키기 위해 제한될 필요가 있다. 세계 전체의 인턴들과 조수들은 그들의 국내 교육─그리고 대체로 공교육─으로는 도저히 안 될 것이라는 얘기를 듣는다. 당신이 외국인이라는 견딜 수 없는 출신의 족쇄를 떨쳐 낼 유일한 방법은 컬럼비아나 코넬에 다니는 것이다. 그곳에서 당신은 흠 잡을 데 없는 영어를 구사하는 법을 배울 수 있을 것이다─어떠한 외국인 악센트나 비원어민 구문에도 더럽혀지지 않은. 그리고 등록금으로 1년에 3만 4740달러를 납부하는 두어 개의 대학원 과정을 마친 후에 당신은 또 다른 인턴직을 찾을 수도 있을 것이다.[J]

그러나 내 말의 방점은 여기에 있다. 당신이 이런 교육을

J   예컨대 artwriting.sva.edu를 보라.

사디아트섬에서 받게 될 수 있다는 것이다. 그 섬에 뉴욕대가 캠퍼스를 건립하고 있는데, 유료 고객을 위한 그곳의 매력이란 공인된 영어를 비원어민에게 가르칠 수 있다는 것이다. 헤다야의 논변과 관련하여, 프랑크 게리(Frank Gehry)의 요새는 단지 아시아 노동자들을 착취한 것뿐만 아니라 또한 '정확한' 영어 글쓰기 실력을 판매한 것을 통해 대가를 받게 될 것이다.

아니면 당신은 이런 종류의 교육을 위해서 베를린에서 돈을 지불할 수도 있다. 베를린에서 영국과 미국의 교육 프랜차이즈들은 올바른 영어를 배우려는 학생들에게 1년에 1만 7000달러를 청구하면서 그 도시 자체의 확실히 형편없고 부적합하고 편협한 무상의 미술 학교와 차차 경쟁하기 시작했다.[K]

아니면 당신은 그런 교육을 위해서 이미 수많은 프랜차이즈가 존재하는 중국에서 돈을 지불할 수도 있다. 중국에서 억압적인 미술 발화는 곧 새것 같은 영국국립코퍼스 영어로 인도될 것이다. 오래된 제국적 특권은 해체적인 집권층의 표면 뒤편에 더없이 편안하게 자리하며, '정확한' 영어의 단속은 국제미술영어로 촉진된 신봉건주의의 이면이다. 그런 교육은 당신을 채무자로 남게 할 것인데, 왜냐하면 당신이 이런 실력을 습득하기 위해서 당신의 미래를 담보나 판돈으로 내놓지 않는다면 당신은 단일 언어만 사용하는 미국의 교수들이 수십 년 전에 잘못 번역한 일부 비판이론을 취합했다는 이유만으로 무보수 인턴직 시장에서 창피스럽게 밀려날 것이기 때문이다. 스코페의 미술 학도에게 관건은 더 이상 '게재하느냐 도태하느냐'가 아니다. 이제는 '지불하느냐 도태하느냐'이다!

그렇기 때문에 나는 누군가가 '자기의 생각을 개진'하든, '문제를 제기하는' 데 종사하든, '동시대 현실의 모델을 수집'하든 전혀 관심이 없다. 모두가 사립 고등 교육을 다년간 받을 만큼 운이 좋거나 부유하지는 않다. 보도 자료는 그 문장이 아무리 난삽하더라도 포식자가 되고파서 티라노사우루스와 맞붙으려는 진실하고 흔히 고통스러운 시도를 전달한다. 그리고 아나 테이셰이라 핀투(Ana Teixeira Pinto)가 말한 것처럼 정말로 중요한 것은 문법 규칙을 붕괴시키지 않고서는 말해질 수 없다.

참으로, 현재 상태의 국제미술영어는 좀처럼 이렇게 할 만큼

K 죄송하게도 이건 내 잘못이다! 또한 나는 이런 체계 속에서 일하는 까닭에, 온전한 프리랜서들이 시장에 남으려면 분명히 받아들여야만 할지도 모를 '정확한' 영어 글쓰기 규칙들을 부분적으로 무시할 수 있다.

면세 미술

대담하지 않다. 어떤 수준에서도 충분치 못했던 것이다. 한 가지 이유는 아마도 그것이 라틴어(와 그 외의 언어)를 너무나 심각하게 도용해 왔기 때문일 것이다. 국제미술영어는 터무니없이 박식을 표방하는 것에 집착해 왔고, 여러 세대의 미술 학도들을 비평 연구 세미나로 몰아넣어 내리 졸게 만들어 왔다─스팸의 총합이라는 국제미술영어의 지위가 훨씬 더 흥미로움에도 불구하고 말이다.[ㄴ]

     따라서 우리─이 언어를 유지하며 실제로 사용하는 (나 자신을 포함한) 수많은 익명의 사람들─가 저 언어를 훨씬 멀리 동떨어지게 하고 더욱 낯설게 만들어 어떠한 상상적 원본에서도 단호히 끊어 내면 좋겠다.

     국제미술영어가 더 나아가야 한다면 그 기원이 라틴어라는 주장은 진지하게 오작동될 필요가 있다. 그리고 이렇게 할 방법에 대한 제안으로, 우리가 영국디스코애호가의 도용된 슬로건을 바라보는 것으로 충분하다. Unus Mundas, Una Gens, Unus Disco (하나의 세계, 하나의 인종, 하나의 디스코). 일단 '디스코'라는 단어가 너무 낯설게 들릴 수 있어서 룰과 레빈이 지각 있게 그것을 "음반 재생 가옥"으로 개명하자고 제안할 수도 있다는 것은 무시하자. 왜냐하면 사실 영국디스코애호가의 슬로건은 거의 라틴어로 작문되지 않은 것이기 때문이다. 차라리 그것은 IDL로, 즉 국제디스코라틴어(International Disco Latin)로 쓰인 것이다. 그것은 성별이 교차된 것으로 추정되는 명사들의 돌연변이 형태를 끼얹어 만들어진 퀴어 라틴어이다. 그것은 자신의 디지털 확산, 자신의 구성과 계략을 고려하는 언어이다.

     이것이 내가 소통에 사용하고픈 언어를 위한 템플릿이다. 즉, 예전의 제국적 기업에도, 새롭게 글로벌한 기업에도, 또한 국가적 통계에도 단속당하지 않는 언어─유통, 노동, 특권의 문제들과 맞붙고 맞서는 (아니면 적어도 무슨 말이라도 해내는) 언어, 사치품이나 민족적 생득권이 아니라, 스코페와 사이공 사이에서 인턴들과 외국인 체류자들에 의해 이모티콘 자판으로 만들어진 어떤 선물, 어떤 도둑질, 어떤 과잉 또는 낭비인 언어. 또한 국제디스코라틴어를 선택한다는 것은 어떤 다른 형태의 학습에 전념한다는

[ㄴ]   사석에서 나와 함께 이 문제에 관해 폭넓게 토론한 조슈아 덱터(Joshua Decter), 리처드 프레이터(Richard Frater), 예누스 (Janus Høm), 마틴 레이놀즈(Martyn Reynolds), 크리스토프 셰퍼(Christoph Schäfer), 조란 테르지치(Zoran Terzic) 등에게 감사한다. 니나 파워(Nina Power)는 "국제디스코개소리"에서와 같이 미술 용어를 "개소리"로 개명하자는 유익한 제안을 해 주었고, 나는 이에 전적으로 동의한다.

것을 뜻하는데, 그 이유는 디스코(disco)가 또한 '나는 배운다', '나는 알려고 배운다', '나는 익히게 된다'를 뜻하기 때문이다—가급적이면 수북한 억양을 담은 음악에 관하여. 그리고 공짜로. 그리고 이런 언어 속에서 나는 언제나 보너스(bonus)보다는 항문(anus)을, 도덕(moral)보다는 구강(oral)을, 라틴(Latin)보다는 새틴(satin)을, 가옥(shack)보다는 성교(shag)를 선호할 것이다. 당신이 이것을 포르노스럽다고, 디스코스럽다고, 동떨어진다고, 아니면 단순히 기이하고 낯설다고 불러도 좋다. 하지만 나는 제안한다. 아주 좆같은 영어 수업을 받아 보자!

면세 미술

인터넷은 죽었는가?

인터넷은 죽었는가?[A] 이는 은유적인 질문이 아니다. 인터넷이 기능 장애라거나, 쓸모없다거나, 구닥다리라는 주장을 하는 것도 아니다. 이 질문은 인터넷이 가능성이기를 멈춘 이후 인터넷에 무슨 일이 벌어졌는가를 묻는 것이다. 질문은 문자 그대로 인터넷이 죽은 것인지 아닌지, 어떻게 죽었는지, 누군가 그것을 죽인 것인지 아닌지다.

하지만 인터넷이 끝났을 수도 있음을 어떻게 상상할 수 있나? 오늘날 인터넷은 그 어느 때보다 훨씬 강력하다. 인터넷은 그 어느 때보다 많은 사람들의 상상력, 관심, 생산성을 촉발시킬 뿐 아니라 완전히 사로잡고 있다. 전례 없이 점점 더 많은 사람들이 웹에 의존하고, 내장되고, 감시를 받고, 착취당한다. 인터넷은 압도적이고, 매혹적이며, 즉각적인 대안이 없는 것처럼 보인다. 인터넷은 아마도 죽지 않았다. 그보다는 전면적이 되었다. 혹은 좀 더 정확히 말하자면, 인터넷은 어디에나 있다!

이는 공간적 차원을 암시한다. 하지만 누군가 생각할 수 있는 방식은 아니다. 인터넷은 어디에나 있지 않다. 심지어 네트워크가 기하급수적으로 증식하는 것처럼 보이는 오늘날에도, 많은 이들은 인터넷에 접속하지 못하거나 인터넷을 전혀 이용하지 않는다. 그러면서도, 인터넷은 다른 방향으로 팽창하고 있다. 인터넷은 오프라인으로 이동하기 시작했다. 그러나 어떤 방식으로 작동하는가?

시위대가 TV 스튜디오를 습격해 역사를 만들어 낸 1989년 루마니아의 봉기를 기억하는가? 그때 이미지는 기능을 전환했다.[B] 점령된 TV 스튜디오에서 송출된 방송은 기록이나 자료가 아니라 사건의 활성 촉매가 되었다.[C] 그때 이후, 이미지가 선재하는 조건의 객관적이거나 주관적인 표현 혹은 단지 믿을 수 없는 외양이 아님이 분명해지고 있다. 그보다 이미지는

A   이는 몇 년 전 마리사 올슨(Marisa Olson)과 뒤이어 진 맥휴(Gene McHugh)가 만들어 낸 '포스트인터넷'이라는 용어가 주장한 듯한 말이기도 하다. 한편, 포스트인터넷은 지금 갈수록 사유화된 교환 가치를 지니게 된 것과 대조적으로 부인할 수 없는 사용 가치를 지니고 있다.

B   Peter Weibel, "Medien als Maske: Videokratie," in Von der Bürokratie zur Telekratie. Rumänien im Fernsehen, ed. Keiko Sei (Berlin: Merve, 1990), 124-149, 134f 참조.

C   Cătălin Gheorghe, "The Juridical Rewriting of History," in Trial/Proces, ed. Cătălin Gheorghe (Iași: Universitatea de Arte "George Enescu" Iași, 2012), 2-4.

사람들, 풍경, 정치, 사회적 체계를 형성하고 영향을 끼치며 다양한 지지물 사이를 이동하는 에너지와 물질의 결정점(node)이다.[D] 그들은 증식하고, 변형하며, 활성화하는 기이한 능력을 획득했다. 1989년 즈음 텔레비전 이미지는 스크린을 가로질러 현실로 곧장 걸어가기 시작했다.[E]

웹 기반 시설이 이미지 유통의 회로로 TV 네트워크를 보완하기 시작했을 때 이러한 발전은 가속화되었다.[F] 갑자기 전송 지점이 늘어났다. 손가락 움직임으로 복사하고 퍼트릴 수 있는 이미지 자체는 말할 것도 없고,

D   세시 모스(Ceci Moss)와 팀 스티어(Tim Steer)의 놀라운 전시 설명문. "움직이고 있는 사물은 서로 다른 지점들, 관계들, 존재들에 걸쳐 있지만, 언제나 동일한 것으로 남아 있다. 디지털 파일, 부트렉 사본, 아이콘, 자본처럼, 그것은 이동을 가능하게 하는 다양한 지지물들과 계속 협상하며, 복제되고, 여행하고, 가속한다. 이러한 서로 다른 공간과 형태들을 점유하면서, 움직이는 사물은 그 자신을 언제나 개조한다. 그것은 자율적인 단일한 존재를 지니지 않는다. 그것은 운송의 결정점과 통로의 네트워크에서만 활성화된다. 배포 과정에서도 독립적 출현의 경우에도, 그것은 멈추지 않고 순환하고, 모이고, 흩어지는 확장된 사물과도 같다. 이를 중단시키는 것은 그것을 전파하고 복제하는 과정 전체와 기반 시설, 연쇄를 깨뜨리는 것일 테다." 다음의 사이트에서 원문을 볼 수 있다. seventeengallery.com

E   보다 광범위한 정치적 현상의 한 예는 과도기(transition)다. 라틴 아메리카의 정치적 상황에서 만들어지고 1989년 이후 동유럽의 맥락에 적용되었던 이 개념은 '뒤늦게' 민주주의와 자유 시장 경제를 획득하려고 애쓰는 나라들의 불가능한 따라잡기로 이루어진 목적론적인 과정을 기술했다. 과도기는 지속적인 변화 과정을 암시한다. 그것은 이론상 어떤 장소도 궁극적으로 초기 설정값인 모든 서구 국가의 이상적 자아상처럼 보이게 만들 것이다. 그 결과, 모든 지역은 급격한 변신(makeover)을 겪었다. 실제로, 과도기는 보통 기대 수명의 급격한 하락이 동반된 가차 없는 몰수를 의미한다. 서구 은행 및 보험 회사들이 펜션을 사유화할 뿐 아니라 그것들을 동시대 미술 소장품으로 재투자하는 한편에는, 과도기의 신자유주의의 밝은 미래가 스크린 밖으로 걸어 나와 개인 파산과 짝을 이룬 의료 보험의 부재로 실현된다. 다음을 참조하라. Beat Weber and Therese Kaufmann, "The Foundation, the State Secretary and the Bank," transform.eipcp.net, April 25, 2006.

F   서로 다른 지지물 사이를 이동하는 이미지는 물론 전혀 새롭지 않다. 석기 시대 이래 미술 창작에서 이 과정은 분명히 드러난다. 그러나 여러 이미지들이 제3의 차원으로 바뀌는 편리함은 스케치를 대리석에 손으로 새겨야 했던 시대와는 거리가 멀다. 후반 작업의 시대에, 만들어진 거의 모든 것은 하나 혹은 여러 이미지들을 이용해 만들어지고, 어떤 이케아 테이블도 설치되거나 제작되는 것이 아니라 복사돼 붙여진다.

인터넷은 죽었는가?

스크린은 이제 어디에나 편재하게 되었다. 오늘날 데이터, 소리, 이미지는 스크린을 넘어 물질의 다른 상태로 정기적으로 전환되고 있다.[G] 그것들은 데이터 채널의 경계를 뛰어넘어 물질적으로 나타난다. 그것들은 폭동, 제품, 렌즈 반사 효과(lens flare), 고층 건물, 화소로 된 탱크로 육화된다. 이미지는 접속이 끊기고 묶인 데서 풀려나 스크린 바깥 공간에 모이기 시작한다. 이미지는 공간을 부지로, 현실을 부동산으로 바꾸며 도시를 침범한다. 이미지는 정크공간, 군사 습격, 망쳐 버린 성형 수술로 물질화된다. 이미지는 네트워크를 통해 그것을 넘어 퍼지고, 수축하고 팽창하며, 오도 가도 못 하게 하고 비틀거리고, 경쟁하고 비열하며, 놀라게 하고 간청한다.

그냥 주변을 둘러보라. 인공 섬들은 유전자 조작된 식물과 흡사하다. 치과는 자동차 광고 세트처럼 줄지어 늘어서 있다. 도시 전체가 유튜브 캐드 교습인 양 광대뼈는 에어브러시로 칠해진다. 미술 작품은 전투기 소프트웨어로 디자인된 은행 로비에 등장하기 위해 이메일로 보내진다. 거대한 클라우드 보관 드라이브가 사막 지역의 지평선처럼 쏟아진다. 그러나 실체화되면 대부분의 이미지는 상당히 바뀐다. 그것들은 번역되고, 뒤틀리고, 멍들고, 재구성된다. 그것들은 외양(outlook)과 주변(entourage), 스핀(spin)을 변화시킨다. 매니큐어 클립이 인스타그램 폭동으로 바뀐다. 업로드가 악플(shitstorm)로 내려온다. 움짤(GIF)이 느닷없이 나타나는 공항의 환승구로 물화된다. 어떤 곳에서는 미국 국가안보국 시스템 구조 전체가 구축된 것처럼 보인다. 하지만 그것들을 구글 번역하고 반사 필름을 붙인 창문이 안쪽을 향하고 있는 차고(car loft)를 만든 이후일 경우에 말이다. 스크린 밖으로 걸어감으로써 이미지는 뒤틀리고, 황폐해지고, 포함되고, 다시 섞인다. 이미지는 표적을 잃고, 목적을 오해하며, 잘못된 형태와 색깔을 얻는다. 이미지는 스크린을 통과해 걸어가고, 스크린에서 물러나며, 스크린 속으로 다시 사라진다.

스티븐 샤비로(Steven Shaviro)가 포스트시네마적 정서의 중추적인 예로 묘사한 그레이스 존스(Grace Jones)의 2008년도 흑백

G   신미학(New Aesthetic) 텀블러는 사물과 풍경을 멋지게 지지해 왔고(new-aesthetic.tumblr.com 참조), 대상으로서의 여성(Women as Objects) 텀블러는 이미지가 여성의 몸으로 육화되는 것을 보여 주었다(womenasobjects.tumblr.com 참조). 제스 다링(Jesse Darling)과 제니퍼 챈(Jennifer Chan)의 작업은 이러한 관점에서 마찬가지로 연관이 된다.

면세 미술

비디오 클립 「기업 카니발」(Corporate Cannibal)이 적절한 예다.[H] 지금까지
존스의 비디오에 나오는 포스트휴먼 인물의 무심한 유동성과 변조는 긴축
재정 기반 시설을 위한 청사진으로 시행되고 있다. 나는 베를린 버스 운행
일정이 시종일관—공간, 시간, 인간의 인내심을 끝없이 잡아 늘이고 조이는—이
모델로 운영되고 있다고 단언할 수 있다. 영화의 잔해는 투자의 폐허나 비밀
"정보지배센터"[I]로 재물질화된다.

그러나 영화가 부분적으로 실재가 되기 위해 폭발하여 세계 속으로
들어왔다면, 우리는 영화가 실제로 폭발했음도 받아들여야 한다. 또한 아마도
영화는 이 폭발을 견뎌내지도 못했다.

포스트시네마

오랫동안 많은 사람들은 영화가 일면 살아있는 것이 아니라고 여겨 왔다.
오늘날 영화는 무엇보다도 새로운 텔레비전, 홈 프로젝터 시스템, 레티나
디스플레이 아이패드를 사기 위한 자극 패키지다. 이미 오래전에 영화는
프랜차이즈 제품을 파는 플랫폼이 되었다. 위생적인 멀티플렉스에서 미래의
플레이스테이션 게임의 극영화 버전을 상영하는 것이다. 영화는 토마스
엘제서가 군사-산업-오락 복합체라고 부른 것을 위한 훈련 도구가 되었다.

영화가 언제 어떻게 죽었느냐에 대해서는 모든 이가 각자의 판본을
가지고 있다. 그러나 개인적으로 나는 보스니아 전쟁 중 야이체의 한 작은
영화관이 1993년경에 파괴되었을 때의 파편이 영화에 타격을 가했다고 믿는다.
여기는 '유고슬라비아 민족 해방을 위한 반파시스트 위원회'(AVNOJ)가 2차
세계 대전 시기 유고슬라비아 연방공화국을 세운 곳이었다. 나는 영화가 그
밖의 많은 시간과 장소에서 강타당했다고 확신한다. 영화는 다른 여러 냉전
이후의 충돌뿐 아니라 레바논, 알제리, 체첸공화국, 콩고민주공화국에서 총에
맞고, 처형되고, 굶주리고, 납치당했다. 잘랄 투픽(Jalal Toufic)이 비상한

H 다음의 논문에 실린 스티븐 샤비로의 놀라운 분석을 참조하라. Steven
   Shaviro, "Post-Cinematic Affect: On Grace Jones, Boarding Gate
   and Southland Tales," *Film-Philosophy* 14.1 (2010), 1-102. 그의 책도
   참고하라. Steven Shaviro, *Post-Cinematic Affect* (London: Zero
   Books, 2010).

I Greg Allen, "The Enterprise School," greg.org, September 13, 2013.

재난이라고 부른 사태 이후의 미술 작품들에 대해 썼던 것처럼, 영화는 단지 뒤로 물러나서 접근 불가능해진 것이 아니었다.[J]

영화는 살해되었다, 혹은 최소한 영원히 뇌사 상태에 빠졌다.

하지만 처음의 질문으로 되돌아가자. 지난 몇 년간 많은 이들―요컨대 모든 이들―이 인터넷 역시 낯설어지고 있음을 감지해 왔다. 저작권, 통제, 순응주의가 인터넷을 완전히 감시하고, 독점하며, 살균하고 있음이 명백해졌다. 인터넷은 끝없이 「스타워즈 에피소드 I」을 상영하던 1990년대의 멀티플렉스 영화관처럼 활력에 넘친다. 시리아의 저격수, 파키스탄의 드론, 터키의 최루탄이 인터넷을 쏘았는가? 인터넷은 머리에 총알이 박힌 채 포트사이드의 병원에 있는가? 인터넷은 정보지배센터의 창문 밖으로 뛰어내려서 자살했나? 하지만 이런 종류의 구조물에는 창문이 없다. 또한 벽도 없다. 인터넷은 죽지 않았다. 그것은 산송장(undead) 상태로 어디에나 있다.

나는 마인크래프트 레드스톤 컴퓨터다

인터넷이 오프라인으로 옮겨갔다면 무슨 의미인가? 그것은 비활성이면서 필연적인 것이 되기 위해 스크린을 가로지르고, 디스플레이를 복제하고, 네트워크와 케이블을 뛰어넘었다. 모든 온라인 접속이나 사용자 활동이 모두 끊긴 상태를 상상해 보자. 우리는 접속을 하지 않은 상태가 되겠지만, 그렇다고 이것이 족쇄에서 벗어났음을 뜻하지는 않는다. 인터넷은 생활양식, 감시, 생산, 조직화의 방식으로, 최대치의 불투명성과 짝을 이룬 강력한 관음증의 형태로 오프라인에서 지속된다. 사물 인터넷이 몇몇의 준독점 규칙을 강화하면서 전부 무감각하게 서로서로 '좋아요'를 눌러 대는 광경을 상상해 보라. 등급을 매기는 기관들이 순찰하고 지키는 사유화된 지식의 세계. 헬파이어 미사일이 떨어질 때까지 지능형 자동차(intelligent car)가 생필품을 사러 가는, 강력한 순응주의와 짝을 이룬 극대화된 통제의 세계. 유튜브나 CCTV로 [얼굴을] '식별'한 후 파일을 다운로드한 혐의로 당신을 체포하러 경찰이 집 현관을 두드린다. 그들이 공적 자금을 받은 지식을 유포한 혐의로 감옥에 집어넣겠다고 당신을 위협한다? 아니면 폭동을 막기 위해 트위터를 폭파시키라고 혹

J   Jalal Toufic, *The Withdrawal of Tradition Past a Surpassing Catastrophe* (2009)

당신에게 부탁할까? 악수를 하고 그들을 초대하라. 그들은 오늘날의 4D 인터넷이다.

전면적 인터넷 조건은 인터페이스가 아니라 환경이다. 상상의 사람들, 상상의 구조, 이미지 사물처럼 기존의 매체는 네트워크된 물질에 내재되어 있다. 네트워크된 공간은 그 자체가 매체거나 혹은 오늘날 무엇이든 매체의 난잡한 사후 상태라고 칭할 수 있는 것이다. 그것은 과거의 모든 형식의 매체를 포함하고, 지양하며, 보관하는 삶(그리고 죽음)의 형식이다. 이러한 유동적인 매체 공간에서, 이미지와 소리는 서로 다른 신체와 운반자들을 가로지르며 그 과정에서 점점 더 많은 결함과 흠집이 생기며 변화한다. 게다가 형태만이 아니라 기능도 스크린을 가로지르며 이동한다.[K]

연산과 연결성이 물질에 스며들고, 그것을 알고리듬적 추정의 원재료 또는 잠재적으로 대안적 네트워크의 기본 구성 요소로 만든다. 마인크래프트 레드스톤 컴퓨터가 작업을 산출하기 위해 가상 광물을 이용할 수 있듯이, 살아 있는 재료와 죽은 재료가 천천히 세계를 다층의 본체 기판으로 바꾸며 점점 더 클라우드 성능으로 통합된다.[L]

그러나 이 공간은 음울한 폭풍우와 불안정한 기후의 유동성의 영역이기도 하다. 그것은 이상한 피드백 루프가 돌아가는 엉망이 된 복합성의 영역이다. 부분적으로는 인간이 만들었지만 또한 부분적으로만 인간이 통제할 수 있으며, 움직임, 에너지, 리듬, 복잡화 외에는 그 어떤 것에도 무관심한 상태. 그것은 예전의 로닌[낭인], 걸맞게도 물결의 남녀라 불리는 주군이 없는 프리랜서 사무라이들, 즉 이미지들이 떠도는 세상에서 부유하는 자들, 다크넷 소프랜드의 인턴들의 공간이다. 우리는 이것이 배수 시스템이라고 생각했다. 그렇다면, 이 쓰나미가 어떻게 내 하수구에서 솟아올랐는가? 이 알고리듬이 논을 어떻게 말려 가고 있는가? 얼마나 많은 노동자들이 생활을 쥐어짜고 언제라도 몰입적인 미술 설치나 최첨단 최루탄을 뒤집어쓴 시위로 바뀔 수 있는 안개 속을 헤치며, 지금 멀리서 맴도는 위협적인 클라우드를 절박하게 기어오르고 있는가?

K   Metahaven and Benjamin Bratton, "The Clound, The State, and the Stack: Metahaven in Conversation with Benjamin Bratton," interview, mthvn.tumblr.com, December 16, 2012.

L   위의 글(The Clound, The State, and the Stack)에 주목하게 해 준 조시 크로우(Josh Crowe)에게 감사한다.

이미지가 스크린 너머로 쏟아지며 주체와 객체 물질을 침범하기 시작했다면, 주요하지만 종종 간과되는 결과는 이제 현실이 널리 이미지들로, 혹은 사물, 성좌, 이전에 이미지임이 자명했던 절차들로 구성된다는 점이다. 이는 영화, 사진, 3D 모델링, 애니메이션, 또는 동영상이나 정지 이미지의 기타 형식을 이해하지 않고는 현실을 이해할 수 없음을 의미한다. 세계는 스팸과 스크랩을 편집하고, 포토숍하고, 얼기설기 고친 이미지들뿐 아니라 과거 이미지들의 파편으로 물들어 있다. 현실 그 자체가 후반 작업이 되고, 각본이 되며, 정서가 사후 효과(after-effect)로 부여된다. 좁혀질 수 없는 간극을 지닌 양극단이기는커녕, 이미지와 세계는 많은 경우 그저 서로의 다른 판본이다.[M]

하지만 그것들은 등가물이 아니라 서로에게 결핍이며, 과잉이고, 불균등하다. 그들 사이의 간극은 추측과 강렬한 불안을 자아낸다.

이러한 조건 아래, 생산(production)은 후반 작업(post-production)으로 바뀐다. 이는 세계는 그 도구를 통해 이해될 수 있지만 동시에 그 도구로 인해 바뀔 수도 있음을 뜻한다. 편집, 색 보정, 필터링, 잘라내기 등의 후반 작업의 도구는 재현을 획득하는 것을 목적으로 하지 않는다. 그것들은 이미지뿐 아니라 그 여파로 인한 세계 창조의 수단이 되었다. 그럴싸한 한 가지 이유는 모든 종류의 이미지의 디지털 증식으로 인해 갑자기 너무 많은 세계가 가능해졌다는 것이다. 잘 알려진 보르헤스의 우화를 활용하자면, 지도는 세계와 똑같아졌을 뿐 아니라 그것을 훨씬 더 넘어선다.[N]

광대한 양의 이미지들이─문자 그대로 공중에서 바라본 이미지의 경우처럼─층위들의 혼잡한 적층으로 세계의 표면을 덮고 있다. 지도는 물질적 영토 위에서 폭발한다. 지도는 갈수록 파편화되고 또한 물질적 영토와 뒤얽힌다. 일례로, 구글 맵스의 지도 제작은 거의 군사적 충돌을 일으킬 뻔했다.[O] 보르헤스가 지도가 쇠퇴하리라고 장담했다면, 보드리야르는 반대로 현실이 해체되고 있다고 예상했다.[P]

실상은 둘 다 증식하면서 서로 혼동하고 있다. 휴대용 기기들에서, 검문소에서, 편집 사이에서 말이다. 지도와 영토는 놀이 공원이나

M   Oliver Laric, "Versions," (2012), available at oliverlaric.com/vvversions.htm.

아파르트헤이트 건축처럼 서로 트랙패드의 붓질을 구현하는 데 이르고 있다. 특수무기전술 팀이 아마존 쇼핑 카트를 수색하는 한편, 이미지 층들은 지질학적 지층처럼 서로 붙는다. 중요한 것은 아무도 이를 다룰 수 없다는 점이다. 이 광범위하고 진 빠지는 엉망진창은 실시간으로 편집될 필요가 있다. 필터로 걸러지고, 스캔되고, 분류되고, 선택돼서 수많은 위키피디아 버전으로, 층층이 쌓인, 리비도의, 물류의, 편향적인 지리학이 된다.

　　　　　이는 이미지 생산과 그 결과 이를 다루는 사람들에게도 새로운 역할을 부여한다. 이제 이미지 노동자들은 이미지로 만들어진 세계를 직접적으로 다루고, 이전에 가능했던 것보다 훨씬 빨리 그렇게 할 수 있다. 그러나 생산 또한 구분할 수 없을 정도까지 유통과 섞이게 되었다. 공장/스튜디오/텀블러가 온라인 쇼핑, 집권층 소장품, 부동산 브랜딩, 감시 건축으로 흐릿해진다. 오늘날의 일터는 당신의 하드드라이브, 안구, 꿈을 탈취하는 깡패 알고리듬이 될 수도 있다. 그리고 내일 당신은 미칠 때까지 춤을 춰야 할지도 모른다.

　　　　　웹이 다른 차원으로 쏟아지면서, 이미지 생산은 특화된 장의 경계 훨씬 너머로 이동한다. 그것은 집단 창의성의 시대에 대량 후반 작업이 된다. 오늘날에는 거의 누구나 예술가다. 우리는 판촉하고, 낚고, 스팸을 뿌리고, 연쇄적으로 좋아요를 누르고, 맨스플레인한다. 우리는 듀얼 프로세싱과 스마트폰 정액제에 흥분하고, 일종의 홀로 관계 미술(solo relational art)의

N　Jorge Luis Borges, "On Exactitude in Science," in *Collected Fictions*, trans. Andrew Hurley (New York: Penguin, 1999), 75-82. "그 왕국에서 지도술은 너무도 완벽한 수준에 이르러 한 도의 지도는 한 시 전체를 담고 있었고, 한 왕국의 지도는 한 도 전체를 담고 있었다. 시간이 지나면서 그 거대한 지도조차 만족감을 주지 못했고, 지도 조합들은 왕국과 똑같은 크기에 완전히 왕국과 일치하는 왕국 지도 하나를 만들었다. 지도 연구에 덜 중독되어 있던 다음 세대들은 그 널따란 지도가 쓸모가 없다고 생각했고, 다소 무자비함이 없지 않게도 그 지도를 태양과 겨울의 혹심함에 내맡겨 버렸다. 서부의 사막에는 넝마가 된 그 지도의 잔해들이 지금까지 남아 있고, 동물과 거지들이 산다. 나라 전체에 그것 외에 지도학과 관련한 다른 유물은 없다." [역주: 위의 번역은 스페인어-한국어 직역본인 『칼잡이들의 이야기』, 황병하 옮김(서울: 민음사, 1997)에 수록된 한국어 번역본("과학에 대한 열정』, 같은 책, 67)을 토대로 영문 판본과 대조해 약간 수정한 것이다.]

O　L. Arlas, "Verbal Spat between Costa Rica, Nicaragua Continues," *Tico Times*, September 20, 2013. 이를 언급해 준 케반 젠슨(Kevan Kenson)에게 감사한다.

P　Jean Baudrillard, "Simulacra and Simulations," in *Jean Baudrillard: Selected Writings*, ed. Mark Poster (Stanford: Stanford University Press, 1988), 166-184.

형식으로 트위치를 하고, 트위터를 하며, 누군가를 격려한다(toasting). 오늘날
이미지 유통은 괴상하고 신부족적이며 대부분 미국산인 콘텐츠의 전략적
공유를 통해 선회하는 픽셀들의 매춘을 알선함으로써 작동한다. 있을 법하지
않은 사물들, 유명 인사들의 고양이 움짤, 보이지 않은 익명의 이미지들의
뒤범벅들이 와이파이를 통해 인간의 신체를 떠돌며 증식한다. 만약 누군가가
예술뿐 아니라 민속의 정의를 전면 개편할 준비가 되어 있다면, 어쩌면 혹자는
이런 결과를 민속 예술의 새롭고 활기찬 형식으로 볼 수 있을지도 모른다.
이모티콘을 이용하고 강간 위협을 트위터에 올리는 새로운 스토리텔링
형식은 주의 결핍을 공유함으로써 느슨하게 연결된 공동체를 만들기도 하고
해체하기도 한다.

순환주의[Q]

그러나 이러한 것들은 보이는 것처럼 새롭지 않다. 20세기의 소비에트
아방가르드가 생산주의(productivism)—예술은 생산과 공장에 속해야
한다는 주장—라 부른 것은 이제 순환주의(circulationism)로 대체될 수 있다.
순환주의는 이미지를 만드는 예술에 대한 것이 아니고 이미지를 후반 작업하고,
발매하고, 가속하는 것에 대한 것이다. 그것은 사회망을 통한 이미지의 공적
관계, 광고 및 소외, 가능한 한 상냥하게 텅 빔에 대한 것이다.
　　　　그러나 생산주의자들인 마야코프스키와 로드첸코가
신경제정책(NEP) 시대 과자 광고판을 어떻게 만들었는지를 기억하는가?
열성적으로 상품 물신 숭배에 관여한 공산주의자들을?[R]

Q　　역주: 슈타이얼의 'circulationism'은 중의적 의미를 지닌다. 이미지 경제와
　　　자본주의의 작동 방식을 긴밀히 연결시키는 슈타이얼의 관점에서, 소비에트
　　　생산주의와 대비시켜 이제 제작이 생산이 아니라 유통에 있음을 강조하는 입장에서는
　　　유통주의로 번역할 수 있고, 끊임없이 업로드, 다운로드되며 가속되는 에너지나 힘의
　　　흐름을 강조할 때는 순환주의로 번역할 수도 있다. 이 장에서 'circulationism'과
　　　소비에트 생산주의와의 관계가 대체의 관점에서 대비되기도 하고 재발명의 측면에서
　　　연결되기도 하는 지점을 생각하면, 용어의 이중성은 더욱 복잡해진다. 한국어
　　　어감 때문에 어느 번역도 완전히 만족스럽지 않지만, 전기적 비유로 생산주의와
　　　'circulationism'을 연결시키는 슈타이얼의 언어유희를 고려해 순환주의를 택한다.
　　　전기와 관련해 생산주의와 'circulationism'의 관계를 지적해 준 다음 논문에
　　　감사한다. 김수환, 「보리스 아르바토프 재방문: 히토 슈타이얼과 순환주의의 재발명」,
　　　『히토 슈타이얼-데이터의 바다』(서울: 국립현대미술관, 2022), 483-487.

결정적으로, 순환주의는 재발명된다면 기존의 네트워크를 단락(short-circuiting)시키고, 기업의 친교와 하드웨어 독점을 둘러가고 우회하는 것이 될 수도 있다. 순환주의는 국가의 절시증, 자본의 굴종, 대대적 감시를 노출함으로써 시스템을 재코드화하고 배선을 재배치하는(rewiring) 예술이 될 수 있다. 물론, 순환주의 또한 생산성, 가속, 영웅적 소진에 대한 스탈린주의적 숭배에 제휴한 선례처럼 그냥 잘못 갈지도 모른다. 역사적 생산주의는—사실을 직면하자—완전히 비효율적이었고, 압도적으로 관료적인 감시/노동 현장 때문에 초반에 실패했다. 또한 순환주의가 유통을 개편하는 대신 그저 갈수록 이오시프 스탈린이 사적으로 운영하는 스타벅스 가맹점들로만 가득 찬 쇼핑몰처럼 보이는 인터넷의 장식으로 끝나 버릴 것 같기도 하다.

순환주의가 현실의 하드웨어와 소프트웨어를, 즉 현실의 정동, 충동, 과정을 바꿀 것인가? 생산주의가 노동 숭배로 유지되는 독재에 극히 적은 흔적을 남긴 반면, 순환주의는 안구, 불면증, 노출이 알고리듬 공장인 조건을 바꿀 것인가? 순환주의의 스타카노바이트들(Stakhanovites)[S]은 방글라데시 같은 농장에서 일하거나, 중국의 죄수 수용소에서 가상의 골드를 채굴하거나, 디지털 컨베이어벨트에서 기업의 콘텐츠를 대량 생산하고 있는가?[T]

R   Christina Kiaer, "'Into Production!': The Socialist Objects of Russian Consructivism," *Transversal* (September 2010). "마야코프스키의 광고 음악은 노동자 계층의 소련 소비자들에게 아이러니 없이 직설적으로 말한다. 예를 들어, 국영 농업 협동기업 모셀프롬(МОССЕЛЬПРОМ, The Moscow Association of Enterprises Processing Agro-Industrial Products)을 위한 광고는 다음과 같다. '요리용 기름. 노동자 대중은 주목하세요. 버터보다 세 배 쌉니다! 다른 기름보다 영양가도 더 많아요! 모셀프롬에서만 살 수 있습니다.' 구축주의자들의 광고가 친볼셰비키적이고 반신경제정책 사업의 언어로 말하고 있다는 것은 놀랍지 않다. 하지만 광고 제작자(Reklam-Konstructor)의 광고 사업 그림은 훨씬 복잡하다. 그들의 상업적 그래픽 중 다수는 사회주의적인 사물 이론을 제시하기 위해 계급 차이와 공리주의적 필요성의 직설적인 언어 너머로 나아간다. 이러한 유의 작업이 그저 '때를 기다릴' 뿐이라는 브릭(Osip Brik)의 주장과 달리, 나는 그들의 광고가 이론적 엄밀성으로 혁명 이전 과거의 물질문화들과 신경제정책의 현재, 미래의 사회주의적 새로운 삶(Novy Byt) 사이의 관계를 이끌어 내려고 시도한 것이라고 본다. 그들은 보리스 아르바토프(Boris Arvatov)의 이론에서 도출된 질문에 직면한다. 상품 물신과 시장이 자본주의 아래 조직한 개인의 환상과 욕망은 혁명 이후 어떻게 될 것인가?"

S   역주: 요구받은 것보다 더 많이 일해 충성도와 생산성이 높은 노동자들을 뜻한다.

T   Charles Arthur, "How Low-paid Workers at 'Click Farms' Create Appearance of Online Popularity," *The Guardian*, August 2, 2013; Harry Sanderson, "Human Resolution," *Mute*, April 4, 2013.

그러나 여기에 오프라인으로 이동한 인터넷의 궁극적 결과가 있다.[U] 이미지가 공유되고 유통된다면, 왜 모든 것이 그럴 수 없는가? 데이터가 스크린을 가로질러 움직인다면, 데이터의 물질적 육화도 가게 창문 및 다른 울타리를 넘어 이동할 수 있다. 저작권이 기피되고 의문시된다면, 왜 사유 재산은 그럴 수 없겠는가? 누군가가 페이스북에 한 식당의 요리 이미지를 JPEG 파일로 공유할 수 있다면, 진짜 식사가 안 될 게 뭐 있겠는가? 공간, 공원, 수영장의 정당한 사용을 왜 적용하지 않는가?[V] 왜 접근 개방(open access)을 JSTOR에만 요구하고 MIT나 다른 학교, 병원, 대학에 이를 요구하지 않나? 왜 데이터 클라우드는 슈퍼마켓 습격처럼 해제해선 안 되는가?[W]

왜 물, 에너지, 돔 페리뇽 샴페인은 누구나 쓸 수 있게 만들지 않는가?

순환주의가 무언가를 의미한다면, 그것은 오프라인 분배의 세계, 자원, 음악, 땅, 영감의 3D 전파의 세계로 이동해야 한다. 산송장 상태의 인터넷에서 천천히 물러나 그 옆에 몇몇 다른 것들을 구축하는 게 어떠한가?

U   그것은 화이트 큐브 갤러리에 전시되는 데이터 파생 조각에 갇히는 것이 결코 아니다.

V   "Spanish Workers Occupy a Duke's Estate and Turn It into a Farm," libcom.org, August 24, 2012. "이번 주 초 안달루시아에서 수백 명의 일자리를 잃은 농장 노동자들이 세고르베 공작이 소유한 토지를 둘러싼 울타리를 부수고 침입해서, 그 땅이 자기 것이라고 주장했다. 이는 지난 달 이 지역에서 벌어진 일련의 농장 점유 사건 중 가장 최근의 사건이다. 그들의 목적은 실업률이 40퍼센트가 넘는 지역에 새로운 삶을 불어넣기 위해 다른 점유 농장과 비슷한 공동 농업 프로젝트를 만드는 것이다. 안달루시아 노동자 연합의 회원인 디에고 카나메로(Diego Canamero)는 점령자들에게 연설을 하며 다음과 같이 말했다. '우리는 이런 장소를 낭비하는 사회 계층들을 비판하기 위해 여기 모였습니다.' 잘 관리된 호사스러운 정원과 집, 수영장은 텅 비어 있습니다. 공작은 60마일 이상 떨어진 세비야에 살고 있기 때문입니다."

W   Thomas J. Michalak, "Mayor in Spain Leads Food Raids for the People," workers.org, August 25, 2012. "안달루시아 남부에 있는 마리날레다의 작은 스페인 마을 시장 후안 마누엘 산체스 고르디요(Juan Manuel Sánchez Gordillo)에게는 나라의 경제 위기와 그에 따른 기아에 대한 답이 있다. 그는 생존에 필요한 식료품을 얻기 위해 마을 주민들을 조직하고 이끌어 슈퍼마켓을 습격했다."

왜 게임인가? 혹은 미술 노동자는 생각할 수 있는가?

전쟁을 공격하고 싶은가? 비디오 게임과 비교해 보라. 전쟁은 플레이스테이션 게임처럼 무심해졌다는 식으로 말이다. 행위의 결과에서 분리된 사람들은 먼 곳에서 콘솔 위의 버튼을 누른다. 다에시 전사들은 좀비 떼고, 드론 조종사들은 아케이드 게임을 하고 그밖에 등등. 마치 전쟁처럼 영예로운 것이 게임에 비교되는 것이 수치스러운 듯, 판정은 보통 경멸조로 내려진다. "전쟁, 넌 부끄러운 줄 알아라, 어떻게 게임으로 끝날 수 있나? 남자답게 진지해져라, 그렇게 좀 해 줄래?" 당신을 목표물과 분리해 주는 스크린이 없다면, 수십 명의 사람들을 죽이는 것이 훨씬 건전하고 건강한 것이다. 가까이서 진심 어린 방식으로 면대면으로 적을 쏘아라. 직접 히로시마에 원자 폭탄을 떨어뜨린 미 공군 장교들을 기억하라. 정직한 대멸종 같은 것은 없다.

그러나 그렇게 생각하는 사람들은 큰 실수를 저지르고 있다. 실상 그들 중 많은 경우가 미술이나 문화에서 발견되고, 자신들이 업계가 가지고 있다고 상정되는 비판성이나 위신을 변호하고 있다고 생각한다. 일부 '창조적인 전문가들'에게 컴퓨터 게임은 혐오스러운 것이고, 현실을 왜곡하기 위해 자본가들이 벌이는 음모의 정점이다. 하지만 그들의 반응은 비평적으로뿐 아니라 도덕적으로 그르다. 사실 대다수의 인류에게는 전쟁이 그저 비디오 게임일 뿐이면 훨씬 좋을 것이다. 게임에서 플레이어는 되살아난다. 당신이 총에 맞는다—문제없다. 처음부터 다시 시작하면 된다. 일본에 있는 누구도 눈치채지 못하게 히로시마에 핵폭탄을 떨어뜨릴 수도 있다. 반면 진짜 전쟁에서 당신은 죽는다. 죽지 않는다 해도, 죽을만큼 지겹거나 스트레스를 받을 것이다. 소변을 누러 가고 싶어도 일시 정지 버튼을 누를 수 없다. 또한 현실에서는 종종 아무도 이긴 자가 없다. 도처에 존재하는 영구 전쟁이 질질 끌며 이어지고 사람들은 계속 죽어가는 한편, 모든 예금(credit)은 경이롭게도 1퍼센트의 은행 계좌에 쌓인다. 이와 반대로 전쟁이 실제로 비디오 게임일 경우를 상상해 보라. 사람들은 네바다나 모스크바에서 버튼을 누를 수 있고, 아프가니스탄이나 시리아의 사람들이 쓰러질지도 모른다. 그러나 라운드가 끝나면 그들은 다시 일어나 먼지를 털고 갈 길을 갈 것이다. 어쩌면 우스워 보일지도 모르나 실제 일어나고 있는 일보다는 나을 것이다. 전쟁이 실제로 비디오 게임이기를 바라지 않는다면 인류의 적이 되어야 할 수도 있다.

이와는 대조적으로 어쩌면 놀이(play)의 가능성을 과대평가하는 사람들도 있다. 네덜란드 작가 콘스탄트 니우엔하위스(Constant Nieuwenhuys)는 자신의 유토피아 세계인 「뉴 바빌론」(New Babylon,

1959-1974)에 대한 드로잉과 축소 모형을 제작하는 데 요한 하위징아(Johan Huizinga)의 『호모 루덴스』(Homo Ludens)를 이용했다. 1974년 발표한 동명의 선언문에서 콘스탄트는 노동하는, 생산하는 혹은 공리주의적인 인간에서 '놀이하는 인간'의 해방을 요청했다. "공리주의적 사회의 반대는 놀이의 사회. 이곳에서 자동화로 생산 노동에서 자유로워진 인간은 적어도 자신의 창의성을 발전시킬 수 있는 위치에 놓이게 된다."[A] 그럼에도 이는 다소 낙관적인 견해일 수 있다.

> "나와 내 동료는 하루에 12시간, 일주일에 7일 괴물을 죽이고 있다." 중국 푸저우의 임시 공장에서 일하며 '방랑'(Wandering)이라는 온라인 코드명을 쓰는 23세의 게이머가 말했다. "나는 한 달에 약 250달러를 버는데, 이는 내가 여태껏 가졌던 다른 직업에 비해 상당히 좋은 보수다. 나는 하루 종일이라도 게임을 할 수 있다."[B]

'방랑'은 게임 노동 착취 공장에서 일하며, 되팔기 위한 가상의 자산(예를 들면 『월드 오브 워크래프트』의 골드)을 축적하고 있다. 자동화가 꼭 사람들을 노동에서 해방시키는 것은 아닌 듯하다. 대신 자동화는 일부 노동자들을 로봇으로 바꾼다. 이는 몇 가지 흥미로운 문제들로 이어진다. 인간과 로봇의 차이는 무엇인가? 이것이 게임에 어떻게 적용되는가? 또한 그뿐 아니라 미술에 어떻게 적용되나? 이 모든 것은 하나의 질문으로 압축될 수 있다. '창조적인 자는 생각할 수 있는가?'

모방 게임

여기서 독자들은 유명한 사고 실험을 상기할지도 모른다. 1950년 앨런 튜링(Alan Turing)은 '기계는 생각할 수 있는가?'라는 질문을 제기했고, 파티 게임에 근거한 테스트로 이에 답하고자 했다. 이 게임은 플레이어들이 답변서를 통해 닫힌 문 뒤의 누군가가 남자인지 여자인지를 추측하는

A Constant Nieuwenhuys, "New Babylon: A Nomadic City." 1974년 헤이그 미술관의 전시 도록에 수록.

B 다음을 참조하라. David Barbiza, "Ogre to Slay? Outsource It to China," *New York Times*, December 9, 2005.

것이다. 이때 답변은 일부러 모호하게 작성할 수 있다. 예를 들어, 모방 게임(Imitation Game)의 조사자가 "X는 자신의 머리카락의 길이를 말해 주시겠어요?"라고 말하면, X는 다음과 같이 대답한다. "내 머리카락은 싱글 컷(shingle haircut)이고, 제일 긴 가닥이 약 22센티미터 길이입니다." 튜링은 이 플레이어를 기계로 대체할 것을 제안한다. 만약 기계가 조사자를 인간만큼 헷갈리게 만든다면, 튜링은 그것을 생각하는 기계로 간주한다.[C] 흥미로운 점은 튜링과 발터 벤야민 모두 본인 시대의 핵심 문제를 검토하기 위해 각기 모방이라는 시나리오(벤야민의 경우는 터키 인형 체스)를 선택했다는 점이다. 튜링의 경우 모방의 측면은 젠더와 관련된다. 벤야민의 경우는 국적과 관련되는데, 난쟁이는 터키 체스 자동인형으로 보이려고 애쓰고 있다.[D] 그러나 둘 모두 인간과 기계 사이의 이행을 다루고 있다.

튜링의 주장에서 한 가지 급속한 이행에 초점을 맞춰 보자. 최초의 질문인 '기계는 생각할 수 있는가'는 매우 빠르게 게임으로 대체된다. 그것은 튜링 테스트와 같은 시기에 개발되어 서로 다른 선택지 중 무엇을 고를지에 초점을 맞춘, 수학 및 경제학 게임 이론에서 활용된 유와 표면적으로 비슷하다. 존 폰 노이만(John von Neumann)과 오스카 모르겐슈테른(Oscar Morgenstern)은 자신들의 책 『게임 이론과 경제 행동』(Theory of Games and Economic Behavior, 1944)에서 이를 언급했다.

> 일단 포괄적이고 완전한 선호 체계를 가진, 즉 어떤 두 가지 사물이나 더 정확히 말하자면 어떤 두 가지 상정된 사건에서도 무엇을 선호하는지를 명확히 직관적으로 알고 있는 한 개인의 상황을 받아들여 보자. [...] 우리는 그가 선택 가능한 어떤 두 가지 양자택일의 사건에서도 둘 중 어느 것을 선호하는지 말할 수 있으리라 기대한다.[E]

C   Alan Turing, "Computing Machinery and Intelligence," *Mind: A Quarterly Review of Psychology and Philosophy* 59 (October 1950).

D   역주: 이 일화는 벤야민의 「역사의 개념에 대하여(역사철학테제)」(Über den Begriff der Geschichte) 서두에 등장한다. 터키 복장을 하고 입에는 수연통을 문 인형이 체스판 앞에 앉아 있다. 마치 자동인형이 체스를 두는 것처럼 보이지만, 실제로는 체스의 명수인 꼽추 난쟁이가 책상 밑에 숨어서 인형의 손을 끈으로 조정한다.

노이만과 모르겐슈테른은 단지 두 명의 참여자들을 대상으로 자신들이 제로섬 게임이라 칭한 것을 공식화해 보자는 생각이었다. 전반적인 아이디어는 게임은 경제적이거나 군사적인 상호 작용(시장과 전쟁은 똑같이 게임으로 제시될 수 있다)을 수학적으로 공식화한 것이라는 점이었다. 바라는 것은 모든 종류의 경제적·군사적 시나리오에 적용할 수 있는 가능한 결과와 전략을 계산하는 것이었다. 하지만 상호 작용의 속성과 게임 환경을 극단적으로 단순화해야만 성공적으로 전략을 계산할 수 있다는 문제가 거의 즉각적으로 발생했다. 게임 이론에서 경제 행동을 계산하기 위해 도입한 필수 허구 중에는 사람들이 언제나 결과물 중 합리적으로 선호를 결정하고 이는 가치와 결부될 수 있다는 생각이 있었다. 즉 개인들은 언제나 효용을 (그리고 회사는 이익을) 극대화하고, 사람들은 모든 정보에 근거해 항상 독립적으로 행위한다는 것이다.

여기서 핵심 용어들을 수학적으로나 경험적으로나 규정짓기 어렵다고 판명된 것은 놀랍지 않다. '합리성', '효용', '정보' 모두 주요 장애물이었다.[F] 이 같은 이론적인 쟁점들과 더불어, 인간 플레이어들은 기대하는 방식으로 행동하지 않았다. 확률 계산을 현실에 적용할 때 주요 문제 중 하나는 게임 이론가들이 합리적인 구성 시나리오로 본 혼란스러운 선택지와 수, 규칙들의 확률을 플레이어들이 계산할 수 없다는 점이었다. 유명한 '단지 게임'에서 가장 합리적인 접근 방식이 무엇일지를 생각해 보라.

30개의 빨간 공과 60개의 검은 공 혹은 노란 공이 들어 있는 단지를 상상해 보라. 검은 공과 노란 공의 비율은 알 수 없다. 당신은 이제 두 가지 내기 중 하나를 선택한다.

도박 A: 빨간 공을 뽑으면 100달러를 받는다.
도박 B: 검은 공을 뽑으면 100달러를 받는다.

다음으로 당신은 단지는 같으나 뽑는 방식이 다른 여분의 두 가지

E John von Neumann and Oscar Morgenstern, *Theory of Games and Economic Behavior* (Princeton: Princeton University Press, 2004), 17.
F 노이만과 모르겐슈테른은 합리적 행동의 규정에 대해 분명히 경고했다. 그러나 그들은 "기회주의적" 정의임을 인정하면서도 효용을 이익을 극대화하는 것으로 정의했다.

내기 중 하나를 선택한다.

도박 C: 빨간 공이나 노란 공을 뽑으면 100달러를 받는다.
도박 D: 검은 공이나 노란 공을 뽑으면 100달러를 받는다.

이 중 어느 것을 당신은 선호하는가? 천천히 생각해 보라![G]

여기서 도입해야 할 가장 합리적인 전략은 무엇일까? 당신이 효용성을
극대화하기를 원하고 완벽히 합리적이며, 더욱이 다른 사람들의 이익도
극대화하기를 원한다고 가정할 때, 나는 당신이 99퍼센트의 확률로 도박 E를
선택하고 다음과 같이 반응하리라 예상한다. "있잖아요. 사실 나는 어떤 공도
필요 없어요. 그러니 그냥 지금 당장 100달러를 내놓으시죠."[H]

생성적 허구

하지만 기계가 생각할 수 있는지에 대한 문제는 대단히 생산적일 수 있다. 특히
노이만에게는 그러했다. 만약 인간의 합리성이 문제라면 또는 인간이 수학을
못한다면, 해답은 인간을 고치려고 애쓰는 것이 아니고 문제를 부인하는 것도
아니라, 대신 계산을 할 수 있는 합리적인 비인간을 창조하는 것이었다.[I] 이것이
노이만의 자동자(automata) 이론과 근대 디지털 컴퓨터 발전의 출발점이었다.
이는 물론 찰스 배비지(Charles Babbage), 에이다 러브레이스(Ada
Lovelace), 튜링 본인, 기타 다른 이들의 작업으로 실현되었다. 노이만에게
컴퓨터는 말하자면 합리적인 게임 플레이어다. 컴퓨터는 세계가 경제학자,

G   Daniel Ellsberg, "Risk, Ambiguity, and the Savage Axioms,"
     Quarterly Journal of Economics 75:4 (November 1961), 653-654.
H   신자유주의에 대한 초기(proto) 비판으로 엘스버그의 역설을 해석한 예로는
     다음을 보라. Yanis Varoufakis, "WikiLeaks' Precursor and Unsung
     Foe of Neoliberal Economics," yanisvaroufakis.eu, December 11,
     2010.
I   [이와 관련한] 나의 기술 전부와 이 장 전체의 내용은 필립 미로우스키의
     아주 귀중한 책에 크게 빚지고 있다. 이 책에 대한 참조는 이 글 전체에 걸쳐
     나타난다. Philip Mirowski, *Machine Dreams: Economics Becomes a
     Cyborg Science* (Cambridge: Cambridge University Press, 2002).

전략가, 수학자들의 허구를 따르지 않는다는 문제에 대한 창의적인 해답이기도 하다. 모델을 세계에 맞추는 것이 너무 어렵다면, 언제나 허구에 따라 세계를 변화시킬 수 있었다. 자연에서 합리적인 행위자가 없다면, 인공적인 행위자를 만들면 어떤가? 핵심은 게임이 세계를 더 비현실적으로 만드는 컴퓨터의 결과물이 아니라는 것이다. 그와 반대로, 게임은 컴퓨터를 더 현실적으로 만들었다. 게임은 생성적 허구(generative fiction)다.

물론 컴퓨터는 사람들이 충분히 합리적이지 않다는 좌절로만 발명된 것은 아니었다. 만약 게임 이론과 컴퓨팅을 모두 적용할 무제한의 기회를 풀어놓은 제2차 세계 대전이 없었다면, 컴퓨터의 발전은 결코 재정 지원을 받지 못했을 것이다. 노이만의 새로운 기계로 실행된 최초의 일 중 일부는 수소 폭탄 개발을 위한 모의 실험이었다. 이후 그는 냉전 시대 상호확증파괴(mutual assured destruction, MAD) 시나리오 제작을 추진했다. 노이만, 토머스 쉘링(Thomas Schelling) 등을 포함해 몇몇 게임 이론가들이 스탠리 큐브릭(Stanley Kubrick)의 미친 무기 전문가 닥터 스트레인지러브(Dr. Starangelove)의 모델이 되는 영예를 공유하고 있다.

현실이 어느 정도나 게임 이론을 다양하게 반복한 결과로 만들어져 왔는지를 알면 놀라울 것이다. 전체적으로 자동화된 연산의 결과는 말할 것도 없고, 경영 이론과 설계 체계뿐 아니라 신자유주의 정책, 표적 장치부터 전쟁 억제 전략까지 핵무기와 비핵무기의 다양한 군사적 활용이 일례다. 물론 이러한 생성적 허구 중 다수는 간접적인 수단으로 만들어졌다. 완벽한 시장이 존재하는 것 같은 게임을 설계했다는 이유만으로 완벽한 시장을 가질 수는 없었다. 대신, 이 과정은 파열적이고 예측할 수 없는 방식으로 작동했다. 시장에는 합리적인 인간 행위자가 없었기에 결국 대신 컴퓨터가 발명된다. 이 컴퓨터로 날씨를 예측하기를 원했지만 문제가 있었고, 결국 수소 폭탄을 폭발시키는 방식을 계산하는 것으로 귀결된다. 대변한다고 상정되던 상황과 모델의 관계는 미심쩍을 때가 많았다. 어떤 경우에는 열렬한 신념의 문제기도 했다. 그러나 그 결과는 부인할 수 없는 새로운 현실이었다.

이러한 관점에서 우리는 '게임공간'[J]에 사는 것이다. 여기서 디지털 비디오 게임은 그저 문화적 서사의 새로운 형식 이상이다. 대신 많은 경우

J McKenzie Wark, *Gamer Theory* (Cambridge, MA: Harvard University Press, 2007), chap. 1.

게임의 특정한 형식들(특히 전쟁이나 사업에서 자기 본위적인 플레이어들을 등장시키는 게임들)이 훨씬 무작위적이고 때로는 파국적인 방식으로 실현된 무언가의 이상적인 변주들을 체현한다. 이것이 또한 왜 그렇게 많은 비디오 게임들이 군사 행위와 경제적 이익이 교차하는 곳에 위치하는지, 왜 그것들이 파괴를 기회로 만드는지를 설명해 줄지도 모른다. 우리가 그것들을 플라톤적 이상으로서뿐 아니라 훈련장과 연수장으로[하룬 파로키의 표현대로 '진지한 게임'(serious games)으로] 간주한다면, 여러 세대의 플레이어들이 합리적으로 자기 본위적이라 여겨지는 방식으로 행동하면 보상받았음을 쉽게 알 수 있다. 그러므로 인간들이 게임 이론에서 가정하는 방식으로 '합리적'인 적이 있었는지 아닌지와 별개로, 오늘날 수많은 사람들은 합리성을 이러한 방식으로 이해하고 그 효과를 모방하도록 훈련받고 있다. 결국 이것이 게임이 하는 바다. 게임은 자유 선택의 놀이터일 뿐 아니라, 습관의 훈련장이기도 하다. 그것들은 특정한 반응 패턴을 시연하고 근육 기억을 만든다. '유용한 게임'으로서 그것들의 부산물은 삶의 모든 측면에 내재되어 있다.

온라인 캡처

표본으로는 튜링 테스트만 한 것이 없다. 당신이 로봇이 아님을 증명해야 할 때 얼마나 자주 뒤집힌 온라인 튜링 테스트를 받아 왔는가? 상당히 최근까지 대부분의 인간들은 캡차(captcha)—컴퓨터와 인간을 구별하기 위한 완전히 자동화된 공적 튜링 테스트(Completely Automated Public Turing Test to Tell Computers and Humans Apart)—를 작성하고, 자동 스팸봇을 걸러내기 위해 고안된 불규칙한 텍스트를 타이핑해서 자신들이 인간임을 온라인 기계에게 증명해야 했다. 이를 해냈을 때, 당신은 기계를 위해 인간을 성공적으로 흉내 낸 것이다. 그러나 생각하는 기계가 튜링을 만족시키기 위해 써야 했던 통찰력 있는 지능과 달리, 캡차에서 인간은 한 줄로 된 기호들을 그저 읽고 복사하는 가장 기계적이고 생각 없는 행위를 통해 인간임을 입증한다. 이것이 어떻게 유용한 게임일 수 있는가?

2011년 『뉴욕타임스』는 캡차를 채워야 하는 사람들이 "옛날 책이나 잡지, 신문, 팸플릿을 검색할 수 있고 정확하며 분류하기 쉬운 컴퓨터 텍스트 파일로 변환하는 프로젝트"에 모르는 새 동원되어 왔음을 보도했다. 구글은 구글 북스용으로 스캔한 텍스트를 점검하기 위해 캡차를 이용하고 있었다.

　　　　　　　　면세 미술

폰 안(von Ahn) 박사의 연구진은 전 세계의 인간들이 캡차마다 10초씩 하루에 적어도 2억 개의 캡차를 해독한다고 추산했다. 이는 약 하루에 50만 시간으로 산정된다— 폰 안 박사가 근본적으로 생각 없는 실행이라 간주하는 것에 수많은 응용 지력이 쓰인다. "그래서 우리는 물었다. '이 시간으로 무언가 유용한 일을 할 수 있을까?'" 폰 안 박사는 전화 인터뷰에서 이렇게 회상했다.[K]

2012년 구글은 캡차 기술을 전환해 구글 스트리트 뷰의 거리 번호를 수정했다. 사람임을 입증하기 위해 컴퓨터에게 질문을 받던 사람들이 실질적으로 일을 해야 했다. 캡차를 기입하면서 그들은 비자발적이고 "근본적으로 생각 없는" 무급 노동을 제공하고 있었다. 그들은 인간임을 입증하기 위해 (노동자로 번역되는) 로봇이 되어야 했다.

최근 구글 캡차는 '나는 로봇이 아닙니다'라는 항목을 그냥 클릭만 하는 체크 박스로 대체되었다. 이것이 좀 더 편리하고 예의 바른 방식으로 보일지 모르나, 실상 동일한 유용한 게임의 그저 새로운 단계일 뿐이다. 이제 구글은 당신의 온라인 행동, IP 주소, 수많은 '추적 단서들'을 통해 당신을 인간으로 파악할 수 있다. 개발자에 따르면, "이는 우리에게 인간이 어떻게 행동하는지에 대한 모델을 제공한다."[L] 구글은 당신을 만들어 내고 이로써 자신의 게임에서 당신의 행동을 예측할 수 있다. 모델에 부합한다면, 당신은 통과되고 접근할 수 있다. 이러한 모델은 어떻게 구축되는가? 이는 대부분 기밀이다. 그것은 개인으로서 당신에 대한 사적인 모델인가 아니면 인간 일반에 대한 모델인가? 알려진 바가 없다. 중요한 것은 인간 행동에 대한 구글의 비밀스러운 캡차와 당신이 매칭되어야 한다는 것이다. 그래서 수학이 마침내 존재가 되었는가? 이것이 숫자들이 현실 자체로 간주되는 수학적 사실주의의 디스토피아적인 형태인가?

이는 더 이상 통상적인 관점의 모델이 아니다. 구글 리서치 디렉터 피터 노빅(Peter Norvig)은 "모든 모델은 틀렸다. 당신은 점차 모델 없이 성공할 수 있다"고 말해 왔다. 『와이어드』(Wired)지의 크리스 앤더슨(Chris

K   Guy Gugliotta, "Deciphering Old Texts, One Woozy, Curvy Word at a Time," *New York Times*, March 28, 2011.

L   Andy Greenberg, "Google Can Now Tell You're Not a Robot with Just One Click," *Wired*, December 3, 2014.

Anderson)이 설명하길 "데이터가 충분하면, 숫자들은 스스로 말하기" 때문이다. 수백 년 동안 과학자들은 상관관계가 인과 관계가 아님을 주장했다. 그러나 앤더슨에 따르면 이는 변화했다.

> 이제 더 나은 방법이 있다. 페타바이트(petabyte)가 '상관관계로 충분하다'로 말할 수 있게 해 주었다. 우리는 모델 찾기를 그만둘 수 있다. 우리는 데이터가 보여 줄 바에 대한 가정 없이 데이터를 분석할 수 있다. 우리는 세계가 지금껏 본 중 가장 큰 연산 클러스터로 숫자들을 던져 넣고, 통계 알고리듬이 과학이 할 수 없었던 패턴을 찾아내도록 만들 수 있다.[M]

그러므로 상관관계나 패턴이 새로운 모델이고, 유사성이나 닮음이 원인과 결과를 대체한다.

딸기와 크림

튜링 게임으로 돌아가 생각해 보자. 성공의 기준은 조사자가 젠더를 헷갈리도록 기계가 인간과 동일한 능력을 지니는 것이었다. 이와 달리 동시대 두드러진 연산의 활용은 정체성의 혼동이 아니라 증식에 중점을 둔다. 예를 들어, 페이스북은 모방 게임을 수정해 다음과 같이 말한다. 만약 당신이 남성인지 여성인지 밝히고 싶지 않다면 상관없다, 다만 당신의 '맞춤형'(custom) 젠더를 정해 달라 그러면 우리는 반드시 당신에게 적절한 광고를 보내 줄 것이다. 이것은 모방 게임이 아니라 식별 게임(identification game)이다.

튜링은 수학적 증거로서 유사성(혹은 상관관계) 역시 논의한 바 있다. 자신의 생각에 도전하기 위해, 그는 기계는 결코 인간처럼 딸기와 크림을 묶을 수 없다는 반대 의견을 언급했다. 그러나 그는 이 도전에 비틀어서 답했다.

> 어쩌면 기계도 이 맛있는 음식을 즐기도록 만들어질 수도 있을 것이다. 그러나 [굳이] 그렇게 하려는 시도는 뭐든 어리석은 짓일

M   Chris Anderson, "The End of Theory: The Data Deluge Makes the Scientific Method Obsolete," *Wired*, June 23, 2008.

테다. 중요한 것은 이 불능이 일부 다른 불능들의 원인이 된다는 점이다. 예를 들면, [기계가 딸기와 크림을 묶지 못한다는 생각은] 백인 남성과 백인 남성 혹은 흑인 남성과 흑인 남성 간에 발생하는 친밀함과 동일한 종류의 친밀함을 사람과 기계 사이에 설정하지 못하는 어려움을 낳는다.[N]

그러나—이는 튜링이 아니라 내 질문이다—만약 기계가 이 행동을 복제했다면, 기계가 생각하는 것일까? 어떤 사람들은 그렇게 생각한다. 왜냐하면 백인 남성들이 딸기와 크림을 묶는다는 생각이 사회망(social network) 분석으로 이동했기 때문이다. 이는 사람들이 자신과 비슷한 이들과 어울리기를 선호하는 현상인, 소위 동종 선호(homophily)의 시원적인 예다. 이것이 어떻게 뭔가의 수학적 증거를 만들어 낼 수 있는가? 만약 백인 남성들이 대부분 백인 남성들과 딸기와 크림(strawberries and cream)을 먹는다면, 이는 백인 남성이 딸기를 같이 먹는 사람은 백인 남성일 확률이 높음을 의미한다. 이것이 당신이 좋아하는 것이 당신이고 당신은 당신 같은 사람들이 좋아하는 것을 좋아할 것이라는 페이스북의 생각 뒤에 있는 논리다. 이것이 그들이 당신에게 딸기와 크림을 파는 방식이다. 또한, 이는 구글이 당신이 로봇이 아니라고 결정하는 방식이기도 하다. 당신과 비슷한 것을 좋아하는 누군가가 자신이 로봇이 아니라는 박스에 체크했다면, 상관관계가 이를 당신에게 적용할 것이기 때문이다.

이러한 사고를 모방 게임에 확장해 보면, 이 경우 당신은 플레이어 모두의 젠더뿐 아니라 그들의 모든 친구 및 사회망 전체의 젠더도 추측하게 된다. 이것이 게임이 자체의 경계를 넘어 천천히 실재가 되는 방식이다. 그러므로 완전히 다른 두 종류의 게임이 있다. 하나는 식별 게임이다. 무언가가 다른 무언가처럼 보이면, 그것은 같은 것이다. 모든 박스들은 체크되었다. 다른 하나는 튜링의 모방 게임이다. 무언가가 유사해 보이면 아마도 같은 것이다. 인간이라는 인상을 준 누군가가 인간인 것은 물론 가능하지만, 다른 한편 아닐 수도 있다. 이 지점에서 생각하는 기계는 그건 조사자가 알 바 아니라고 결정하고, 예의 바르게 날씨 이야기로 넘어갈 것이다.

지금까지 읽은 독자들은 이 글의 서두에 거론한 논쟁—적어도 전쟁의 경우에는 현실이 게임이기를 바라야 할 것이다—을 연상하고 생각하게

N   Turing, "Computing Machinery and Intelligence," 448.

될지도 모르겠다. 하지만 사람들이 비밀 알고리듬에 따라 모델링되거나, 닮음의 네트워크로부터 서로 연관되고, 자신들이 인간임을 입증하기 위해 이 알고리듬에 맞춰야 하는, 이 식별 게임은 상당히 불공정하고 착취적이지 않은가? 그렇다. 처음에 언급했던 논쟁은 게임을 그만둘 수 있고 결과가 뒤집어질 수 있다는 데 근거하고 있었다. 내 정의상 바람직한 게임은 할당된 시공간에 국한된 것이다. 게임은 초기화될 수 있고 점수는 지워질 수 있다. 상관관계 게임은 이와는 반대다. 이런 게임은 제한이 없고 당신은 참여를 위해 언제, 어디서, 어떻게, 누구를 통해 포착될지 모른다. 당신 자신의 모델의 세부(무엇으로 구성되어 있고, 어떻게 만들어지며, 누구로부터 언급되었고, 누구에게 무슨 목적으로 팔리는지)를 당신은 알 수 없다. 결과는 뒤집어질 수도 있고 안 될 수도 있다. 아무도 모르는 것이다.

놀이에서 노동으로

알고리듬 버전으로 재창조된 것은 튜링 게임만이 아니다. 벤야민의 게임도 아마존 메커니컬 터크(Mechanical Turk)의 인간 봇 고용청으로 판촉되고 있다. 메커니컬 터크는 인간을 로봇으로 보는 방식을 과시하고 극도의 효용성을 강조하는 사업으로, "연중무휴로 전 세계의 노동력을 주문형으로 이용할 수 있고", "결과물이 맘에 들 경우에만 비용을 지불하면 된다." 그래도 다른 사회적 게임 점수에 비하면 이들은 상대적으로 투명하다. 부분적이든 전체적이든, 당신의 신용 등급, 전문 능력, 소셜 미디어 상호 작용 및 기타 사항과 관련이 있든 없든, 당신에게 할당된 '등급'은 그게 무엇이든 당신의 행위를 단순화한 모델을 보여 준다. 그것은 당신의 과거, 예상 미래, 사회 경제적 행동의 게임 점수다. 아니 더 정확히 말하자면, 당신처럼 보이는 누군가의 게임 점수다.

미술가에게 이것은 일상적 현실이다. 아트팩츠(Artfacts)나 아트랭크(Art Rank) 같은 회사들이 산출한(혹은 추측한) 다양한 알고리듬 점수들은 성공의 과거 및 미래 척도에 대한 다양한 해석과 정량화를 반영한다. 아트팩츠는 당신이 연 전시의 횟수가 당신 작업의 금전적 가치와 어떻든 연관이 될 거라고 가정한다. 이런 가정은 경험상 완전히 장담할 수 없기는 하지만 그럴듯해 보이기는 한다. 아트랭크는 훨씬 더 모험 지향적이고 떠오르는 작가들에 주목한다. 아트랭크의 알고리듬은 물론 비밀이지만, 소문으로는 투자자 스테판 심초위츠(Stefan Simchowitz)의 인스타그램 계정을 분석하고 그가 좋아하는 듯한 작엄을 단순히 홍보하는 봇으로 처음에 만들어졌다고 한다. 이것이 함축하는 바는 당연히 심초위츠 같은 수집가는 심초위츠가 좋아하는 것을 좋아할 거라는 점이다. 이에 근거해 아트랭크는 확신에 차 작가들을 다양한 범주(살 것, 팔 것, 정리할 것)로 분류한다. (딴 소리지만 내게 멋진 사업 모델이 있다. 이 알고리듬을 학술 순위 기획으로 재가공해서, 어떤 철학자나 사회 이론가가 상종가를 칠 시점과 그/그녀의 지적 재고가 바닥날 시기를 예측해서 돈을 버는 것이다. 특정 단계에서 학술 순위는 정확히 이런 식으로 작동한다. 보통 분야 전체가 사라진다는 점만이 다를 뿐인데, 이편이 훨씬 더 효율적이다.)

중국의 경우 온라인 결제 서비스가 '사회 신용'(social credit) 점수를 통해 훨씬 전체화된 방식으로 순위 매기기를 선도하고 있다. 이런 점수들은 보험가, 회원 혜택 제도, 개인별 이자율의 형태로 당신의 재정 활동에서 파생된 신용 점수뿐 아니라, 친구의 재정 상황, 당신들 모두의 쇼핑 종류처럼 당신의 사회망에서 도출된 정보도 포함한다. 사회 신용 점수는 '사회적 성실성'을 증진시키기 위해 2020년부터 모든 시민에게 적용될, 보다 통합적인 사회 신용 점수를 위한 시운전이라 여겨진다. 이는 재정 상황뿐 아니라 운전 기록이나 온라인 행동이 내포하는 사회적 순응도를 측정할 것이다. 물론 그것들은 당신과 닮았거나 다른 방식으로 상관관계가 있을 수 있는 누군가의 행위가 될 수도 있고 다른 방식으로 연관될 수도 있다. 이런 측면들은 이미 세서미(Sesame)의 신용 점수 계산에 적용되고 있다.

> "예를 들어 하루에 10시간 비디오 게임을 하는 사람은 게으른 사람으로 간주될 것이고, 자주 기저귀를 사는 사람은 아마도 부모일 거라고, 결국 책임감이 있을 확률이 좀 더 높은 사람으로 여겨질 것이다." 세서미의 기술 이사인 리잉윤(Li Yingyun)은 이렇게 말했다.[o]

이것은 실로 확장된 게이밍이다. 이러한 유의 게임에서 비디오 게임을 하는 것은 쓸모없고 심지어 전복적인 행위로 간주된다. 결국 당신은 비디오 게임을

O   Jiayang Fan, "How China Wants to Rate Its Citizens," *New Yorker*, November 3, 2015.

그만둘 수 있다. '사회적 순응도' 프로그램의 선례로 무엇이 있을 것인가? 사회 신용 게임은 오락을 위해 고안된 것이 아니라, (시민들 자신을 포함해) 사실상 시민들의 활동 전부를 시장의 용어로 만들기 위해 "감시, 데이터 수집, 온라인 모니터링, 행동 추적"을 융합해 예측 가능성을 높이기 위해 고안된 것이다.[P] 이것은 국가 게임화가 사회주의적인 신자유주의 형태로 적용된 것일 뿐 아니라, 새로운 수학(이를 상관관계주의 수학이라 부르자)이 돈을 벌기 위해 하루 종일 월드 오브 워크래프트에서 괴물들을 죽이고 있는 게임 노동자들에 대한 사회적 감시의 형태로 실현되고 있음을 가리킨다.

아름다운 모델들

나는 서두에서 나의 동료 미술 전문가들 중 많은 이들이 게임에 대해 상당히 피상적인 반응들을 하고 있으며, 온갖 종류의 순위 점수 및 투기성 큐레이팅 사례들이 그들을 게임화하고 있음을 인지하려 하지 않는다고 지적한 바 있다. 그럼에도 그들은 게임이 보여 주는 문제들을 생각하기 적절한 자리에 있을 수도 있다. 폴 크루그먼(Paul Krugman)은 경제학자들이 가장 정교한 수학 시뮬레이션 모델로도 금융 위기를 예측하지 못하는 것에 대해 고찰하며 (그가 쓴 바에 따르면) 아름다움의 문제를 지적했다. "경제 전문가들은 길을 잃었다. 경제학자들이 멋져 보이는 수학의 옷을 입은 아름다움을 진리로 집단 오해했기 때문이다."[Q] 우리가 가능한 최선의 세계에 살고 있다고 주장한 볼테르의 팡글로스 박사가 1970년대부터 경제학을 인수한 것처럼 보였다. '효율적 시장 가설'이 경제학을 지배했다. 이 가설은 공개적으로 얻을 수 있는 모든 정보가 주어졌을 때 금융 시장이 그들 고유의 가치로 자산의 가격을 매긴다고 주장했다. 그들의 이론적 모델은—세부를 생략하면—놀라울 정도로 우아했고,

P   Jacob Silberman, "China's Troubling New Social Credit System— and Ours," *New Republic*, October 29, 2015. 비(非)국가 행위자들도 마찬가지로 게임화한다. "영국 소재의 한 이슬람 극단주의 웹사이트 살라피 미디어(Salafi Media)는 사용자의 참여 수준을 '근본주의 계측기'로 측정한다. 사용자가 더 '급진적'이거나 '근본적'이게 될수록, 그가 게시판에서 차지하는 영향력과 정당성이 커진다." Jarret Brachman and Alix Levine, "The World of Holy Warcraft," *Foreign Policy*, April 13. 2011.

Q   Paul Krugman, "How Did Economists Get It So Wrong?," *New York Times*, September 2, 2009.

전제가 맞을 경우 극도로 유용했다.

패션모델을 보면 아름다움이 문제가 될 수 있음이 곧장 분명해진다. 패션모델은 2008년 실패한 정교한 금융 모델의 유기적 체현으로 볼 수 있을 것이다. 그들은 굶을수록 아름답다고 규정된다. 자본주의 용어로 최상의 아름다움은 인체가 매일매일 사실상 음식 없이 작동할 때 획득된다. 효율성은 곧 아름다움이다. 모델들은 이것이 완벽하게 현실적인 가정임을 입증하는 살아 있는 증거로 여겨졌다. 그렇기에 아름다움은 인간의 생존을 위협하는 것이 될 수 있다. 하지만 미술 전문가들은 현실과 혼동되는 아름다움을 막을 전략을 지니고 있다. 해법은 아름다운 것을 전부 미술관에 가둬 버리는 것이다. 거기서 아름다움은 가능한 최선의 세계, 이상적인 인간, 합리적인 경제 행동 등 원하는 것은 뭐든 선포할 수 있다. 마치 게임을 끄는 것처럼, 미술관을 떠날 때 그것들은 거기 남아 있을 것이다. 효과는 제한되고 가역적일 수 있지만, 여전히 가능한 모든 세계 중 최선을, 무제한의 백인 남성들과 딸기와 크림을 즐길 수 있을 것이고, 심지어 엄지손가락으로 히로시마에 핵폭탄을 투하할 수도 있을 것이다. 이 영역을 미술의 자율성이라 부르도록 하자. 그것은 미술과 사회 현실 사이에 직접적인 연결이 없음을 의미한다. 그것은 좋은 일일 수 있다. 파레토 최적(Pareto optimality), 내시 균형(Nash equilibria), 위기 연계 매매(risk-hedging) 시뮬레이션, 멋지거나 우아하다고 뻐기는 모든 모델을 위한 미술관이 가능하다. 진실이 되기에는 그저 너무 아름다운 어떤 것이든 말이다.

상관관계와 패턴은 진실로 보이기 위해 반드시 아름다울 필요가 없다. 그저 아름답게 <u>보이기만</u> 하면 된다. 미술 이론은 오랫동안 이러한 개념을 다뤄왔다─이를테면, 상당히 자의적이기는 하지만 최소한 부르디외가 하비투스(habitus)와 구별 짓기를 이야기한 이래 그러했다. 미술에서 동종 선호는 누군가 다른 이─당신 같은 누군가─가 미술로 받아들이는 건 무엇이든 (십중팔구) 미술임을 의미한다. 그렇다면 패턴은 어떠한가? 살펴보았듯 패턴은 비밀 알고리즘으로 페타바이트 단위의 스팸에서 도출되는 새로운 종류의 수학적 진실을 표상한다. 그들은 무작위 데이터의 과잉에서 불가사의하게 솟아 나온다. 최근의 미술 비평은 이를 다룰 훌륭한 용어를 만들어 냈다. 그것은 『뉴욕』(New York)지의 미술 비평가 제리 살츠(Jerry Saltz)의 조어인 허접추상(crapstraction)이다.[R] 허접추상은 무작위 데이터에서 추출한 무작위 패턴의 추상 회화로, 투기성 투자 때문에 어마어마한 금전적 가치를 지니고 있다. 가능한 세계들 중 최선의 세계는 모든 헤지펀드 투자자들의 거실이 완벽하게 똑같아 보인다는 사실에서 실현된다. 허접추상은 우리 시대의 핵심적인 존재론적 공식들을 응축한다. 미술은 당신 친구가 사는 것이다. 아름다움은 당신 친구가 사는 것이다. 진실은 당신 친구가 사는 것이다. 수학도 마찬가지다. 당신 자신이 정확히 당신 친구가 사는 것이고, 아니면 최소한 그렇게라도 보인다. 그것은 페타바이트 단위의 스팸들로부터 산출된 것이기에 진실임에 틀림없다.

당신이 휴대폰으로 허접추상 그림을 바코드처럼 스캔한다면 무슨 일이 벌어질까? 물론 당신은 허접추상의 알고리듬을 볼 수 없을 것이다. 그것은 비밀이고 소유권이 있기 때문이다. 대신 중국의 새로운 게이밍 노동 착취 공장에서 딸기와 크림을 먹을 수 있는 쿠폰이 당신의 모든 페이스북 친구들—혹은 이와 관련해 온라인에서 당신처럼 보이는 모든 사람들—에게 발송될 것이다. 응하지 않는다면, 검거나 노란 공을 각 100달러에 사거나, 페타바이트 크기의 닥터 스트레인지러브 파일들을 다운로드하는 동안 '나는 로봇이 아닙니다' 박스에 체크해야 할 것이다. 잽싸게 최적의 패턴을 계산하라. 어느 쪽을 선택할 것인가?

여기서 허접추상의 중요성이 부상하기 시작한다. 허접추상이 아니라면 미국 국가안보국은 어떻게 무작위로 수집된 데이터에서 패턴을 추출하는가? 학술 순위 점수는 어떻게 계산되는가? 허접추상이 아니라면 생물학, 경제학, 계산과학, 사회망 분석 혹은 미술 투자 조언 서비스가 어떻게 패턴, 위험 분석, 평판 점수를 제시할 수 있나? 하지만 허접추상이 일단 미술관에 갇히면, 작가들은 알고리듬의 우아함이라는 측면에서 평가될 수 있다. 이를 통해 그들은 중국의 사회 신용 체계, 부채 담보부 증권, 신용 부도 스와프 등과 아울러 등급이 매겨질 것이다. 알고리듬의 우아함, 신용 체계, 부채 담보부 증권, 신용 부도 스와프는 마치 일면 세속적 미술관에 있는 종교 미술처럼 차후 순수한 미학적 오브제가 될 것이다. 이들 모델을 시행하려고 애쓰는 대신, 그것들을 옥션에서 팔아 치울 수 있을 것이다.

이러한 모델들을 미술관에 억류하면 또 다른 장점들이 있다. 자신들의 장르 중 진정으로 걸출한 사례의 덕을 볼 수 있는 것이다. 예를

R   Jerry Saltz, "Why Does So Much New Abstraction Look the Same?,"
New York Magazine, June 17, 2014.

들어, 대단히 독창적이고 급진적인 방식으로 자동화, 놀이, 경제 개념을 결합한 콘스탄트의 「뉴 바빌론」 모델들이 있다. 한 가지 놀라운 점은 그중 대부분이 지어질 수 없었다—혹은 지어졌다 하더라도, 매우 유용하지는 않으리라—는 것이다. 콘스탄트의 모델들은 완전히 자동화된 실제의 놀이 도시의 청사진이 아니다. 그것들은 모형과 현실 사이의 간극을 가시화한다. 그것들은 유토피아로서의 게임 그렇기에 가역적인 게임과, 만연한 유용한 게임, 즉 인간들이 로봇의 항구적인 무급 조수로 일하는 게임 사이의 차이에 대한 모델들이다. 콘스탄트의 선언문은 다음과 같은 결론에 도달한다. "이것이 내가 갈 수 있는 최대치였다. 프로젝트는 존재한다. 그것은 미래의 도시 디자이너들이 다시 한번 흥미를 지니게 될 훨씬 적당한 시기를 기다리며 미술관에 안전히 보관되어 있다."[S]

이런 관점에서 추가적인 질문들이 생긴다. 관계 미술(Relational Art)의 사회적 시나리오는 어느 정도나 (유감스럽게도) 실제라고 오인된 그저 추상적인 모델들이었나? (그 모델들이 사회적 상호 작용의 모델이지 사회적인 것 자체는 아닌 것으로 간주해야 한다는 전제하에서) 그것들을 사회적 추상이라 규정하고, 시험 모델로 이용하며, 다양한 사회적 시나리오를 모의 실험하는 것이 훨씬 생산적이지 않을까? 이것을 확장하자면 다음과 같이 말할 수 있다. 만약 게임이 사회적 추상이라면, 그것은 어떤 종류의 추상인가? 아마도 다른 사회적 추상들이 사회 비판성, 보급, 유통, 전파, 전환점이라는 점에서 시험 모델이 될 수 있을 것이다. 여기서 다시 한번 유념할 것은 이들은 콘스탄트의 조각의 측면에서 추상 모델인 것이지 정치적인 것 자체가 아니라는 점이다. 이러한 실험은 단지 허접추상으로 판명될 수도 있을 것이다. 그러나 허접추상이 아주 보편적으로 만연해 있다는 이유만으로, 그것이 유일한 추상이 될 수는 없다. 그렇지 않다. 그리고 미술인들은 이러한 영역들의 뉘앙스를 만들어 내려 시도한 긴 역사를 가지고 있다.

물론 나의 미술 분야 동료들은 (유감스럽게도) 이런 식으로 아름다움의 효과를 담아낼 수 없다고 반대할 것이다. 미술과 그 효과는 제도들로부터 새어 나오며, 그렇기 때문에 나의 모델 역시 이상화되고, 허구며,

S   Constant Nieuwenhuys, "New Babylon: Ten Years On," in Mark Wigley, *Constant's New Babylon: The Hyper-architecture of Desire* (Rotterdam: Witte de With CfCA / 010, 1998), 236.

허접추상일 수 있다고 그들은 주장할 것이다. 완전히 동의한다. 당신이 맞다. 그러나 나는 이 모순을 풀려고 하는 것이 아니다. 나는 모순을 강화시키고 싶다. 서두로 돌아가자. 사회적으로 부적절하거나 충분히 현실적이지 않다는 이유로 게임을 거부하는 미술 전문가는 명백히 부정하고 있다. 그러나 이것이 '창조적인 자는 생각할 수 있는가?'라는 질문에 대답해 주지는 못한다. 아마도 모방 게임이 그 질문에 답을 줄 수 있을 것이다. 특정 종류의 사회적 게임을 자율적인 미술로 규정하려는 내 계획이 유효한지 아닌지를 알아내고 싶은 조사자가 있다고 치자. 조사자는 '미술은 자율적인가?'라는 질문을 할 것이다. 플레이어 X로서 당신은 어떻게 답변할 것인가? 당신은 이 게임이 강력한 생성적 허구가 될 수 있다는 것을 안다. 궁극적으로 이 게임으로부터 실제 관계의 변화가 일부 발생할 수 있다. 그 경우 당신은 (유감스럽게도) 미술의 자율성은 존재하지 않으며 뭘 어쩌든 간에 허접추상 패턴이 사회로 계속 쏟아질 거라고 조사자에게 말할 건가? 어떻게 모델을 만들든 그것이 현실로 나타날 수는 없다는 이유로, 어떤 대안적 모델이라도 그저 오류일 뿐이라고 그에게 말할 것인가? 결국 아트랭크, 중국의 사회적 성실성, 국가안보국과 함께 구글이 게임에서 승리할 확률이 압도적이라고 그에게 말할 것인가? 페이스북의 항목들에 모두 적절히 체크하고 당신과 똑같은 친구들과 쇼핑하러 갈 것인가?

　　　　　아니면 다르게 결정하고 싶은가? 그 경우, 하등 쓸모없는 검은 공 및 노란 공들과 함께, 엘스버그의 역설(Ellsberg paradox) 및 단지 게임을 제안한 다니엘 엘스버그(Daniel Ellsberg)를 참조하는 것이 어떤가? 엘스버그는 랜드 연구소의 게임 이론 전략가였다가 미국 정부가 베트남 전쟁에 대해 체계적으로 거짓말을 하고 있음을 보여 주는 펜타곤 문서들을 누출하는 데 이른다. 이것은 반전 운동의 불길을 당기는 데 중요한 역할을 했고, 예측할 수 없는 복합적 작용으로 리처드 닉슨(Richard Nixon)의 실각에 기여했다. 실상 이는 정확히 엘스버그의 실험 결과가 제시하고 있는 것이다. 위험을 계산할 수 없다면, 당신은 위험을 받아들일 것이다. 모든 난관을 무릅쓰고 그는 해냈다. 그는 위험을 받아들였고 자신의 생성적 허구를 추진했다. 아무리 말이 안 되고 비현실적으로 보일지라도, 정의가 있을 수 있다. 적어도 거기에는 0.001퍼센트의 확률이 있다. 그러나 이 확률을 실현하기 위해서는 그냥 서 있기만 하면 안 된다. [가정이] 사실인 것처럼 행동해야 한다. 아직은 실존하지 않는 현실을 모방하고 그것이 존재하도록 게임을 해야 한다. 이것이 놀기가 행동하기로 자라는 방식이다. 자, 미술 노동자들이여, 이에 대해 생각하기 시작하자.

파시즘에 대해 이야기해 보자

그렇다. 진심이다. 심리학이나 악 그 자체에 대한 것이 아니다. 광기나 예측하지 못한 급작스러운 파멸에 대한 것도 아니다. 당신은 화제를 피하려 한다. 주제는 파시즘이다.

오슬로와 우퇴위아에서 일어난 습격 사건[A] 후 우리는 비슷한 회피를 목도해 왔다. 마치 사회가 스스로의 눈과 귀를 믿지 않고자 하는 것처럼 말이다. 범인은 자신의 네오파시즘 신념을 널리 상술했다. 하지만 사람들은 이 사실을 피하려고 한다. 그의 행위는 테러 행위가 아니라 정신 이상으로 불린다. 그 행위는 자연재해처럼 예기치 않게 나라를 강타한 사적인 일탈로 재현되고 탈정치화된다. 따라서 그것은 정치적 차원에서 분리되어 사적이고 개인적인 행동이 된다.

그러나 이와 같은 회피는 좀 더 많은 것을 시사한다. 그것은 표상 자체의 공백을 가리킨다. 그것은 동시대 파시즘과 유럽 및 그 너머에서 파시즘의 부활이라는 구조 깊숙이 작동하는 매우 심각한 인식론적·정치적 쟁점에서 유래한다. 아니 그 이상이다. 그것들은 매우 근본적으로 우리가 동시대 현실을 지각하는 방식에 내재되어 있다.

그럼에도 근본적인 문제는 도덕의 결여가 아니다. 선이나 악, 온전함과 병듦의 문제도 아니다. 그것은 표상(representation)의 문제다. 한편으로는 정치적 대의(political representation)의 문제이고, 다른 한편으로는 문화적 재현(cultural representation)의 문제다. 또한 실상 세 번째로 경제적 참여의 문제기도 하다. 이 모든 것이 학살에 대한 대중의 반응과 무슨 상관인가?

정치적 대의

그렇다면 정치적 대의와 문화적 재현은 무엇인가? 더 정확히 말하자면, 이 두 개념들 간에 그리고 이들 개념 내부의 차이는 무엇인가? 그들은 풀 수 없는 모순에 놓여 있다. 파시즘은 이러한 서로 다른 아포리아들을 폭발시키려는 시도로 나아가는 편리한 점프컷처럼 보인다.

기초부터 시작해 보자. 자유민주주의에서 정치적 대의는 주로 선거 과정에 참여하는 것으로 획득된다. 이는 시민권을 요구한다. 따라서 모든 유럽

A   편주: 2011년 일어난 폭탄 테러를 말한다.

민주주의에서 진정한 정치적 대의는 충분치 않다.

이점은 잘 알려져 있다. 그러나 지금은 훨씬 더 일반적이고 급박한 쟁점들이 있다. 정치권력은 갈수록 침해되고 있다. 누가 정치적 대의를 얻었는지 혹은 얻지 못했는지는 점점 중요해지지 않고 있다. 심지어 완전한 정치적 특권을 지닌 사람들, 정당의 당원들, 심지어 국회 의원들도 갈수록 간과된다. 왜냐하면 사람들이 원하는 것이 무엇이든, 그들이 누구든, 그들을 대표하는 것이 누구든 관계없이, 동시대의 통치자는 대개 '시장'이기 때문이다. 정치 계급이 달래고 만족시키고 흡족하게 만드는 것은 시장이지 사람들이 아니다. 경제의 영역에서도 대의는 역시 존재한다. 경제 활동에의 참여는 신용을 얻고, 소유하고, 소비하는 능력으로 측정된다. 이는 또한 본질적으로 경제적인 것 혹은 소비자 배제에 대한 동시대의 분노를 설명해 준다. 동시대의 많은 폭동은 정치적인 목적이 없다. 정치적 행위가 많은 경우 무력하다는 것이 증명되었는데 그들이 왜 그래야 하는가? 그 시위들은 경제적 참여를 위해 분투한다. 가장 집약된 표현은 쇼핑몰 약탈이다.

이와 같은 정치권력의 침해는 수십 년간 가난한 자에게서 부유한 자에게로 부, 기회, 실질 권력이 재분배된 결과다. 그것이 가능해진 동안, 신용 거래와 계약 쇼핑이 가난한 자들을 달랬다. 이제는 이것이 더 이상 유효하지 않은 것으로 보이므로, 경제적 참여는 전쟁터가 되어 왔다.

하지만 이 모든 것이 파시즘과 무슨 상관인가? 표면적으로는 아무런 관련이 없다. 그러나 이러한 현상들은 모두 잠정적으로 포스트 민주주의라고 부를 수 있는 징후들이다. 포스트 민주주의에서 정치는 공통적인 것을 조직하는 수단으로서 연달아 버림받는다.

포스트 민주주의는 정치 기관들에서도 느껴진다. 예를 들어, 유럽 연합의 시민들은 민주적으로 적법하지 않은 많은 기관들(이들 중에는, 또다시 그 어떤 정치적 제재를 받지 않는 금융 기관들도 있다)과 마주친다. 시민들의 표는 시민권에 따라 동일한 무게를 지니지 않기에, 정치적 대의의 다양한 계급들을 만들어 낸다. 유럽 내부와 바깥에서는 온갖 종류의 집권층들이 부상하고 있다. 관료주의의 후퇴는 권위적인 규율, 부족적 방탕, 조직화된 자경(自警)주의로 대체된다. 이른바 폭력의 독점은 갈수록 사유화되고, 사병, 보안 회사, 외주로 고용된 갱들로 인계된다. 민주적으로 통제할 수 있는 세력들은 약화되고 있지만, 다른 한편 국가 및 다른 행위자들은 비상 지휘권이나 '긴급한 필요'라는 명목으로 자신들의 의제를 강요한다. 지난 수십

파시즘에 대해 이야기해 보자

년간 이러한 사례들은 너무 많아서 목록을 거론하고 싶지도 않다.

　　　이러한 모든 징후는 정치적 대의라는 사상 자체에 대한 불안을 증폭시킨다. 우리는 평등을 약속받지 않았던가? 그렇다. 민주주의 사상은 우리 모두를 대표하는 것이 아니었던가? 아니다, 그렇지 않다. 정치적 대의는 어느 정도의 자의성과 무작위성을 포함한다. 그것들은 어느 정도 내재되어 있다. 그러나 지금은 그것들이 엄청난 속도로 가속되는 듯하다.[B] 그것은 불안정성, 비예측성, 다량의 무익함을 수반한다.

문화적 재현

그렇다면 다음으로 문화적 재현은 어떠한가? 그래서 그것은 무엇인가? 문화적 재현은 공적 영역에서의 (많은 경우 시각적인) 재현이다. 그것은 텍스트, 광고, 대중문화, TV, 그 밖의 모두에서 드러난다. 우리는 이것을 조사할 필요가 없다. 그저 당신 주변을 돌아보기만 하면 된다. 상황은 여기서 꽤 다르게 나타난다. 소셜 미디어뿐 아니라 상업 광고에서 거의 모든 것, 거의 누구에게서나 재현의 과잉이 존재한다. 이와 같은 재현의 쇄도는 디지털 기술과 함께 엄청나게 늘어났다. 그럼에도 사물이나 사람들이 문화적으로 재현되는 것은 많은 것을 의미하지 않는다. 그것은 단지 수많은 이미지들이 부유하며 주위를 끌고자 경합하고 있음을 뜻한다.

　　　그렇다면 정치적 대의와 문화적 재현의 관계는 무엇인가? 가야트리 스피박(Gayatri Spivak)이 말하듯, 묘사(Darstellung)와 대리(Vertretung), 또는 대리(proxy)와 묘사(portrait) 간의 관계는 무엇인가?

　　　한 가지가 있다. 그러나 이는 전통적으로 존재한다고 가정되던 것은 아니다. 30-40년 전, 초창기 문화 연구에서는 문화적 재현을 그람시(Antonio Gramsci)적인 함의로 시각적 민주주의의 일종으로 이해했다. 가정은 다음과 같았다. 사람들이 긍정적인 방식으로 문화적으로 재현된다면, 정치적 평등이 이루어질 확률이 높아질 것이다. 재현의 정치라는 개념을 둘러싼 격렬한 전투가 1980년대(또한 많은 곳에서는 이때를 훌쩍 넘어 다른 시대까지)의 상당 부분을 규정했다.

B　　예를 들어 다음을 참고하라. Kojin Karatani, *Transcritique: On Kant and Marx* (Cambridge, MA: MIT Press, 2003), 151.

그러나 현재 우리는 이 등식에서 무언가 잘못되었음을 깨닫고 있다. 좀 더 중립적으로 말하자면, 무언가 극적으로 변했다. (대부분의 개별 이미지, 텍스트, 소리의 평가 절하 및 가치 저하와 더불어) 모든 문화적 재현이 거대한 팽창을 겪고 있는 반면, 정치적 대의는 불균등할 뿐 아니라 갈수록 부적절해지고 있다. 또한 두 영역은 심하게 불일치하는 것처럼 보인다. 재현된 모든 것이 기하급수적으로 증가하는 시대, 순환하는 이미지와 데이터들이 증식하는 시대는 반이민 정책의 급진화, 갈수록 엄격해지는 국경 관리 제도, 네오파시스트(혹자는 이들을 우익 포퓰리스트라 부르기를 선호한다) 운동 및 정당의 증가, 정치적 권한의 전반적 상실의 시대이기도 하다.

만약 계속해서 밀어붙인다면, 정치적 대의와 문화적 재현 사이에 반비례에 가까운 관계가 있다고 결론을 내릴지도 모른다. 더 많은 사람들이 문화적으로 재현될수록, 사람들이 휴대폰으로 더 많이 서로를 사진 찍고 페이스북의 감시 계획에 따를수록, 그들은 정치적으로 덜 중요해진다. 그러나 이는 부분적으로만 적용되는 것일지도 모른다. 아마도 진정한 연관은 두 유형 모두 완벽하게 변덕스럽고 불균등하게 작용한다는 것이다. 그것들은 둘 다 대리보다는 묘사에 가깝고, 꼭 아주 좋은 묘사인 것도 아니다.

표상의 붕괴

오슬로와 우퇴위아의 습격 사건처럼 파시즘이 공공연하게 공표되고 잔혹 행위로 뒷받침됨에도, 오늘날 파시즘의 존재를 인정하기를 거부하는 것은 점점 더 분명해지고 있다. 왜냐하면 이러한 회피가 표상의 문제를 파시즘과 연결하는 사각지대를 가리키기 때문이다.

왜 그러한가? 파시즘에서는 표상이 붕괴하기 때문이다. 표상에 내재된 모든 복잡성들을 피하고 표상을 낯설고 이질적인 개념으로 이름 붙이려는 시도가 표상을 단락시킨다. 파시즘은 지도자를 내세우고 문화적 재현을 완전한 진실인 척하는 캐리커처로 대체함으로써 민중의 본질을 표현한다고 주장한다.

실상 동시대 표상이 수상쩍은 여러 이유가 있다. 근래 몇 년간 정치적 대의나 문화적 재현 모두, 표상된 것과 표상 사이의 연결이 극적으로 훨씬 복잡해진 듯하다. 또한 이런 연결이 완전히 붕괴되는 일이 아주 잦다. 알다시피 표상은 붕괴로 향하고 있다. 혹은 차라리 현기증이 날 정도로

파시즘에 대해 이야기해 보자

급락하며 수직 강하하고 있다고 말할 수 있다.

문화적 재현에서 실제의 개념은 전례 없을 정도로 강조되어 왔다. 시각적 재현의 관습과 규칙 중 다수가 최근의 디지털 혁명에서 거의 쓸모없어졌다. 사진의 경우, 이른바 (언제나 의심스러웠던) 사진의 지표적 결합은 복사-붙여넣기 기술, 가속화된 불확실성(fog-of-war) 캠페인, 이례적으로 많은 사기, 거짓 정보, 속임수 기회로 인해 산산이 부서졌다. (저널리즘적, 법적, 어느 정도는 과학적이기도 한) 전통적인 진실 시험 절차들은 디지털 소문, 만연한 규제 완화, 수요의 법칙, 위키피디아 같은 집단 '지식'으로 대체되었다. 물론, 문화적 재현은 언제나 미묘한 것이었다. 그러나 파시즘 2.0의 출현은 실제 사람과 더 이상 거의 연결되지 않는 아바타들이 부채질하는 디지털 증오가 들불처럼 번질 수 있는 시대를 이야기한다. 재현 그 자체가 제도의 통제에서 풀려난 것처럼, 재현의 내용은 많은 경우 경험적인 실제와 결별했다. 오해하지 마시라. 나는 디지털 혁명이 나쁜 것이라고 생각하지 않는다. 그 반대로, 디지털 혁명은 정보의 자유로운 유통으로 여러 중요한 발전을 가능케 했다. 그러나 그 대가는 불확실성과 불안정성의 증가였다. 이를 부인하지도 않는다.

정치적 대의에서 근래 실현된 주요한 일 중 하나는 오늘날 권력이 정치적이기보다 경제적으로 규정된 것처럼 보이기 때문에, 정치적으로 대표된 사람들조차 무력하다고 느낀다는 점이다. 따라서 역설적이게도 정치적 대의는 문화적 재현을 닮아가기 시작한다. 그것은 대리보다 묘사에 가까워지는데, 다른 한편 내적 모순은 커진다. 이에 따라 정치적 대의와 문화적 재현 모두 복잡성이 강화된다.

금융과 인식론

아마도 표상에 있어서 이 모든 다양한 미끄러짐의 공통분모는 추측(speculation)의 개념이다. 추측은 금융의 도구인 동시에 인식론의 수단이다. 금융의 경우, 투기(speculation)는 결과가 안전하게 예측될 수 없는 조치를 취하는 것을 뜻한다. 결정을 내릴 때 정보를 전부 얻을 수는 없다(혹은 전부 얻을 가능성이 없다). 그러므로 위험은 증가하지만, 짐작컨대 기회 또한 늘어난다. 투기는 또한 가치가 그것이 가리키는 대상으로부터 점점 더 풀려남을 의미하기도 한다. 가치는 더 이상 문제가 되는 사물이 아니라, 그것의 유통

맥락과 거기에 결부된 정서를 가리킨다. 그것은 파생물의 파생물로 인한 감정 기복을 대변한다. 그것은 의례적인 정지-이미지 도판보다는 거칠게 흔들리는 핸드헬드 카메라로 찍은 비디오 피드백과 같다. (이런 비유를 통해 나는 전자가 후자보다 더 진실하다고 암시하려는 것이 아니다. 전자는 후자보다 그저 좀 더 예측 가능할 뿐이다.)

이것이 관찰 및 연구 수단으로서의 사변(speculation)과 어떻게 연관되는지 보기란 어렵지 않다. 'speculari'는 라틴어로 관찰을 뜻한다. 이 단어는 그리스어 'theoria'의 라틴어 번역어로 쓰였고, 경험적 실존 뒤에 있는 사물의 본질 혹은 원천을 찾는 탐구를 묘사한다. 이와 동시에, 그것은 어두운 거울 속에서 신을 인지하는 것에 대해 고찰한 아우구스티누스의 성찰이 제시하듯, 순수 현상의 안개 속으로 뛰어드는 것을 지칭하기도 한다. 한스 라이헨바흐(Hans Reichenbach)에 따르면, 사변은 철학의 전환기를 규정한다. 이때 질문은 답할 수 있는 가능한 합리적 수단을 넘어선다. 그러므로 철학적 사변 또한 위험과 기회를 나타낸다. 그것은 바깥에서 완전히 길을 잃을 위험뿐 아니라 상자 바깥에서 생각할 가능성을 제시한다.

하지만 추측은 표상의 여러 일상적 과정을 규정하고 있기도 하다. 알려지지는 않았지만 의심스러운 모든 것들. 입증되지 않은 모든 소문들. 인식 너머 압축된 모든 복잡성. 뚝뚝 떨어지는 정동(affect)이 두껍게 덮혀 재현의 거품 속에서 증식되며 유통되는 입소문 영상. 전쟁 지역에서 온 입자가 거칠고 추상적인 푸티지. 비상과 재난에 대한 중독과 기하급수적으로 증식하는 스크린에서 그것들의 연이은 팽창. 이미지와 그 밖의 지시적 가치, 무엇이 되었든 지시하는 것과의 관계에 대한 신뢰의 상실.

추측 일반을 규정하는 과정(특히 실제와의 위험하고 입증되지 않은 관계)의 다수는 디지털 재현의 실천에 내재되어 있다. 추측은 그러한 표상을 극도로 활성화시킨다. 그 결과 지시 대상과 기호, 사람과 대리 간의 관계는 다른 많은 동시대 현상처럼 극도로 예측할 수 없어진다. 표상은 추측의 혜택을 톡톡히 보고 있다. 추측은 오늘날 우리가 경험하는 급락을 가속화시킨다.

이것은 나쁜 소식만은 아니다. 방법으로서의 추측은 표현과 사고의 새로운 자유를 열어 놓지만, 다른 한편 쉽사리 좋지 않은 쪽으로 이용될 수 있다. 기회는 시시각각 생기고, 그와 동시에 현실들은 소모되고 파괴된다. 이는 새로운 사고의 지평을 열어 주지만, 많은 경우 완벽한 망상으로 끝난다. 추측은 가능성과 탐색의 전조이자 편협과 편견에 놀아나기도 한다.

　　　　　　파시즘에 대해 이야기해 보자

이것이 파시즘이 작동하는 곳이다. 표상이 붕괴하거나 급격한 루프와 피드백을 파생시키는 곳에서, 얼핏 보기에 파시즘은 쉬운 답을 준다. 파시즘은 짜증나는 현실의 잔여물을 차단하는 비상 단추다.

표상의 복잡함을 외견상 제거함으로써 파시즘은 자신이 동시대 추측적 표상의 최상의 형식(붕괴나 충격의 지점)임을 모호하게 만드는 데 성공한다. 충돌 그 자체는 과도하게 표상되는 동시에 표상되지 않는다. 현혹과 죽음으로 가득 찬 사각지대. 경험적 현실의 방식으로부터의 비가역적인 분리.

파시스트에게 좋은 소식은 그들의 이데올로기가 동시대 경제 패러다임과 매우 잘 맞는다는 것이다. 파시스트 이데올로기는 사회는 중요하지 않고 개인의 탐욕과 권력 의지가 전부라는 이데올로기와 완벽하게 공명하기 때문이다. 거기서는 패거리와 소란이 최고로 중요하고 납작해진 고정관념이 숨을 헐떡인다. 특히 1인칭 슈팅 게임과 온라인 광신의 시대에 파시즘은 '과열된 자본주의'의 이상적 보충물로 보인다. [그것은] 아리아인에게 내장된 경쟁 우위인 것이다. 파시즘은 (완전히 추측적인) 가치의 지시 대상, 즉 인종이나 문화의 재도입을 편리하게 약조할 뿐 아니라, 더럽고 임금이 낮은 직종은 '하위 인간'(subhuman)들에게 던져 버릴 것이기에 표적이 되는 청중들에게 그들이 계급 격차에서 상위 계급에 속하게 될 것을 보장해 주기도 한다. 파시즘은 스스로를 자명한 '진실'로 제시함으로써, 모든 이가 '성취하거나' 실패하리라 가정되는 자유 민주주의의 무자비한 평등에 대한 표면상의 대안을 제시한다. 파시즘에서 계급이 인종으로 붕괴되면서 자본주의 자유주의의 추상적인 평등은 폐지된다. 그것은 게으른 아리아인을 위한 완벽한 이데올로기이다. 당신은 실제로 일할 필요 없이 자본주의의 모든 혜택을 누릴 수 있다.

이 지점에서 우리는 '아리아인'과 '인종'이라는 단어가 비슷한 전제를 공유하는 다른 복사-붙여넣기 은어들로 대체될 수 있음을 깨닫는다. 지난 10년간 대부분의 테러 공격은 실상 우익 극단주의자들이 시작했다. 그들은 자신들의 문화가 '순수'하고 배타적으로 남기를 바라고, 여성, 공산주의자, 대부분의 소수자들(다시 말해 그들 관점에서 볼 때 소수자들)을 증오하며, 테스토스테론 기반 남성성을 중심으로 한 이데올로기를 꾸며 낸다. 이러한 이데올로기들 전부가 파시즘은 아니고, 이들 모두를 이 관념으로 요약하려 할 필요도 없다. 그러나 이들 모두는 평등을 획일성으로 바꾸려고 한다. 그들이 후자를 어떻게 정의하든 말이다.

하지만 이것이 핵심이다. 내가 여태까지 쓴 것 중 어떤 것도 반드시 파시즘으로 이어지는 것은 아니다. 그것은 파시즘의 출현을 촉진하는 맥락을 보여 준다. 그것이 필연적으로 파시즘으로 이어지지는 않는다. 이유는 간단하다. 사람들은 선택권을 가진다. 그 누구도 파시스트가 될 것인지 안 될 것인지를 선택할 수 있다. 그리고 다행스럽게도 대부분의 사람들은 지금까지 파시스트가 되지 않기를 선택해 왔다.

　　　　또한 문제를 무시하지 않기를 선택할 수도 있다. 이러한 도전을 부인하는 대신, 우리는 그것들에 맞서야 한다. 우리는 견제와 균형을 재도입하고, 가치와 정보를 재협의하며, 표상과 인간 연대를 주장함으로써 현실의 완전한 동요에 맞서야 한다. 이것들은 또한 실존하는 파시즘과 그 무수한 파생물 및 분파들을 인정하고 이에 반대하는 것을 포함한다. 파시즘의 존재를 부인하는 것은 새롭게 부상하는 포스트 정치와 포스트 민주주의에, 다시 말해 현실에 대한 완전한 외면에 굴복한다는 의미다.

빵이 없으면 미술을 드세요! 동시대 미술과 파생 파시즘

미술은 통화인가? 투자자 스테판 심초위츠는 그렇게 생각한다. 그는 포스트 브렉시트 시대에 대해 단호한 명쾌함으로 다음과 같이 기술했다. "미술은 인플레이션과 통화 가치 하락에 대비하는 대체 통화로서 구조적 기능을 효과적으로 유지할 것이다."[A] 은 그림들이 대리(proxy) 금 본위제가 되고 있는가?[B] 어떻게 이렇게 되었는가? 지금도 진행 중인 위기 상황에서 투자자들은 세금 폭탄을 맞았고, 이후 자유항의 소장품, 고층 저택, 유령 회사로 관심을 돌렸다. 양적 완화는 통화 안정성을 침해하고 공적 자원을 고갈시켜, 형편없는 임금, (일이 있다손 쳐도) 끝없는 단기 계약, 끝없는 빚, 항구적인 의심, 이제는 증가하는 폭력으로, 불안정한 서비스 경제를 공고히 만들었다. 이와 같은 불안정화가 많은 나라의 국내총생산(GDP) 전망보다 미술의 가치가 더 안정적으로 보이는 이유 중 하나다. 이는 유럽 연합의 경우 대규모 퇴거, 긴축 재정, 방화 공격, 다에시들의 난동, 도이치방크의 사기를 배경으로 발생한다. 그 결과 아동 빈곤, 채무 협박, 경제 조작, 널리 자초한 실패 정책을 파시스트 식으로 타자에게 책임 전가하기 등이 일어난다. 미술은 이러한 역사적 순간의 "대체 통화"(alternative currency)다.[C] 미술은 수많은 불행을 대가로 거래되는 듯하다.

한편, 반동적인 급진주의가 많은 곳에서 강화되고 있다. 이를 일일이 거론해 독자를 지루하게 할 생각은 없다. 또 다른 습격, 선거, 쿠데타, 혹은 폭력, 여성 혐오, 스너프 [필름], 악명으로 판돈을 올리는 누군가가 언제나 있다. 파생 파시즘[D]은 권리를 빼앗긴 중산층이 글로벌 경쟁을

A   Rain Embuscado, "The Art World Responds to Brexit," *Artnet News*, June 24, 2016.

B   그사이 이 특수한 시장은 분명히 붕괴되었다. 하지만 미술 시장 일반은 여전히 꽤 안정적이다.

C   통화로서의 미술이라는 개념은 데이비드 조셀릿(David Joselit)의 『미술 이후』(After Art, Princeton: Princeton University Press, 2012)에서 매혹적으로 자세히 다뤄졌다. 하지만 그가 다룬 시기는 신자유주의 세계화가 확장되던 시기로, 역사적으로 다른 때다. 이와 같은 역사적 시기의 막바지에 달한 지금, 통화로서의 미술은 더욱 강력해진 것으로 보인다.

D   '파생 파시즘'이라는 용어는 선물 옵션의 측면에서 20세기 파시즘과 관련된 광범위한 극우 운동 전반을 가리킨다. 하지만 파시즘용 선물 옵션을 만들고 판촉하는 20세기 파시즘의 등가물을 의미하는 것은 결코 아니다. 파생 파시즘이 정말로 파시즘인지 아닌지를 묻는 것은 의미가 없다. 왜냐하면 파시즘은 그 파생물과 관련이 있을 수도 있고 없을 수도 있는, 기저의 실체기 때문이다.

두려워하는(직면하는)—그리고 반동적인 집권층들을 조롱하는 동시에 이들에게 아부하기를 택한—곳이라면 어디든 계속 증가하고 있다.[E] 이전보다 훨씬 자체-부족화(self-tribalized)된 집단들이 생겨났고, 이들은 신자유주의적인 경쟁을 폐지하는 대신 경쟁자들을 사적으로 제거하는 방식을 선호한다. 파생 파시즘은 그들 자신을 제외한 만인에게 적자생존을 장려함으로써 전면적인 자유 무역 경제를 (예컨대) 백인 민족주의나 극단적인 보수 종교 집단의 정체성과 융합하려 한다. 권위적 신자유주의는 단순한 권위주의로 이어진다.

페이스북에 영속하는 가짜 정보들이 항구적인 불확실함을 부채질한다. 이미 규제에서 벗어난 진실에 대한 생각들이 훨씬 더 탈안정화된다. 비상사태가 지배한다. 비평은 트롤들의 잔치다. 위기는 오락으로 상업화되었다. 신자유주의 세계화의 시대는 소진된 듯하고, 침체, 분열, 독재 지배의 시대가 시작되고 있다.

대체 통화

미술 시장은 크게 개의치 않는 듯하다. 금융 기관과 심지어 정치 단체 전체가 폭신한 반짝임으로 녹아드는 시대에, 미술 투자는 어떻든 훨씬 실제적으로 보인다. 더욱이, 대체 통화로서 미술은 이더(ether)[F]와 비트코인이 지금껏 기약만 해온 것을 충족시켜 주는 듯하다.[G] 국가가 발행하고 중앙은행이

E　나는 '중산층'이라는 용어를 확장된 의미로, 즉, 외주화와 경쟁 확대로
　　약화된 (아마 과거 선진국의 노동 계급과 실직 계급을 모두 포함할 수 있을)
　　글로벌 중산층(global middle class)이라는 뜻으로 사용한다. 하지만
　　경제적 이유만이 파생 파시즘의 새로운 인기를 설명해 주는 것은 아니다.
　　독일의 경우, 2016년에 방화로 공격받은 난민 수용소만 90개(같은 해
　　공격받은 총 횟수는 도합 901건이다)에 달한 반면, 그와 동시에 경제적으로
　　매우 풍요로웠다는 사실은 어떠한가? 왜 오스트리아는 1990년대 중반
　　이후 실업률이 6퍼센트를 넘긴 적이 없음에도 네오-파시스트 대통령을
　　선출하려고 하는가? 최근의 위기에서 큰 이익을 본 이들 두 나라에서 극우
　　단체들이 지속적으로 존재했고 성장세라는 것을 어떻게 설명할 것인가? 두
　　나라 모두 불평등이 증가하고 있음은 사실이다. 엄연한 사실에 비추어 볼 때,
　　경제적 어려움과 파시즘의 인기 사이의 상관관계는 매우 복잡하다. 후자는
　　위협을 느끼거나 단지 무시만 받아도, 사회 전체를 협박하거나 파시스트에게
　　투표하거나 불안정하게 만들거나 살해할 수 있는 집단 일부도 필요하다.

F　역주: 블록체인 기술을 기반으로 스마트 계약 기능을 구현하는 분산 컴퓨팅
　　플랫폼이자 운영 체제인 이더리움(Ethereum)이 제공하는 암호 화폐의 이름.

관리하는 돈 대신, 미술은 네트워크화되고, 탈중심화된, 널리 통용되는 가치 체계다.[H] 미술은 경합하는 기관이나 파벌을 넘어 신용이나 불명예를 측정하기 때문에 안정적이다. 전시, 스캔들, [SNS의] 좋아요, 가격을 비동기적으로 기입하는(혹은 대체로 기입하지 못하는) 시장, 수집가, 미술관, 출판, 아카데미가 있다. 암호 화폐가 그렇듯 여기에는 가치를 보증하는 중앙 기관이 없다. 대신, 스폰서, 검열관, 블로거, 개발자, 프로듀서, 힙스터, 핸들러, 후원자, 독립 활동가, 수집가, 이보다 훨씬 정체가 모호한 캐릭터들이 뒤죽박죽 뒤섞여 있다. 가치는 카더라 통신(gossip-cum-spin)과 내부 정보에서 발생한다. 사기꾼과 가짜 예술가들은 이 혼란을 거들먹거리는 교수들, 불안한 갤러리스트, 소파에서 뒹굴거리는 학생들과 뒤섞는다. 이와 같은 비공식적 생태 환경은 몹시 조작하기 쉽지만, 모든 이가 그렇기에 심지어 고도로 조작된 단계에서조차 종종 공정해진다. 미술은 변형성이 매우 높은 동시에 비활성이고, 숭고하고 몽롱하며 불투명하고 기괴하면서 동시에 노골적이다. 미술은 가장 심원한 현상이 수집가의 대기 목록에 올라가 있는 게임이다. 대기열의 아래쪽에는, 비트코인처럼 제한할 수 없는 것을 제한함으로써 디지털 희소성이라는 모순을 제어하려고 애쓰는 미디어 아트가 있다. 하지만 기술적으로 오류가 없다고는 하나, 미술 시장의 가치가 합의, 공모, 우연에 의존적인 것처럼 비트코인 역시 집단 권력에 좌우될 수 있다.[I] 매수될 수 없는 기술처럼 보이는 것이 실제로는 사람들의 행동에 달려 있다. 미술의 암호화 부분도 마찬가지다. 미술은 종종 때로는 해독될 수 없는 수준까지 암호화된다. 암호화는 늘 일어나고, 심지어 아니 특히 전혀 아무 의미가 없을 경우에도 발생한다. 상충하며 종종 쓸모없는 수많은 열쇠들을 지닌 메시지의 존재와 관계없이, 미술은 그 자체로 암호화다.[J] 미술의 명성 경제는 무작위로 계량되고, 작가 및 학자들의 등급을 매기는

G　　분명히 말하자면, 미술은 암호 화폐가 아니다. 그럼에도 미술이 암호 화폐가 될 가능성은 아주 유용한 텍스트인 다음의 글에서 제기된다. J. Chris Anderson, "Why Art Could Become Currency in a Cryptocurrency World," *The New Stack*, May 31, 2015.

H　　암호 화폐와 대조적으로, 미술에서는 탈중심화된 투명성에 대한 속임수가 전혀 없다. 자동화되어 청렴하게 작동하는 척도 하지 않는다. 통화로서의 미술이 상대적 안정성을 얻는 것은 정확히 불투명함 때문이고 인간관계에 막대하게 의존하기 때문이다.

I　　다음의 글을 참조하라. Melvin Draupnir, "Bitcoin Mining Centralization," bitcoinmining.com, May 12, 2016.

　　　　　　　　　　면세 미술

엉터리 알고리듬으로 순위가 매겨진다. 하지만 훨씬 전통적으로 당파적인 사회적 위계 또한 포함하고 있다. 미술은 완전히 우스꽝스럽고, 비뚤어졌으며, 구속력이 없는 모임이지만, 문명 일반이 그렇듯 위대한 사상일 수도 있다.

그럼에도 실제로 미술 산업은 조세 피난처라는 옆길로 흘러가 버리는 분수 효과(trickle-up effect)를 촉발한다. 미술 경제는 지속 가능한 직업 창출, 교육, 연구로부터 투자를 우회시키고 사회적 비용과 위험 부담을 외부로 돌린다. 미술 경제는 이웃 간의 교류를 바래게 하고, 임금을 적게 지불하고, 끔찍한 헛소리를 과대평가하고 퍼트린다.

이러한 상황은 미술 투자자와 관리자 계층에만 적용되지 않는다. 많은 미술 노동자들의 생활 방식은 수익을 잽싸게 회계상의 바나나 공화국으로 돌리는, 기업의 기술적 (그리고 반사회적) 인프라를 지원하고 있기도 하다. 애플, 구글, 우버, 에어비앤비, 라이언에어, 페이스북, 그 밖의 힙스터 업체들은 아일랜드, 저지(Jersey)섬, 또는 여타의 관할 구역에서 거의 세금을 내지 않는다. 그들은 학교나 병원 같은 지역 사업에 기여하지 않고, [해당 기업들이 내세우는] 공유(sharing)라는 개념은 그들이 자신의 몫(share)을 챙긴다는 사실만 확인시켜 준다.

하지만 사실은 사실로 인정하자. 다른 산업의 규모에 비하면 미술의 지분은 미미하다. 동시대 미술은 불투명하고 이해할 수 없으며 불공정한 모든 것, 하향식 계급 전쟁과 철저한 불평등의 재탕일 뿐이다. 그것은 [작게 솟은] 싹(spear)인 척하는 빙산의 일각이다.

퇴폐 미술

예측할 수 있듯, 이는 적의와 노골적인 분노를 일으킨다. 미술은 점차 퇴폐적이고 뿌리 없으며, 외부의 영향을 받지 않는, 코스모폴리탄 도시 엘리트의 활동으로 규정되고 있다. 한편으로, 이는 매우 정직하고 일부 타당한 기술(記述)이다.[K] 동시대 미술은 모든 것이 일어나고 아무것도 어디서도 일어나지 않는 시간, 불경기가 확대되는 시간, 교착 상태에 놓인 일련의 새로움의 시간에 속해 있다.

J   이는 대체 통화(혹은 금융 옵션이나 계약)를 다루는 미술 프로젝트를 이중적으로 만든다. 이런 프로젝트들은 재현적일 수도 있지만, 때로는 실제로 이미 자신들이 하고 있는 것 외의 무언가를 보여 줌으로써 일말의 오해를 불러일으킬 수 있다.

많은 이들이 큰 변화를 갈망한다. 어떤 이들은 체제가 무의미하고, 해로우며, 1퍼센트 중심이고, 배타적이기 때문이고, 그보다 훨씬 많은 이들은 결국 자신들이 체제 안에 속하기를 원하기 때문에 변화를 원한다.

한편, '뿌리 없는 코스모폴리탄'을 거론하는 것은, 반대하는 지식인들을 '건강한 국가의 신체'에 깃든 '기생충'으로 규정하곤 한 나치와 스탈린주의의 선전을 확연히 연상시킨다. 두 정권 모두 이러한 유의 은어는 지역 주민들이 미술에 접근하기 쉽게 하거나 미술의 매력을 높이거나 넓히는 것이 아니라, 소수의 인텔리겐치아, 형식 실험, 진보적인 의제를 제거하는 데 활용되었다. 문화에 있어 '반엘리트주의' 담론은 현재 '퇴폐 미술'이라는 고정 관념을 재도입해 자신들의 경제적 특권으로부터 주의를 돌리고 싶은 보수적인 엘리트들이 주로 활용한다.

그런고로 권위주의자들에게 새로운 기회를 희망한다면 아마도 실망할 것이다.

권위주의 우익 정권은 아트 페어 VIP 리스트를 없애거나 서로 다른 집단의 사람들에게 미술이 좀 더 접근하기 쉽거나 유의미하게 만들지도 않을 것이다. 그들이 엘리트나 심지어 미술을 폐지할 리는 없을 것이다. 그들은 회계상 자료를 넘어 존재론적 실체에 이르기까지 불평등을 촉진시킬 뿐이다. 이와 같은 변화는 책임, 기준, 접근, 투명성에 대한 것이 아니다. 그것은 조세 사기, 위조 시장, 다에시들의 골동품 거래, 조직적인 저임금을 방지하지 못할 것이다. 동일한 상황이 단지 훨씬 안 좋은 방향으로 심화되는 것이다. 근로자들에게 더 적은 임금을 주고, 거래는 줄고, 전망도 없어지고, 유통도 덜 되며, 심지어 (가능하기라도 할 경우) 규제조차 줄어든다. 불편한 미술(단순하지 않고, 거대하지 않고, 약간이라도 복잡하거나 어려운 것)은 완전히 사라질 것이다. 지적인 관점, 확장된 정전(canon), 비전통적인 역사는 처단될 것이다. 눈에 띄는 돈 대신 시간과 노력을 요하는 것은 무엇이든 축출될 것이다. 공적 지원은 인스타그램의 인기 지표와 교환된다. 미술은 일종의 미술 증시(Arsedaq) 위에 완전히 떠다닌다. 더 많은 아트 페어, 더 폭력적인 머저리들을 위한 더 큰

K   '무력해지고' 여성화된 것으로 비난받는 미술 교육의 예로는 다음을 참조하라. Jonathan Jones, "Goodbye Art History A Level, You Served the Elite Well," *The Guardian*, October 13, 2015. 한편, 나는 벤 데이비스의 걸출한 글에 매우 동의한다. Ben Davis, "After Brexit, Art Must Break Out of Its Bubble," *Artnet News*, June 28, 2016.

요트, 엉덩이가 큰 금발 여자를 그린 유화, 추상적인 주식 차트 캘리그래피.
맛있는 유기농 슈퍼 푸드. 가속주의자 디자이너 양성. 탈세자들을 위한 맞춤형
일대일 퍼포먼스. 남성 대가, 더 많은 남성 대가, 그리고 그 반복. 미술은 맹수
사냥, 무장 패러글라이딩, 슬럼가 탐방 모험 옆에 자리 잡을 것이다.

값비싼 공예품과 체인 호텔 로비에 맞는 공허한 작품들에게는
환호할 일이다. 자연 선택에 대해 떠들어 대는 기업 캐릭터들이
성형한 플라스틱괴[L] 대리석. 생물학적 '자기 개발'을 위한 키트. 허접
추상(Crapstraction), 알고리듬 추상(algostraction), 크라브 마가[M] 수업과
함께하는 맞춤형 설치. 종교적인 문양의 네일 아트는 언제나 죽여줄 것이다. 특히
루이비통 로고를 그린다면 더욱 그러하다. 헤지펀드 만다라. 얌전한 패션. 과감한
패션. 본토박이들의 헛소리. 단정한 민속풍 도기에 담긴 유전자 조작 캐비어.
개념에 따른 성형 수술. 인종에 맞춘 성형 수술. 맞춤형 상아 총 손잡이. 국경
벽에 그려진 벽화. 이것들에 행운을 빈다. 당신은 나의 철천지원수가 될 것이다.

앞장서 미술 기관을 그냥 폐지시켜 버린 신자유주의 우익들이
제도 비판을 압도해 버린 것처럼, 반동적인 상대방이 동시대 미술 비판과 이
패러다임으로부터의 탈출에 대한 주장을 방해한다. 경기 침체의 가속이라는
반동적인 출구는 이미 궤도에 올라 있다. 알고리듬 시장 조작과 아날로그
시장 조작은 공공 부문 및 포스트 공공[N] 부문의 지원 철회, 해체, 공동화와
더불어 사상의 공유, 평가, 실험을 위한 장으로 종종 작동하던 미술을
고액순자산보유자(HNWI)들의 인테리어 디자인으로 바꿔 놓는다. 미술은
민족적이거나 종교적 혹은 완전히 편향된 역사로 쉽게 홍보될 수 있는,
고립주의적이고 비접속된(unlinked) 정전 안에서 차단될 것이다.

대안 대체 통화?

이제 어째야 하는가? 여기서 어디로 가야 하는가? 다음 문단을 괄호 안에 넣어
두자. 그것은 그저 가설적 가능성을 가리킬 뿐이다.

L   Plastiglomerate. 역주: 녹은 플라스틱이 화산암, 바다 모래, 조개껍데기
              등과 섞인 딱딱한 돌덩어리.

M   Krav Maga. 역주: 이스라엘에서 개발한 특공 무술.

N   포스트 공공(post-public)은 비엔날레나 여러 기관 및 미술관 같은
              반(半)공공적인 기업 벤처를 의미한다.

만약 미술이 대체 통화라면, 그것의 유통 또한 운영되는 인프라의 개요를 보여 준다. 이러한 구조가 다르게 작동하도록 재점유할 수 있을까? 만약 더 큰 공동체를 위해 가장 부패한 부분을 규제하거나 재구성한다면, 미술의 대체 통화는 가치를 얼마나 잃을 것인가? 갤러리 계약, 재판매 시 최저가, 아티스트피,[O] 유급 인턴십처럼 시장에서 최소한의 규제라도 하는 것이 어떤가? 조세 사기 및 돈 세탁을 통제하기 위해 미술 작품의 제작, 거래, 배치를 표시하는 블록체인 공공 기록을 도입하는 것은 어떠한가?[P] 왕년의 문화계 지원금으로 구제 금융을 받은 은행, 화석 연료 추출 및 무기 제조를 미술로 세탁하는 대신, 가장 굴욕적인 스폰서 및 후원자 관계를 거절하는 것은 어떤가? 역외의 미술 관련 거래나 재판매에 수수료를 부과하는 것은 어떨까? 대체 통화로서의 미술이 기존 체제에서 유통될 뿐 아니라 아직 존재하지 않는 경제(공공, 기관, 시장, 평행 미술계 등)도 개시할 수 있을까?

하지만 단지 인프라나 기술이 존재한다는 이유만으로 모종의 진보적인 전환이 저절로 일어나리라 기대하는 것은 인터넷이 모든 인류에게 공평하게 혜택을 주기 위해 사회주의나 자동화를 만들어 내리라 기대하는 것과 다름없을 것이다. 인터넷은 파리 코뮌이 아니라 우버와 아마존을 낳았다. 그 결과를 '공유 경제'라 부를 수 있겠지만, 이는 대체로 가난한 자가 부자와 공유함을 의미하지 그 반대는 아니다. 만약 지금보다 덜 일방적인 공유를 해야 한다면, 대부분의 자본은 즉시 떠날 것이다. 또한 유통의 감소는 통화 기능을 줄어들게 만들 것이고, 이에 따라 아마도 통화로서의 미술의 기능이 박탈되고 미술 작품은 상품이나 생산물로 되돌아갈 것이다. 그러므로 평행 미술 분야를

O   W.A.G.E.(Working Artists and the Greater Economy), 불안정 노동자 연대(Precarious Workers Brigade) 등이 이 주제와 관련해 눈부신 일들을 하고 있다. 리버레이트 테이트(Liberate Tate)나 걸프 레이버(Gulf Labor) 등 새로운 작가 조합과 기타 조직들도 관련된 쟁점에 대해 활동하고 있다.

P   미술의 유통, 비판, 기록에 블록체인 기술을 이용하는 것은 서로 다른 미술 현상의 정량화, 합의의 조작, 평균의 횡포에 대한 굴복 등과 관련해 거대한 골칫거리를 열어젖힌다. 아마도 미술의 매력(과 가치)은 틀림없이 최소한 부분적으로는 미술이 소위 '군중의 지혜'나 여타 인기에 기반한 작용을 늘 재생산하지 않는다는 데에 기인한다. 선물시장이나 예측 시장에 따라 주문 제작된 모두의 미술이 어떻게 우스꽝스러우면서도 파괴적일 수 있는지를 이해하려면 비탈리와 멜라미드의 다음 사례를 살펴보라. Vitaly Komar and Alex Melamid, "The Most Wanted Paintings on the Web," awp.diaart.org.

향한 첫걸음 중 하나는 버블 유동성이 부재한 상황에서 부분적으로나마 지속 가능성을 조직하고 간신히 무급 노동(free labor)의 양을 제한하는 것일 테다. 무엇이 등장하든 미술-연계(art-affiliated) 자율성의 새로운 버전이 될 것이다.

모더니스트 미술 기획의 자율성과 대조적으로, 이러한 자율성은 고립되거나 접속되지 않거나 분리된 것이 아니다. 또한, 기술에 내재된 진보에 대한 환상으로 발생하는 것도 아니다. 그와 달리, [새로운] 자율성은 다양한 개체들 간의 교환과 의식적인 노력을 통해서만 출현할 수 있다. 이는 유통, 변환, 연금술로 작동하는 자율성이다. 그것이 만들어 내는 접속은 약한 접속(즉, 허공에 하는 키스 같은 접속)으로 존재하고, 이들의 재구성은 상충하는 활동들을 절충한 뒤범벅 상태에서 일어나야 한다. 그러나 이와 동시에 필요한 모든 수단을 동원해 부분적으로 네트워킹된 자율성을 구축함으로써 미술 관련 언더커먼즈(undercommons)와 동기화를 시도할 수 있다.[Q] 만약 미술이 통화라면, 그것은 저류(undercurrent)가 될 수 있을까? 미술은 우버(Uber, 위)가 아니라 운터(Unter, 아래)로 작용할 수 있을까?

이를 어떻게 실현하나? 사람들은 국가, 재단, 후원자, 기업이 후원하는 곳으로 미술계를 인지하곤 한다. 그러나 정반대도 최소한 동등하게 적용된다. 역사상 미술 제작을 지원해 온 것은 그 누구보다 작가 및 미술 노동자들이었다.[R] 이들 대부분은 복합적인 수입 구조를 조합해 그렇게 한다. 쉽게 말해, 모종의 임금 노동(혹은 다른 수입)으로 미술 제작 비용을 대는 것이다. 하지만 좀 더 일반적으로 보면 연관된 모든 이들 역시 온갖 종류의 방식으로 미술의 유통에 기여하고, 이로써 미술을 통화로서 강력하게 만든다. 심지어 '노동을 하지 않고' 살아가는 작가들조차 다른 산업과 연관된 거대한 의뢰들을 통해 시장을 지원한다. 그러나 VIP 사전 프리뷰, [건물을] 채울 수도 없으면서 자행되는 맞춤형 미술관 증축, 아트 페어 군비 확장 경쟁, 유배지 조건하에 세워지는 프랜차이즈 기관들, 그밖에 이해할 수 없는 거품들을 왜 후원해야 하는가? 이처럼 부풀려지고, 권위가 부여되고, 완전히 잉여인 데다,

Q   프레드 모튼과 스테파노 하비가 다음의 책에서 앞서 제시한 일군의 주장을 적용했다. Fred Moten and Stefano Harvey, *The Undercommons: Fugitive Planning and Black Study* (Brooklyn: Minor Compositions, 2013).

R   이는 다음의 글에서 지적된 바 있다. Anton Vidokle, "Art without Market, Art without Education: Political Economy of Art," *e-flux journal* 43 (March 2013).

당혹스러운, 무엇보다도 정치적으로 해로운 간접 비용이 무급 노동과 삶의 시간으로 지원된다. 이는 또한 화려한 추상(blingstraction)에 주목하고 그 부산물들을 유통시키며, 그럼으로써 세력 및 정당성을 획득하면서 지원되기도 한다. 어떤 종류의 수입이든 마다할 여력이 없는 다수의 작가들조차 이런 지원을 하지 않음으로써 시간을 절약할 수 있을 것이다. 이런 유의 후원을 거부하는 것은 권위주의적 폭력과 분열을 간접적으로 증대시키는 투기적인 작동에 대한 지속 불가능하고 굴욕적인 의존을 뒤흔드는 첫걸음이 될 수 있다. 은행 재단을 위해 무료로 일하지 말고 동료들을 돕는 데 자유 시간을 쓰라.[S] 독점 플랫폼에 기업의 헛소리를 '공유'하지 말라. 스스로에게 물어라. 당신은 파시스트의 얼굴을 한 글로벌 자본주의를 원하는가? 더 미친 날씨, 더 미친 지도자, 해롭고 수위가 올라가는 물, 부서지는 인프라, 새로 지은 벽을 미술 세탁하고 싶은가? 어떻게 하면 필요한 것을 정말로 공유할 수 있나?[T] 얼마만큼의 속도가 필요한가? 미술의 (그리고 미술 관련) 자율성은 오만한 주권에서 겸손한 네트워크화된 이양으로 어떻게 진화할 수 있나?[U] 플랫폼 협동조합은 여기에 어떻게 기여할 수 있나? 미술 기관들은 새로운 지방 자치 네트워크와 '반란 도시'(rebel cities) 연합의 주도를 따를 수 있는가? 파생 파시즘에 직면해, 혈연, 지연, 국가, 기업을 넘어 이웃, 공중, 다층적 지역 주민들의 네트워크로서 지역적 삶의 형태를 재구상할 수 있을까?[V] 미술 통화(currency)를 미술의 합류(confluence)로 변환할 수 있나? 투기를 범람으로 대체할 수 있을까?[W]

가치 프로세스에서 미술의 조직화 역할은 오랫동안 간과되고, 경시되었으며, 숭배되거나 엿 먹었지만, 합리적이지는 않더라도 아마

S 여러 훌륭한 사례 중 하나는 베를린의 노이에 나흐바샤프트(Neue Nachbarschaft, 새로운 이웃)다. 오래된 거주자든 새로 온 사람이든 베를린 사람들은 여기에 함께 모여 미술 강좌와 독일어나 음악 수업을 듣는다.

T 플랫폼 협동조합주의(Platform Cooperativism) 웹사이트(https://platform.coop)를 참조하라. 많은 미술 프로젝트가 다양한 버전의 블록체인 요소를 포함한다. 일례로 다음의 두 글을 보라. Sami Emory, "BitchCoin Is a New Cryptocurrency for Art," thecreatorsproject.vice.com, February 10, 2015; Steven Sacks et al. in conversation, "Monegraph and the Status of the Art Object," dismagazine.com. 블록체인을 다루는 미술 프로젝트에 대한 비판적 성찰 중 뛰어난 글로는 다음을 참조하라. Sven Lütticken, "The Coming Exception," *New Left Review* 99, May-June, 2016.

현실적으로 접근하기에 충분할 만큼 마침내 분명해지고 있다. 대체 통화로서 미술은 미로처럼 중첩된 체계들을 미술 분야가 이미 조성하고 있음을 보여 준다. 그곳에서 지나간 소문, 탐욕, 숭고한 이상, 음주벽, 무자비한 경쟁이 네트워크로 연결된 무수한 파벌을 형성한다. 이 같은 가치의 핵심은 거래에 의해서라기보다 소문, 비판, 풍문, 흥정, 야유, 전문가 평가, 잡담, 미묘한 차이에 의한 끝없는 협상으로 생성된다. 그 결과 봉건적 충성, 불타는 적의, 거절당한 사랑, 강렬한 질투, 공통의 분투, 갈망, 활력이 단단히 뒤엉킨다. 다시 말해, 가치는 생산물이 아니라 네트워크에 있다. 시장을 두고 내기를 하거나 시장을 예측하는

U   이 질문은 동시에 네트워크로 연결되고 파편화된 글로벌 체계라는 조건에서 '탈접속'(delinking)의 개념을 다시 살펴보는 긴 문단을 요한다. 이러한 개념은 사미르 아민(Samir Amin), 이매뉴얼 월러스틴(Immanuel Wallerstein), 안드레 군더 프랑크(Andre Gunder Frank), 조반니 알리기(Giovanni Arrighi) 등이 탐색한 바 있다. 이 글을 훨씬 제대로 발전시킨 버전은 가라타니 고진의 '자율적 교환 양식'(autonomous modes of exchange) 개념에 크게 의존할 것이다. 『세계사의 구조: 생산 양식에서 교환 양식으로』에서 가라타니는 유통을 생산 양식으로 중시하고 협동조합주의(cooperativism)와 연합주의(associationism)[역주: 가라타니는 이를 음차로 '어소시에이셔니즘'으로 표기한다]를 창조적 조직의 장으로 강조한다. 미술 체계는 가라타니가 언급한 대부분의 유통 양식(농경 이전의 씨족 기반 양식, 약탈 및 징발, 국가로서의 지위에 기반한 양식, 자본주의 양식)을 결합한다. 또한, 공유, 경계의 붕괴, 국지적으로 실현된 다양한 지역구, LETS(Local Exchange Trading System) 및 기타 블록체인 이전의 대체 통화를 이용한 평행 경제 창출에 기반한 잠재적 미래 유통 양식의 단초도 포함하고 있다. Karatani Kojin, *The Structure of World History: From Modes of Production to Modes of Exchange* (Durham, NC: Duke University Press, 2014). [한국어판은 『세계사의 구조』, 조영일 옮김(서울: 비, 2012) 참조.] 관련 기사로는 아리아 딘의 훌륭한 최근 글을 참조하라. Aria Dean, "Poor Meme, Rich Meme," reallifemag.com, July 25, 2016. 이 글은 공유된 몸짓, 역사, 운동, 다양성으로 투사된 흑인 순환주의(Black circulationism)의 궤도를 그려내고 있다.

V   친쿠르드계 민주지역당(Democratic Regions Party, DBP)이 관할하는 터키 남동부의 24개의 폐지된 지방 자치 단체(누사이빈, 지즈레, 수르, 수루치 등 포함. 이들 중 일부는 자치를 선언하고 회합 기반의 자치 모델로 운영되어 왔다)의 경우처럼, 공격받는 지자체를 어떻게 방어할 것인가?

W   합체(coalition) 대신 합류(confluence)는 운동을 움직이게 하는 방식이다. 범람은 동적 발전에 있어 통제를 생산적으로 상실하는 것을 뜻한다. 이들 및 다른 개념에 대해서는 저널 『트랜스버설』(transversal) 2016년 9월호를 참조하라. transversal.at

빵이 없으면 미술을 드세요! 동시대 미술과 파생 파시즘

것이[X] 아니라 교환을 창출하는 데 있다.[Y] 가장 중요한 것은 미술이 파생 파시스트들이—아직은—통제할 수 없는 몇 안 되는 교환 중 하나라는 것이다.

그러나 멍청하고 야비하며 탐욕스러운 돈의 지급 준비 제도로서 미술의 사회적 가치는 (자동)파괴되고, 궁극적으로 그저 더 텅 빈 껍데기를 가리고 분열과 분리를 증폭시키는 위장 활동이 된다. 마찬가지로, 미술의 장들은 이미 과잉 디자인된 자유항 은행의 귀중품 보관실과 보세 창고로 변모하고 있다.

완전히 조작된 체계의 준비 통화로서 미술의 모토가 무엇이 될 수 있을지를 상상하기란 쉽다. 대형 아트 페어의 입구를 지키는 근사한 홍보 담당자가, 배제되고, 추방되고, 착취당하고, 무시당하는 자들에게 조심스레 다음과 같이 말하는 것을 그저 상상해 보라. "빵이 없으면 그냥 미술을 드세요!"

X 작가의 수명을 가늠하려 하거나 여성 작가의 아이 수에 따라 투자하는 것이 일례가 될 수 있을 것이다.

Y 나는 이것을 엘리 아야슈의 흥미로운 논저에서 배웠다. Elie Ayache, *The Blank Swan: The End of Probability* (Hoboken, NJ: Wiley, 2010).

면세 미술

현실을 리핑하기: 3D의 사각지대와 깨진 데이터

조지 스타이너(George Steiner)의 독특한 연구 『바벨 이후』(After Babel)는 매혹적인 주문으로 끝난다. 스타이너는 이해하기 어려운 성서의 구절을 인용하며 말들의 반란을 꿈꾼다. 말들은 "의미의 예속을 떨쳐 낼 것이다. 그들은 '그 자체가 될 것이고 우리의 입에서 죽은 돌처럼 되어 버릴 것이다.'"[A]

만약 이미지에 동일한 일이 벌어진다면 어떨까? 이미지가 자신들이 재현한다고 말하던 사물이 되어 버린다면? 재현의 납작한 평면이 확장되고 심지어 몸을 얻게 된다면? 이미지가 돌, 콘크리트, 플라스틱, 겉보기에 죽은 듯한 사물로 변한다면? 그러면 이미지는 예속과 의미에서 벗어날 것인가? 그 경우 이미지는 의미화를 거부할까 아니면 반대로 의미화가 더 중요해질까? 이것은 이미지의 반란이 될 것인가? 그리고 그들이 반역하는 대상은 무엇인가?

최근의 3D 기술은 우리로 하여금 이러한 질문에 직면하게끔 한다. 3D 스캐닝과 프린팅 기술은 사물과 상황에 대한 물질적 복제물(현실의 원격 계측 주조물)을 만들 수 있다. 이제 이미지는 다른 사물을 대리하는 [또 다른] 사물들로 대체될 수 있다. 이러한 기술에서 재현(representation)은 복제(replication)로 대체된다. 우리는 이미 그림이나 글자 같은 2D 항목을 복사-붙여넣기해 재빨리 복제하는 데 익숙하다. 하지만 현실을 어떻게 복사해 붙여넣을 것인가? 상황을 가리키는 지표적인 물질적 복제물은 어떻게 만들 것인가? 이미지가 어떻게 죽은 돌로 변하는가?

몸의 이미지

최근 3D 스캐너가 진실을 말해 주는 신기술로 채택되고 있다. 3D 스캐닝 장비는 살인, 사고, 폭발 사건을 조사하고 실종된 사람들의 행방을 찾기 위한 경찰 업무에 활용된다. 3D 스캐너는 3D 사물로 렌더링해 출력할 수 있는 가상 공간의 측정치인 점 구름(point cloud)을 생성한다.

라이다 스캐너는 레이저, 백색광 또는 적외선 굴절을 통해 데이터를 수집한다. 라이다 스캐너의 주요 제조사 중 하나에 따르면, 라이다 스캐너는 "유례없는 속도와 정확성, 완벽함으로 장면을 계측하고"[B] 이를 가상

A   George Steiner, *After Babel* (Oxford: Oxford University Press, 1975), 498.

B   leica-geosystems.us

공간의 점 구름으로 전환한다. 점들은 위치상의 측정치에 대응한다.

라이카 지오시스템즈의 웹사이트에서 몇몇 사례를 인용하면 다음과 같다.

이 기술은 범죄 현장 조사, 취약성 및 위협 평가, 폭발 사후 조사, 치안 활동 조사, 사고 조사 등을 위한 법 집행 기관에서 전 세계적으로 사용된다.

스캔스테이션(ScanStation)은 객관적이고, 추후의 분석 및 도식화를 위해 '볼' 수 있는 모든 것을 완벽하게 측정한다.

이와 같은 용어에서, 우리는 다큐멘터리적 증거에 대한 훨씬 전통적인 논의에서 흔히 찾아볼 수 있는 여러 수사들을 즉각 알아챈다. 이 신기술은 다큐멘터리적 재현이 약속한 객관성이나 사건의 진실되고 완전한 재현 같은 모든 것을 약조하고 있으며, 다른 점이라고는 차원이 하나 더 보강되었다는 것뿐이다. 3D 점 구름은 더 이상 깊이와 확장이 없는 납작한 이미지가 아니다. 그것은 최초의 사물의 형태를 충실하게 복제하는 부피가 있는 사본이다.

그렇다면, 다큐멘터리 개념을 사물과 상황의 3D 복제에 적용할 때 이 개념은 무엇을 의미하게 되는가? 3D 기술과 다큐멘터리적 증거에 대한 전통적인 개념의 관계는 무엇인가? 3D 기술이 다큐멘터리적 진실이라는 개념을 어떻게 갱신하거나 전치시킬 것인가? 3D 복제를 만드는 능력이 다큐멘터리적 진실이라는 생각에 어떤 영향을 끼칠까? 재현을 복제로 대체한다는 것은 무엇을 의미하나?

실종된 몸

다음은 2011년 파로(FARO) 레이저 스캐너와 여러 소프트웨어를 이용해 내가 작업한 3D 복제의 사례 연구다. 현실에 기반하고 있기는 하지만 나는 이 연구를 다큐멘터리 사례로 생각하지 않았음을 강조하고 싶다. 그것은 신기술을 향후 다큐멘터리 작업용으로 쓸 수 있을지 시험하기 위한 견본이다. 이 사례 연구는 특정한 공상에서 출발한다. 키스에 대해 생각해 보자. 키스는 이동하는 사건이다. 우리는 키스가 메시지나 심지어 바이러스처럼 퍼지는 것을 상상할 수 있다. 키스는 상황을 넘어선다. 왜냐하면 두 사람 사이의 키스는 또 다른 상황으로 이행할 수 있기 때문이다. 키스는 증식하고 유포될 수 있다. 키스는 시공간에 확산되어 궤적을 창출할 수 있다. 키스는 사라질 수도 있지만 복사되고 반복됨으로써 스스로를 갱신할 수 있다. 키스는 끊임없이 변이되기 쉽고 똑같이 반복하기란 거의 불가능하다. 그러나 스캐닝 기술의 관점에서 볼 때, 키스는 다양한(통상은 둘인) 행위자들을 하나의 표면으로 융합한다. 표면은 몸들을 연결하고 그들을 구분할 수 없게 만든다. 표면은 접촉하고 있는 바닥 및 다른 사물에 몸을 잇는다. 표면은 몸들을 그들의 물질적 환경과 얽혀 있는 파형으로 포착한다. 키스는 표면을 구부리고 그것들을 정동적 위상으로 형상화하는 강력한 중계(relay)다. 우리는 키스가 조각한 표면들, 에너지로 구부려진 형상과 주름들을 생각할 수 있다. 하지만 우리는 보고 목격하는 모든 키스를 다른 키스들의 파생물, 판본, 후손으로 생각할 수도 있다.

또한 우리 주변에서 벌어지는 모든 키스는 실상 특정한 하나의 키스의 여러 판본일 수도 있다.[C]

이 키스는 보스니아 전쟁이 벌어지던 1993년, 슈트릅치라고 불리는 보스니아 동부의 기차역에서 20명의 사람들이 납치될 때 발생했다.[D] 그들은 베오그라드에서 바르로 가는 기차에서 끌어내려졌다. 준군사 조직 연대가 그들을 납치했다. 그들 중 누구도 살아남지 못했다. 이 사건에는 두 가지 이례적인 요소가 있다. 우선, 스무 명 중 열아홉 명만 알려졌다는 점이다. 다시 말해, 희생자들의 이름, 신원, 친척이 알려진 사람이 열아홉뿐이다. 최근에 와서 댐의 호수에서 유해가 발견된 세 명을 제외하고, 나머지 모두는 실종되었다. 하지만 스무 번째 사람은 수수께끼다. 그의 이름도 신원도 알려지지 않았다. 그가 기차역에서 끌려가는 것을 본 세 명의 목격자들의 증언으로 그가 범죄 현장에 존재했음은 보고되었다. 그는 대부분의 공식 기록이나 언론 보도에서도 빠져 있다. 또한 아무도 그가 누구인지에 대해 어떤 질문도 하지 않았다. 그것은 아마도 그가 이 분쟁의 민족 지도에 부합하지 않았기 때문일 것이다. 아무도 그가 자기 민족이라고 주장하지 않았다.

C 이 사건은 보리스 부덴의 책에 언급되어 있다. Boris Buden, *Zone des Übergangs. Vom Ende des Postkommunismus* (Berlin: Suhrkamp Verlag, 2009).

D 모든 정보는 슈트릅치 납치(Otmica u Štrpcima)에 대한 인도주의법센터(Fond za humantirano pravo)의 2003년 보도에서 가져왔다.

면세 미술

전쟁 후 건립된 보스니아 헤르체고비나는 민족의 계열을 따라 분리된 여러 연방 및 독립국으로 구성된 다차원적 구성체다. 보스니아 헤르체고비나는 보스니아헤르체고비나 연방과 스르프스카 공화국으로 구성되어 있다. 연방 또한 비공식적인 두 개의 정치체가 결합된 것이다.

나라의 북동부에 있는 브르치코라는 도시의 지위는 영토의 복잡성을 보여 주는 좋은 사례다. 이 도시는 보스니아 헤르체고비나 통치하의 자치 행정 단위이며, 그런 까닭에 중앙 정부가 직접 관할하는 유일한 구역이다. 더욱이, 브르치코는 보스니아헤르체고비나 연방과 스르프스카 공화국 모두의 일부다. 브르치코는 공식적으로 이 둘 모두에 속하지만, 어느 쪽의 통치도 받지 않는다. 이 도시의 지위는 양측의 관점에 따라 달라지며, 그 해석은 서로 다르다.

이 땅의 공간적 구성은 초기 군사용 3D 시뮬레이션을 이용해 오하이오주 데이턴에서 합의된 것이다. 그중 한 에피소드가 특히 유명하다. 그것은 스카치 도로(Scotch Road) 혹은 위스키 회랑(Whiskey Corridor)으로 알려진, 고라주데로 가는 도로의 3D 디자인에 대한 것이다. 이 정황은 『뉴욕타임스』 기사에 생생히 묘사되어 있다.

워싱턴: 와인을 마시고 호사스런 랍스터 저녁 식사도 끝났으니, 보스니아 평화 회담의 가장 첨예한 쟁점 중 하나를 해결해야 할 때였다. 사라예보에서 출발해 보스니아의 세르비아계 영토를 지나 포위된 고라주데의 무슬림 거주지까지 이어지는 보스니아 정부가 요구하는 도로의 요건을 결정해야 했다.

세르비아의 대통령 슬로보단 밀로셰비치(Slobodan Milosevic)는 최첨단 강당으로 걸어가, 거대한 영화 스크린에 영토를 재현하는 펜타곤의 컴퓨터 지도 제작 프로그램인 파워신(PowerScene)을 구동시켰다. 세르비아 지도자는 도로의 폭이 2마일 이하여야 한다고 완강히 주장했다.

협상에 나선 미군 사령관 웨슬리 클라크(Wesley K. Clark) 중장은 그처럼 좁은 도로가 왜 전략적으로 말이 안 되는지를 보여 주기 위해 해당 지역의 가상 공중 투어로 밀로셰비치를 잽싸게 이끌었다. "당신이 보는 것처럼, 신은 산을 2마일 간격으로 떨어뜨려 놓지 않았소." 클라크 장군이 말했다.

밀로셰비치는 위스키를 벌컥 들이키고 이 지구물리적인 사실을 검토한 후, 도로의 폭을 5마일로 할 것에 합의했다. 이 길은 스카치 도로로 알려지게 되었다.[E]

『와이어드』는 이 일화와 관련해 보도를 이어간다.

파워신은 21일간의 회담 중 이러한 교착 상태를 타파하는 데 자주 사용되었다. 경계선이 특정 도로의 어느 쪽에 해당하는가 같은 세부 사항은 파워신을 활용해 상세히 조율되었다.

버지니아 매클레인 캠브리지 연구협회가 개발해 평화 협정에 사용된 최초의 가상 현실 프로그램인 파워신은 위성과 정찰기에서 수집한 이미지를 고도로 정확한 지형-고도 정보와 결합해 교전 중인 수장 여럿에게 충격을 줄 정도의 시각적 세부를 만들어 낸다. (…) "비행을 멈추시오." 밀로셰비치가 어느 순간 빅 쿠차르(Vic Kuchar, 미 국방지도국의 관료)에게 말했다. "저기 저 다리를 보시오, 사라졌소. 당신들이 폭파시켰소." 실제로 작년 9월에 일어난 보스니아계 세르비아 목표물에 대한 공습을 위해, 나토의 파일럿 훈련은 폭격 비행을 연습하는 데 파워신을 활용해 왔다.[F]

3D 툴은 민족주의 전쟁의 목적, 즉 민족에 따른 영토 분할을 데이턴 협정에 의거해 시행함으로써 나라의 형태를 규정지었다. 이 같은 영토 분할은 1943년 '유고슬라비아 민족 해방을 위한 반파시스트 위원회'(AVNOJ) 회의가 보스니아 야이체의 2D 영화관에서 유고슬라비아 연방 공화국을 선포한 사건과 극명한 대조를 이룬다.[G] 이 영화관은 1992년 크로아티아와 보스니아 군대가 전투를 벌이면서 실제로 파괴되었고, 나는 영화 자체가 전투 중 치명적으로 손상되어 [상징적으로] 다시는 원래대로 돌아가지 못했다고 생각한다.[H]

E   Elaine Sciolino, Roger Cohen and Stephen Engelberg, "21 Days in Dayton," *New York Times*, November 23, 1995.

F   Ethan Watters, "Virtual War and Peace," *Wired*, March 1, 1996.

G   하지만 하나의 공화국에 반대해 여러 공화국들의 연방이 결성되었기에 분할선은 이미 그어져 있었다.

확장해 보자면, 이 같은 3D 논리는 아주 단순하게, 흑인은 삼국 영토에 속하는 자가 아니었고 어쨌든 이 3D 풍경의 단층선에서 실종되었음을 뜻하기도 한다. 아무도 슈트롭치 납치 사건을 조사할 동안 이 사람에 대해 묻지 않았고, 그가 자신의 집단이나 공동체에 속한다고 주장하는 자도 아무도 없었다.

이 사건과 관련해 납치의 목격자 중 한 사람이 보고한 아주 이례적인 부가 사항이 하나 있다. 흑인을 멀리 끌고 간 준군사 갱단의 수장은 그의 어깨를 두드리며, "이 사람은 내 형제다"라고 말하고는 그에게 키스했다. 우리는 학대받고 약탈당한 후 다른 열아홉 명과 함께 고작 몇 시간 뒤 과수원에서 총살당한 것으로 보이는 이 사람에 대해 거의 아는 바가 없다. 그의 시체는 결코 나타나지 않았고, 어떤 추가적인 정보도 없다.

당연히 우리는 그 키스가 어떻게 보였는지에 대해서도 알지 못한다. 그것은 표면, 파형으로 변하고, 일부 그늘을 드리우고, 시간이 지나며 퍼져 나갔다.

표면으로서의 키스

3D 기술이 과학 수사에 사용되는 용례를 감안하면, 이를 통해 이 사건을 재구축하려는 시도는 명백한 선택지로 보인다. 하지만 발생한 실제 범죄나 사건을 정말로 스캔하려고 하면, 대대적인 기술적 한계에 걸려 넘어지게 된다.

가장 큰 이유는 다음과 같다. 이 공간은 분수 공간(fractional space)으로, 잘랄 투픽(Jalal Toufic)의 말을 빌리자면, 2D와 3D 사이에서 부유하는 공간이다.[1] 이를테면, 그 공간은 2.3D나 2.4D다. 완벽하게 3D로 변환하려면, 모든 각도에서 표면의 모든 점을 스캔하거나 캡처해야 할 것이다. 기본적으로 최소한 세 개의 스캐너를 사용해야 하고, 그 결과를 가상 공간에 중첩시켜야 한다. 만약 하나의 시점만 확보할 수 있다면, 잘해야 2.5D의 결과, 즉 표면과 부피의 사이에 해당하는 공간만 얻을 수 있다. 2.5D는 3D 기술로 만들어지지만, 불완전한 3D다. 2.5D는 차원들 사이에 머무르며 그것들을 연결한다. 분수 공간은 사람들이 이미지 속으로 들어오고 나가도록 허용하는

H   [물리적으로] 영화관은 그동안 재건되었다.

I   "2차원도 아니고 3차원도 아닌, 그 사이의 공간." Jalal Toufic, "The Subtle Dancer," in *Over-Sensitivity*, second ed. (Lebanon: Forthcoming Books, 2009), 101.

현실을 리핑하기: 3D의 사각지대와 깨진 데이터

이행 공간이다. 포착한 후 다시 이를 떠나 어딘가로 가거나 사라지는 곳이다.

이는 놀라운 결과를 가져온다. 이 같은 특정한 상황에서 3D 스캐닝 기술이 역설적으로 강조하는 것은 2D 재현의 사라진 정보, 다시 말해 사각지대와 텅 빈 그림자들이다. 우리가 이들을 볼 수 있는 곳은 사라짐 그 자체가 명시적으로 드러나는 분수 공간뿐이다.

3D 기술은 라이다 스캐너로 위치 값이 실제로 측정된 부분만 렌더링하는 것이 아니라, 2D 이미지에서 빠진 부분도 렌더링한다. 이미지에서 가려지거나 잘리거나 덮인 부분들이 그런 것들이다. 실종된 데이터는 부피나 몸을 부여받는다. 그림자나 사각지대는 2D에서처럼 프레임 바깥에 있거나, 숨겨져 있거나, 잘리는 것이 아니라, 정보의 동등한 일부로 간주된다.

출현하는 것은 몸의 이미지가 아니라 이미지의 몸이다. 이미지의 몸 자체가 서로 다른 자연적, 기술적 혹은 정치적 힘들로 형상화된, 얇은 표면 위 정보나 분화(differentiation)를 제시한다. 이 경우, 키스 주변의 접힘(folding)일 테다.

분수 공간

분수 공간에 대한 질문은 근대성이 시작될 무렵, 획기적인 회화 중 하나인 한스 홀바인 2세(Hans Holbein the Younger)의 「대사들」(The Ambassadors)에 이미 등장한다. 1533년 홀바인은 두 명의 인물을 그리는데, 그중 하나는 영국 궁정에 온 프랑스 대사로 과학 기구 및 문화적 참조물로 가득한 배경에 묘사된다. 두 인물은 선반 옆에 서 있고, 선반에는 책, 시계, 육분의, 그밖에 학습과 문화, 나아가 종교적 갈등과 불화까지 암시하는 여러 도구들이 진열된다. 그림의 주인공들과 (은연중 암시되듯) 이를 그린 화가는 모두 과학 소품 및 근대성의 새로운 재현 도구들에 통달한 자, 공간뿐 아니라 시간에 대한 식민 통치에 통달한 자로 설정된다.

하지만 이 작품의 가장 충격적인 요소는 그림 평면을 가로지르는 각도로 놓인 이차원 평면 위를 떠도는 그림 아랫부분의 이상한 물체다. 이 형상은 특정 위치에서 보면 두개골로 보인다. 이 기법은 왜상 회화로 불리는데 보는 각도 및 이에 따른 시점의 왜곡을 고려한다. 오늘날 「대사들」을 제작한다면 아주 기본적인 포토샵 작업일 것이다. 2D 표면의 Y축과 X축을 회전시키고 잡아 늘린 후 다른 2D 표면으로 떨어뜨리면 되는 것이다.

이 그림은 수없이 되풀이해 분석되었고, 특히 소위 왜상적 얼룩, 즉 두개골은 응시를 드러내고 나아가 주체성의 구축에 영향을 주는 요소로 해석되곤 했다.[J] 또한 미술사의 관점에서, 유한성을 환기시키거나, 광학적 지식 및 회화적 숙련도를 과시하거나, 의도적으로 관객을 전치시키는 사례로도 분석되었다. 한편, 동시대의 관점에서 볼 때 이 그림은 뜻밖의 새로운 의미를 얻는다. 왜곡된 두개골이 그림 자체에 그리고 그 내부에 무슨 의미를 지니는가?

아마도 두개골은 그림 외부에 있는 무언가를 보여 주기보다 뼈로서 이미지 자체의 몸을 보여 준다. 그것은 이미지의 구축을 보여 준다. 이미지의 골격, 말하자면 선원근법에서 그림의 구축을 보충하는 비구선, 압축, 왜곡을 보이는 것이다. 하지만 이 골격은 보통 그림의 살로 덮여 잠재적이고 비가시적으로 남아 있다. 이 그림에서 골격은 발가벗겨진다. 그것은 우리에게 이미지 자체가 몸을 지니고 있으며, 이미지와 몸은 모두 구조와 물질적 구성으로 표현되고, 이와 같은 몸은 무생물이면서 물질일 수도 있음을 환기시킨다.

두개골이 이미지의 몸을 표현하는 사물이 되어야 한다는 점은 조금 이상해 보이기도 한다. 우선, 두개골은 몸 전체가 아니라 신체의 일부다. 두개골은 기계적, 화학적 혹은 디지털 복제가 출현한 이래, 이미지가 흩어진 해골처럼 언제나 여기저기에 흩어지고 뿌려진다는 것을 상기시킨다. 이미지의 생산은 흩어져 있고, 그것의 유통은 더욱 그러하다.

두개골은 이미지의 몸이 언제나 불완전함을 밝히고, 그려진 2D 평면의 납작함과 환영적 깊이를 그대로 드러내 그 불완전함을 가리킨다. 제작된 지 거의 500년이 지난 지금, 두개골은 우리에게 주체와 대상을 차별 없이 똑같이 감싸는 표면만이 존재하고, 이러한 표면들은 정보의 일부 또는 또 다른 부분을 망실하고 있음을 우리에게 알려주는 듯하다.

주름

동시대 3D 스캔 데이터조차 신체나 사물 전체를 온전히 구현하지 못하며 대신

J   "왜상적 얼룩"에 대해서는 자크 라캉과 슬라보이 지제크의 다음의 책을 참조하라. Jacques Lacan, *The Four Fundamental Concepts of Psycho-Analysis*, trans. Alan Sheridan, ed. Jacques-Alain Miller (New York: Norton, 1977); Slavoj Zizek, *Looking Awry* (Cambridge, MA: MIT Press, 1992), 90.

접힌 표면들만을 생산할 수 있다. 이러한 표면들은 온전한 부피를 만들기 위해 스스로를 구부릴 수 있지만, 분수 공간에서 그것들은 대개 3차원으로 접힌 2차원 표면들일 뿐이다. 그런 표면은 상상할 수 있는 모양은 무엇이든 만들 수 있게 위상학적으로 늘리고 성형할 수 있는 표면이다. 깊이는 이러한 표면을 접어서 형성된다. 물론, 실제의 어떤 상황에서도, 표면은 그것을 형상화한 정치적, 물질적, 사회적, 기술적, 정서적 힘의 흔적을 담고 있을 것이다.

이것은 표면으로서의 재현이라는 근대적 사상을 새로운 차원으로 이끈다. 게오르그 짐멜(Georg Simmel)은 표면은 근대 도시 생활의 핵심일 뿐 아니라 어떤 의미로는 그것의 응축이라는 개념을 도입했다. 이러한 생각은 표면을 단순히 외양, 비(非)진정성, 얄음에 연결시키는 보다 전통적인 개념과 대치됐다. 존 앨런(John Allen)은 이러한 관점들을 대조시킨다.

> 만약 어떤 일이 진행되고 있는지 정말 알고 싶다면 어쨌든 깊이를 추구해야 한다고 주장하는, 잠재적으로 내재된 수직적인 표상은 바꾸기 어렵다. 이러한 암시에서 깊이는 문화적 진실이나 진정성에 대한 동의어거나, 사건을 더 잘 해석하기 위한 자리, 일상에 대한 여러 정신분석학적 설명과 같이 기능한다. 마찬가지로, 매끄럽고 평평한 표면으로서의 사회에 대한 비유는, 공간이 활력과 경험 자체의 원천이라기보다 사건이 일어나는 배경에 지나지 않게 되는, 꽤나 쓸모없는 양상을 가리키는 것이다.[K]

지그프리트 크라카우어(Siegfried Kracauer)는 표면을 피상성과 결부 짓는 훨씬 전통적인 견해를 타파하며, 어떤 시대에 알 가치가 있는 모든 것은 이목을 끌지 않는 표면-단계의 표현들에서 읽을 수 있음을 확신했다. 그에게 표면은 현재를 진단하기 위해 들여다볼 필요가 있는 전부였다. 표면은 매개되지 않은(unmediated) 사회적 무의식을 표현했다. 크라카우어는 표면이 역사적, 사회적 정보가 담겨 있는 주된 현장이라고 주장한다.

> 역사의 진행에서 한 시대가 점유하는 지위는 스스로에 대한 해당

K   John Allen, "The Cultural Spaces of Siegfried Kracauer: The Many Surfaces of Berlin," *New Formations* 61 (2007), 22.

시대의 판단에서보다 눈에 띄지 않는 표면-단계의 표현들을 분석함으로써 훨씬 분명하게 판정될 수 있다. 이 같은 판단은 특정 시대의 경향에 대한 표현들이기 때문에, 전체적인 구성에 대한 확정적인 증언을 제공하지는 않는다. 하지만, 표면-차원의 표현들은 그 무의식적 속성 덕에 사물의 상태의 근원적 본질에 매개를 거치지 않고 접근할 수 있게 해 준다. 반대로, 사물의 상태에 대한 이러한 지식은 표면-차원의 표현들의 해석에 의존한다. 한 시대의 근원적 본질과 간과된 충동은 서로를 호혜적으로 조명한다.[L]

크라카우어가 다른 글에서 지적하듯이, 표면은 가장 응집되지 않았기에 가장 저항이 적다.[M] 표면 현상은 쉽게 결합되거나 분리될 수 있다. 그것들은 대량 복제 기술과 연결된다. 이러한 경향은 완전히 다른 맥락에서 프레드릭 제임슨(Fredric Jameson) 또한 주목한 바 있다. 그는 포스트모더니즘을 깊이 없는 시대, "새로운 종류의 납작함 혹은 깊이 없음, 새로운 종류의 피상성의 출현"으로 규정했다.[N]

그러므로 우리는 3D 스캔 재현의 접힌 표면을, 발산하는 다양한 힘들의 긴장과 영향을 드러내는 센서로 해석할 수 있다. 질 들뢰즈(Gilles Deleuze)에 따르면, 주름은 안과 밖, 밀고 들어감(intrusion)과 밀어냄(extrusion), 주체성 및 대상성의 타자에 대한 삽입(exclave) 및 타자의 침투(enclave) 사이를 매개하는 삼투성의 막이다.[O] 주름은 이론적으로 다른 형상과 형태로 변할 수 있는 위상적 분포를 구성한다. 표면의 주름을 변형시키는 것은 이러한 힘들에 개입해 이들을 다르게 재구성한다는 뜻이다. 그렇기에 물질, 행위, 힘을 뒤섞는 3D 스캐닝은 표면의 개념을 강조하게

L   Siegfried Kracauer, "The Mass Ornament," in *The Mass Ornament: Weimar Essays* (Cambridge, MA: Harvard University Press, 1995[1963, 1927]), 75.

M   Siegfried Kracauer, "Jacques Offenbach und das Paris seiner Zeit," in *Schriften*, vol. 8 (Frankfurt: Suhrkamp Verlag, 1973), 371.

N   Fredric Jameson, "Culture," in *Postmodernism, or, the Cultural Logic of Late Capitalism* (London: Verso, 1996), 9.

O   Gilles Deleuze, *The Fold: Leibniz and the Baroque*, trans. Tom Conley (Minneapolis: University of Minnesota Press, 1993).

된다. 표면은 더 이상 주체와 대상이 놓이는 무대나 배경이 아니다. 그 대신 표면은 주체와 대상, 그리고 운동, 감정, 행위의 벡터들을 접어서 이들 사이의 인위적이고 인식론적 분리를 제거한다.

사물-허구화

이 같은 표면을 어떻게 물질적 사물로 만드나? 조지 스타이너가 제기한 처음의 질문으로 되돌아가면, 이미지는 어떻게 돌이 되나? 그것들을 3D로 프린트하면 된다. 3D 스캐너가 포착한 점 구름은 사물로 프린트되도록 모델링될 수 있다. 종종 잉크젯 프린터의 아주 단순한 변환이기도 한 3D 프린터는 레진, 플라스틱, 심지어 금속까지 거의 모든 재료의 미세한 분말을 가루들이 엉겨 있는 세밀한 층으로 쌓는다. 이렇게 만들어진 사물은 그저 이미지의 가상적 확장이 아니라 물질적 몸을 이미지에 부여한다. 그렇기 때문에, 중력을 버틸 수 있는 사물을 만들기 위해, 사라진 데이터는 꿰매져야 하고 구멍은 메워져야 한다. 이러한 모델링 과정은 해석의 요소를 포함한다. 특히 대량의 데이터가 상실될 때 그러하다.

본질적으로, 스캔 데이터가 망가지면 망가질수록(분수 공간에서 데이터는 언제나 상당 부분 망가져 있을 것이다), 표면을 꿰매고 중력에 적응시킬 때 각색을 해야 하는 정도도 커진다. 실상, 데이터베이스가 달라지면서, 3D 프린트된 사물을 만드는 데 상당한 정도의 해석이 가미된다. 이 사례의 경우, 표면의 절반이 순수한 추정, 의도적인 추상화, 데이터 계측과 데이터의 미학적 해석 사이의 공백을 경유한 신념의 비약이기 때문에 [데이터의 사물화(objectification)나 객관적 렌더링이라기보다] 의도적인 사물-허구화(objectifiction)라고 말하는 편이 옳을 것이다. 사물-허구화의 정도는 변할 수 있지만, 가장 정교한 복제와 모사에도 사물화는 존재한다. 앞쪽이 실제 측정에 기반하고 있는 반면, 뒤편은 순수한 허구다. 허구와 지표성이 이 사물들에서 융합되고 그들의 관계는 명백해진다. 잘랄 투픽이 묘사한 분수 공간으로 되돌아오면, 이미지의 이 허구적인 뒷문은 이미지로부터의 출구를 제공할 수 있다. 하지만 그것은 또한 실종된 것들의 공간으로 통하는 문을 열어 주기도 한다.

이것은 또한 이 공간의 구축에도 영향을 준다. 이 영역에는 스크린 바깥이 존재하지 않고 명백한 배제도 존재하지 않는다. 해상도는 범위에 따라

면세 미술

줄어들 것이다. 장치를 제외하고는 아무것도 프레임에서 배제되지 않지만, 관련된 해상도와 거리에는 위계가 있다. 물체와 사람들이 점차 희미해지고 허구의 정도가 증가한다. 멀리서는 물체들이 더 가상적이라는 점을 제외하면, 스크린 안과 스크린 밖 사이에 분명한 대조는 없다. 낮과 밤 간의 차이도 없다. 스캔되려면 눈을 감고 있어야 해서 행위를 실제로 볼 수 없기 때문에, 증인들은 역설적인 사물이 된다. 여기서 유일한 다큐멘터리적인 요소는 실종 그 자체다.

그러므로, 실상, 다큐멘터리의 수수께끼(현실에 대한 불확실한 관계와 이를 둘러싼 불안)를 둘러싼 전통적인 쟁점은 몸과 부피 안에서 공명하는 불확실성이라는 새로운 차원을 얻게 된다.

매개되지 않은 접근

다큐멘터리의 전통적인 수수께끼 너머에, 그 자신을 완전히 다른 방식, 즉 다큐멘터리의 진실로 표명하는 다큐멘터리의 불확실성의 방식이 존재한다. 나는 이 용어[진실]를 아주 뻔하고 명백한 의미로 사용하고 있고, 여기에는 일말의 불확실성도 없다.

이 진실은, 실종자의 뼈가 발견되거나, 흑인의 신원이 파악되거나, 정의가 실현되거나, 우주의 모든 수학적 차원을 스캔하기 위해 n차원의 스캐너가 발명될 때 얻어지는 것이 아니다.

당신이 그 키스의 인상을 진정으로 알게 되는 것은 키스를 할 때다. 키스는 거기 있고, 이동하며, 스스로를 복제하고, 자신의 에너지로 표면을 구부리고 조각한다. 키스는 매우 다를 것이다. 그것은 사랑, 폭력 혹은 그저 무관심의 신호일 수도 있다. 그러나 그것은 이 키스일 것이다. 그리고 당신의 얼굴 바로 앞에 다가올 수 있다.

그 순간 당신은 키스가 만드는 표면, 다시 말해 감정과 정치적 폭력의 힘들로 소용돌이치고 물결치는 그물망으로 뒤엉켜 들어갈 것이다. 당신은 키스의 에너지로 접힐 것이고, 살아 있거나 살아 있지 않은 온갖 표면들과 융합될 것이다. 당신은 키스의 역동성에 참여하게 될 것이다. 그것은 당신을 찢어 놓을 수도 있고 그렇지 않을 수도 있지만, 어떤 경우든 주체가 외부 대상과 맞닥뜨리는 것처럼 그것을 마주한다는 어떤 허위도 녹여 버릴 것이다. 이 표면은 과거가 아니라 현재의 물체다. 그것은 당신을 돌로, 섬광으로, 3D 프린터에서 나온 부스러진 분말 가루로, 또는 당신을 무관심하고 평온하게 내버려 두고 그저 급히 지나가는 과거로 바뀔지도 모른다.

돌로서의 이미지

돌로 변하여 사물이 되는 말들(확장하면 이미지들)에 대한 조지 스타이너의
원래 질문으로 돌아가자. 이 지점에서 우리는 사물이 된 이미지가 어떻게
반역을 시작할 수 있는지 알게 된다. 이 반역의 다소 지루한 버전이 있다.
말하자면 사물의 3D 복제물이 원본과 사본의 관계를 역전시킬 수 있으리라는
것이다. 사물의 3D 프린트는 생각지도 못한 전례 없는 예측(anticipation)이
되기 위해 닮거나 유사해지기를 멈출 수도 있다. 이때 예측은 사물 자체의
예측이 아니라 사물의 진실에 대한 예측이다.

하지만 완전히 다른 차원을 생각해 보자. 우리가 보고 알고 필요한
무엇이든 스캔되고 3D 저작권 없이 프린트될 수 있을 때, 이미지의 반란이
일어나는 것이 아니다. 대신 스크린 안에서 갑자기 결정화되어 버린 이미지를
상상해 보라. (기술 발전의 현재 시점에서 여전히 컴퓨터 모니터 및 TV의
다수를 이루는) LCD 스크린에서 액정은 이미지 정보의 운반체다. 이제 액정이
한순간 돌로 변하는 것을 상상하라. 액정이 순식간에 화석화되어 모든 스크린을
내부에서 깨뜨리는 것을 상상하라.

이 순간 이미지의 반란이 일어난다. 모든 스크린이 죽은 사물로
바뀌고, F-16 전투기와 헬리콥터 조종석의 모든 시뮬레이터가 작동을 멈춘다.
이미지가 의미의 예속을 떨치고, 아이폰과 조준용 망원경이 죽은 돌로
변하면서, 공중 감시와 증권 시장의 스크린이 터진다.

이때 돌, 레진, 플라스틱으로 변하는 것은 몸의 이미지가 아니라,
몸, 확장, 부피를 획득한 이미지 자체, 그것의 운반체다. 확장된 것은 이미지가
보여 주는 것이 아니라 그 자체의 물질적 본질이다. 이미지는 다른 무엇을
보여 주기를 거부하고, 물질 더하기 에너지, 파장과 입자, 다른 표면들 속으로
접혔다가 갑자기 출현하는 표면들, 선원근법의 2D 환영주의를 돌파하는
홀바인의 두개골로서 그들 자신을 보인다. 이것이 실로 그들을 예속하고 그들을
복종시키는 재현의 건축에 대한 이미지들의 반란이다. 이미지들은 재현의 건축에
대항해 통제 불가능하고 전례 없는 그들만의 건축을 기르기 시작하고 있다.

감사의 말

안톤 비도클, 스티븐 스큅, 브라이언 쿠안 우드, 줄리에타 아란다와, 이 책에 실린 글 대부분이 처음 실렸던 『이플럭스 저널』(e-flux journal) 팀원 모두에게 감사드린다. 또한 나를 참아 준 에스메 부던에게도 고마움을 전한다. 사려 깊고 너그럽게 작업을 진행한 버소 출판사의 레오 홀리스와 던컨 랜스렘에게도 감사를 표한다.

1 좌대 위의 탱크

이 장은 핍 로렌슨의 의뢰로 런던 테이트모던에서 열린 '과도기의 매체'(Media in Transition)라는 학술 행사의 발표용으로 쓰였고, 『이플럭스 저널』에 처음 실렸다. 올렉시 라딘스키와 나눈 여러 논의와 그의 놀라운 조력이 없었다면, 나는 결코 이 글을 쓰지 못했을 것이다. 이 글의 아이디어를 발전시키는 데 하르키우의 프로그램-에이스, 막스 슈뫼처, 데이비드 리프, 안톤 비도클, 베를린에서 열린 풍경 수업 수강생들도 큰 역할을 했다. 마드리드의 레이나소피아 국립미술관의 주앙 페르난데스와 마누엘 보르하비옐에게도 감사의 인사를 전하고 싶다. 그들은 「게르니카」와 레이나소피아의 스페인관 모델의 역할과 관련해 미술관학적 전략 및 결정에 대한 심층 설명을 많이 해 주었다.

2 사람들을 죽이는 방법

이 글은 2016년도 이스탄불 디자인 비엔날레의 도록에 실릴 예정이었으나 검열되었고, '초인류'(Superhumanity)라는 이플럭스 건축 웹 프로젝트를 통해 온라인에 공개되었다. 안전상 이유로 이름을 숨긴 모든 관계자분들에게 감사드린다.

3 완전한 현존재의 공포

이 글은 2015년 베를린 세계문화의 집(HKW)에서 열린 급진 철학 학회의 발표를 위해 피터 오스본의 의뢰로 쓰게 되었고, 2014년 런던 ICA에서 열린 니나 파워와의 대담에서 발전한 것이다. 『디스 매거진』에 처음 실렸다. 믹 매디슨과 폴 파이겔펠트에게 감사드린다.

4   대리 정치

이 글은 『이플럭스 저널』에 처음 실렸다. 2014년 반아베 미술관의 전시에서
조우했던 것들이 글에 큰 영향을 끼쳤다.

5   데이터의 바다

이 글의 첫 판본은 로라 포이트라스의 요청으로 썼다. 그녀는 아주
관대하게도 스노든 아카이브의 미분류 자료 일부에 접근할 수 있게 해 주었다.
2016년 휘트니 미술관에서 열린 포이트라스의 전시 『로라 포이트라스:
우주의 잡음』전 개막식에서 이 글의 축약본을 발표했다. 접근에 편의를 봐준
헨릭 몰트케에게 감사드리고, 로라 포이트라스 스튜디오의 브렌다와 다른
직원들에게도 감사드린다. 또한 '아포페니아'라는 용어를 나에게 소개해 준
린다 스튜파트와 이를 구체화해 준 벤 브래튼에게도 감사의 뜻을 전한다. 이
글은 『이플럭스 저널』에 처음 실렸다.

6   메디아

사바스 보이라즈, 무라트 치프치, 톰 키넌, 애덤 클라인만, 로라 포이트라스,
살리 살림, 메디아에게 감사드린다. 안체 에만, 데트레프 게릭케쉔하겐, 베를린
세계문화의 집 직원들에게도 고마움을 전한다. 이 글의 첫 판본은 2015년 2월
베를린 세계문화의 집에서 열린 하룬 파로키 추모 학술 행사에서 강연으로
발표했다. 또 다른 판본은 2015년 9월 쾰른 세계예술아카데미에서 사운드 작가
카셈 모스와 함께 「보는 전투 지역」(Combat Zones That See)이라는 제목의
강연/퍼포먼스의 일부로 공개되었다. 이 글은 2016년 휘트니 미술관에서 열린
로라 포이트라스의 전시의 일환으로 『우주의 잡음: 생존 안내서』(Astro Noise:
A Survival Guide)에 처음 인쇄되었다.

7   면세 미술

이 글은 뉴욕 아티스츠 스페이스에서 강연으로 의뢰받았고, 이전의 판본들은
피렌체 로 스케르모 델라르테(Lo schermo dell'arte) 축제와 암스테르담
스테델릭 미술관 공공 프로그램의 지원을 받았다. 초안은 도하에서 열린

2014년 국제근현대미술관위원회(CIMAM) 총회와 모스크바 빅토리아 미술재단이 주최한 강연으로 발표되었다. 애덤 클라인만과 리처드 버킷의 편집이 엄청난 도움을 주었다. 애덤 클라인만, 안톤 비도클, 세네르 외즈멘, 퓰리아 어르뎀지, 외윌 두르모소그루, 아야 무사위, 사이먼 사카이, 사바스 보이라즈, 살리 살림, 레이라 토프락, 프랭크 웨스터마이어, 제니 길, 바르토메우 마리, 리버스 플라스케테스, 리처드 버킷, 레오나르도 비가치, 헨드릭 폴케르츠에게 감사드린다. 2015년 『이플럭스 저널』에 처음 실렸다.

8   디지털 잔해

이 글은 『옥토버』(October) 138호(2011년 가을)에 처음 실렸다.

9   그녀의 이름은 에스페란자였다.

이 글은 「서한의 정서와 로맨스 사기」(Epistolary Affect and Romance Scams)라는 제목으로 『옥토버』 138호(2011년 가을)에 처음 실렸다.

10   국제디스코라틴어

이 글은 『이플럭스 저널』에 처음 실렸다. 이 글의 집필에 대해서는 하나도 기억이 안 난다. 죄송하다.

11   인터넷은 죽었는가?

이 글은 거의 2년 동안 수백 명의 사람들 앞에서 발표한 시험용 판본들에서 유래한다. 그렇기에 그간의 모든 분들께 감사드린다. 하지만 실시간 글쓰기를 대부분 견뎌야 했던 학생들에게 특히 고마움을 표한다. 주장의 일부는 야누스 과 마틴 레이놀즈가 조직한 세미나에서 도출되었고, 안드레아 필립스, 다니엘 로크, 마이클 코너, 슈먼 바자르, 크리스토퍼 쿨렌드란 토마스, 브래드 트로멜이 운영한 행사에서 나오기도 했다. 또한 제스 달링, 린다 스튜파트, 캐런 아치 그 밖의 여러분과의 의견 교환에서도 영향을 받기도 했다. 글의 단초는 레드핵, 제임스 브라이들, 보리스 그로이스, 외르크 하이저, 데이비드 조셀릿, 크리스티나 키에르, 메타헤이븐, 트레버 페클렌, 브라이언 쿠안 우드의 글과

로라 포이트라스의 작업에서 얻었다. 하지만 이 글을 쓰는 데 이론적으로 가장 중요한 공헌을 한 것은 브레인스토밍 시간을 위해 와인 한 병을 슬쩍 해 올 생각을 한 동료 레온 카하네. 이 글은 『이플럭스 저널』에 처음 게재되었다.

12   왜 게임인가 혹은 미술 노동자는 생각할 수 있는가?

이 글은 본래 스톡홀름의 왕립미술학교에서 피터 오스본이 주관한 학회를 위해 쓰였다. 『뉴 레프트 리뷰』(New Left Review) 103호(2017년 1-2월)에 처음 실렸다. 청탁해 준 토니 우드에게 감사드린다.

14   빵이 없으면 미술을 드세요!

아주 유용한 조언을 해 준 스벤 뤼티켄, 안톤 비도클, 벤 비커스, 스티븐 스큅에게 감사드린다.

역자 후기

국내에 이미 두 권이나 번역서가 출간된 슈타이얼의 글은 특유의 종횡무진하는 비약적 글쓰기와 모순적이고 양가적인 개념 제시로 유명하다. 2017년 버소 출판사에서 처음 출간된 이 책은 패턴 인식, 알고리듬 동종 선호, 파시즘과 봇 정치, 스팸 및 이메일 사기 등 철학, 경제, 군사, 공학, 예술, 사회, 대중문화를 가로지르며 동시대의 알고리듬적 무의식을 다룬다. 글과 작업이 붙어 있는 슈타이얼의 특수성, 역자들 간의 시각차, 늦어진 출간 일정 등 여러 상황을 고려해, 여기서는 번역 과정과 관련된 사항만 간략히 짚기로 한다.

번역은 각자 맡은 장을 초역하고 교차 검토하는 식으로 진행되었다. 2, 3, 4, 6, 9, 10장은 김홍기가, 1, 5, 7, 8, 11, 12, 13, 14, 15장과 감사의 말은 문혜진이 맡아 번역을 진행했다. 교정 교열은 원고를 넘기기 전 역자들끼리 1차 교환했고, 원고를 넘긴 후 편집자와 2차 진행했으며, 조판 후에도 몇 차례 더 행했다. 번역이 긴 시간 산발적으로 이루어졌기에 용어 통일을 비롯해 고칠 부분이 많이 발생했고, 이에 따라 마지막 과정에서 모든 장을 원문과 다시 대조해 누락과 오류를 피하고자 애썼다.

두 역자 모두 의역을 많이 하는 편이 아니지만, 이 책은 특히 가독성을 해치지 않는 선에서 원문에 충실하기를 택했다. 용어를 중의적으로 사용하고 인용문을 패러디하거나 재치 있게 비트는 일이 많은 슈타이얼의 문체를 가능한 한 살리려 했고, 원문의 구조를 존중해 특유의 속도나 리듬감이 느껴지도록 했다. 그럼에도 한국어와 영어의 불가피한 간극 탓에 슈타이얼의 언어적 재기가 덜 전달된 부분은 존재한다. 14장에서 흐름이라는 어원을 지닌 'currency'를 합류라는 뜻을 지닌 'confluence'와 대비시키며 의미 및 형식상의 운율을 창출하는 부분 등이 한 예다. 개념어는 원칙적으로 통일된 용어로 옮겼으나, 경우에 따라 예외를 허용했다. 예를 들어, 영화와 영화관의 뜻을 함께 지닌 'cinema'의 경우 문맥에 따라 다르게 번역했으나, '영화 이후'와 '영화관 이후'를 모두 함축하는 'post-cinema'의 경우는 두 의미를 포괄하고 있음을 전달하기 위해 '포스트시네마'로 옮겼다. 한편, 2장과 5장에 동시에 등장하는 'singularity'는 복합적인 의미를 동시에 내포하고 있기에 '단독성'과 '특이성'으로 혼용해 옮겼다. 2장의 경우 공통적 혹은 보편적이라는 의미와 대비되는 맥락에서 '단독성'이라는 번역어를 채택했고, 5장의 각주에서 인공 지능과 관련된 경우는 '특이성'으로, 일반성/총체성에 대비되는 개념으로 쓰일 때는 2장과의 연속성을 고려해 '단독성'으로 옮겼다.

이 책에 수록된 원고 다수는 여러 미술 기관 및 각종 행사에서 강연이나 원고의 형태로 발표된 것들이다. 그중 국내에 이미 소개된 원고들도 있다. 3장 「완전한 현존재의 공포」와 7장 「면세 미술」은 2016년 워크룸 프레스에서 출간된 『스크린의 추방자들』 초판본에 수록된 바 있다. 3장은 기존 번역본에 대한 참조 없이 새로 번역되었고, 7장의 경우 새로 번역하되 기존 번역본의 좋은 표현은 되도록 많이 살리는 쪽으로 진행했다(슈타이얼이 이 원고를 책으로 묶으며 일부 수정했기에 초판본의 원고와 내용이 완전히 일치하지는 않는다). 5장과 14장은 인쇄된 번역본이 존재한다. 14장의 경우 '빵이 없으면 예술을 먹어라! 현대 예술과 파생파시즘'이라는 제목으로 『문화과학』 89호(2017년 봄)에 번역이 수록되어 있다. 초벌 번역이 80퍼센트쯤 진행된 상황에 해당 판본을 발견하여 비교 검토를 진행했고, 그 덕분에 몇몇 오류를 수정할 수 있었다. 5장은 국립현대미술관에서 열린 『불온한 데이터』(2019)전 도록에 번역이 실려 있다. 이 판본은 의역이 많이 된 편이라 크게 참고하지는 않았지만 역시 대조 작업을 통해 다시 한번 이 장의 번역을 점검할 수 있었다.

워낙 오래 끈 번역인 만큼 직간접적으로 도움을 받은 분들이 많지만 대표로 두 분만 언급하겠다. 책 제목과 동명인 강연 퍼포먼스 「면세 미술」(2015)에 대해 설명해 준 부산현대미술관의 김태인 학예사께 감사드린다. 슈타이얼의 작업에서 글과 시각 이미지의 상호 작용에 대한 이해를 도모하는 데 도움이 되었다. 다음으로 한없이 지연된 역자들의 원고 마감을 무한한 인내심으로 이해하고 끝없는 교정 사항을 정확히 반영해 준 박활성 편집장께 고마움을 전한다.

혼란스럽지만 박력 있고, 매력적인 동시에 논쟁적인 이 책을 읽는 것은 정답을 얻기보다 질문을 확장하는 과정에 가까울 것이다. 12장에서 스스로 말하듯, 슈타이얼은 "모순을 풀려고 하는 것이 아니다." 그녀가 하려는 것은 모순을 강화시키는 것이다. 이미지, 재현, 주체, 실재, 사물, 역사, 미술 제도, 자본주의, 파시즘에 대해 슈타이얼이 던지는 수많은 질문들은 데이터의 바다에서 파도를 타는 것과 흡사한 경험을 제공할 것이다. 어디로 향할지 알 수 없고 즐거운 동시에 공포스럽기도 하지만, 온갖 가능성으로 이어지며 생각을 자극한다. 이 파도를 어떻게 탈지는 읽는 자의 몫이다.

2020년 12월
역자 일동

면세 미술: 지구 내전 시대의 미술
히토 슈타이얼 지음
문혜진, 김홍기 옮김

초판 1쇄 발행 2021년 1월 15일
4쇄 발행 2023년 11월 15일

발행 워크룸 프레스
편집 박활성
디자인 임하영
제작 세걸음

ISBN 979-11-89356-44-6 (03600)
값 18,000원

워크룸 프레스
03035 서울특별시 종로구 자하문로19길 25, 3층
전화 02-6013-3246
팩스 02-725-3248
이메일 wpress@wkrm.kr
workroompress.kr